白玉崢撰

殷契佚存校釋

（上）

文史哲出版社印行

殷契佚存校釋目次

附圖版

上冊

下冊

殷契佚存之偽造片——代序

嚴一萍

商承祚編纂之殷契佚存上下兩冊，上冊拓本，下冊釋文。金陵大學中國文化研究所叢刊甲種，於中華民國二十二年十月初版。迄今逾五十二年矣，近兩年，白玉崢兄作殷契佚存之研究，已至完成階段。迺發見商君於自藏拓本中，居然有兩號爲「偽造」。此或是當日商氏搜羅拓本時，受人之欺，故其釋文並無說明。茲將兩號揭之如左：

一、第五三七號

其釋文作：

五三七　甲　☐王固曰吉其去（下行）

乙　☐☐卜戠貞王往出☐（下行）

丙　☐卯卜𣪊貞沚戠爯冊王☐（下行）

丁　乙未卜𣪊貞王☐（下行）

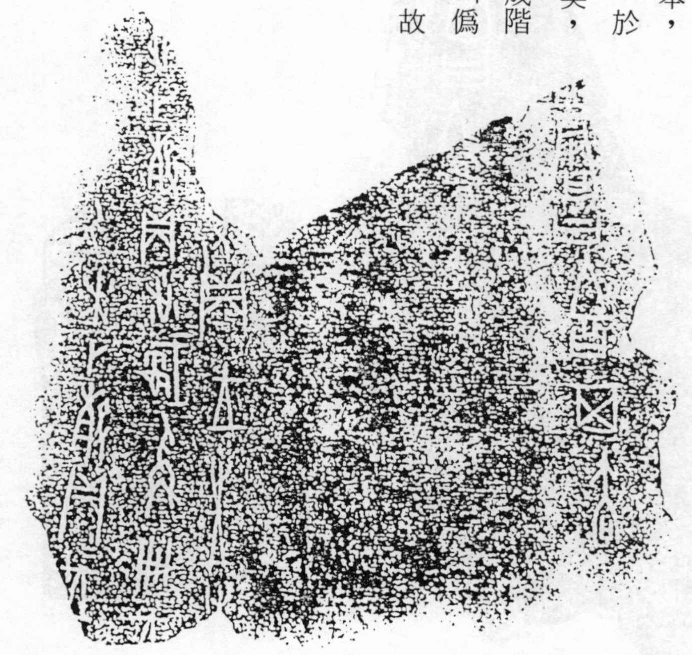

二、第八九〇號：

其釋文作：

八九〇　甲　貞亡尤下行

乙　□子卜𢓊貞王賓𩁹□叙亡尤右行

丙　貞

丁　貞□于𦎫勿㞢左行

戊　巛

五三七號係一骨之面背，裁剪合而爲一，面拓見羅振玉所編殷虛書契續編卷五之二十三頁第一片，今甲骨文合集及總集均收入，編爲七三八五之正與反。如圖：

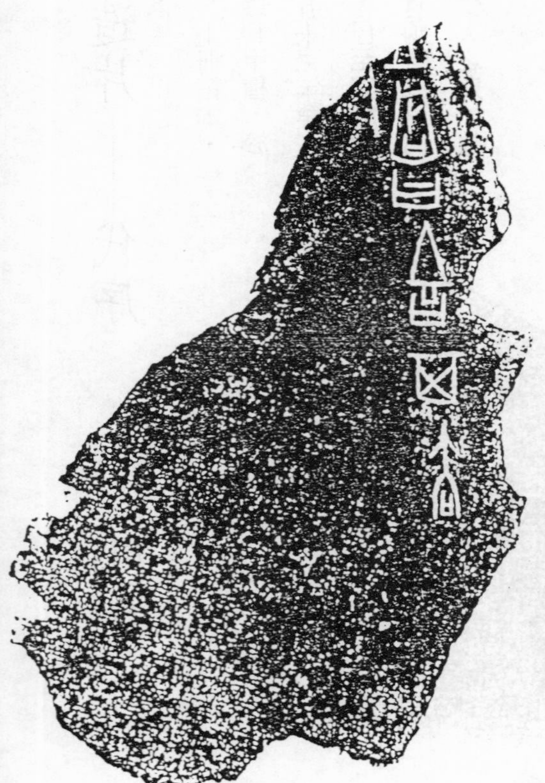

其釋文應分作兩段，當作：

正：一、□□（卜）爭貞王往出

二、（癸）卯卜㱿貞沚戠爯冊王□

三、乙未卜㱿貞王□

背；一、王固曰吉其去

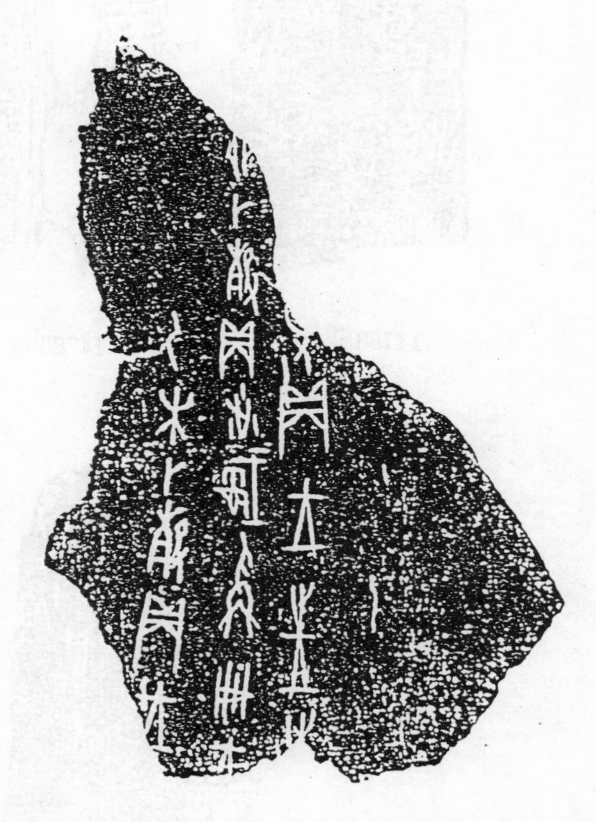

八九〇號係合兩骨之拓片，各加剪裁而拼成。其左半爲第一期，見戩壽堂殷虛文字第九頁之四，骨全，今收入總集與合集之一四七八三號。右半爲第二期，見續編卷一之五十一頁第一片，今收入總集與合集之二三〇八八號。兩者之圖版如左：

14783 正

14783 反

23088

其釋文須完全改作：

一四七八三正：

一、貞☐衣☐　二

二、貞于娥告　一

三、貞至于𦎫勿㞢

四、☐[illegible]☐亡𡿧

五、不[illegible][illegible]

一四七八三反：

一、王固曰：㞢希

二三〇八八：

一、甲子卜貞：王宂☐亡尤

二、甲子卜即貞王宂𥀁甲𣪘亡尤

三、☐☐卜貞亡尤

四、☐尤

五、庚☐（卜）貞☐南（庚）☐　三

甚矣，治契之難也，能識僞片外，復需辨拓本之僞，此實昔人治契者所萬想不到也。余撰甲骨學一書，曾指出某君之書，有僞造拓片之事實，不意商氏之佚存，已先有之矣。所幸，白君讀書細心，能察人之所不見，揭此僞作，使後之讀者，不再受其欺騙，於甲骨之研究，厥功可謂偉矣！

一九八五年二月十四日病中

自序

甲骨之學爲今世顯學，蓋書契於甲骨之卜辭，不僅爲殷商一代各項施爲、與夫活動之實錄，抑且從而可以考知我國文化之源流。或謂：辭爲疑惑之卜筮，乃迷信之行爲，未必爲行事施作之實錄。然疑生於事，有其事而後有其疑，故契文雖爲疑辭，然必有其事焉。且徵於傳世之典籍所記，事多有徵，其或契辭所記未見於典籍者，蓋緣時序之推移，人文之衍進，抑或人爲之刪汰，遂而漸爲流失。又或典籍所記未見於卜辭者，蓋卜辭乃因疑而生，無疑，固無卜辭矣。又緣卜辭乃因考古而發掘所得，殊非當時完正檔案之傳承；且正式發掘之前，久歷人爲之盜掘與破壞。是二者不能完全脗合，乃必然之事實，不値辨解者也。故自甲骨面世以來，舉凡國內外研究文字、天文、曆算、史學、考古、以及文化、藝術等之學者，無不採擷其所記，據爲研究之素材、立說之張本。顧典籍所記，若武丁師甘盤、武丁伐鬼方，以至帝辛征夷方等之史事，無不見於契辭焉。此固可證明契辭爲殷商之實錄，抑亦證明我民族文化、歷史之源遠悠久也。

殷契佚存，爲商承祚氏糾集九家之藏契及拓本，並增益己藏而著錄成冊者；上冊爲圖版，下冊爲考釋，出版於民國二十二（西元一九三三）年十月，列爲金陵大學文化研究所叢刊甲種之一。緣其集錄資料豐贍，不乏前此同類他書所不經見之資料，故自出版以來，頗爲學者所歡迎。惟緣編者商氏，泥於當時之習尙，所錄拓本，甚多不彀完整；且拓印亦欠清晰，既不利於絜辭之通讀，亦不利於骨甲性質之辨認，與夫綴合還原之施作。若八七九號拓本者，僅拓印「祡小母」三字，拓印面積僅約一平方公分。如據商氏所錄拓本，不僅無由認識辭意，及絜辭在骨或甲所居之部位，與其實物之性質，且亦不能據以施予綴合。今與商周甲骨總集所錄拓本比勘，知其實物爲肩胛骨，其部位爲上端連接骨臼，俗稱爲「馬蹄兒」者，拓本面積約在六十平方公分；絜辭雖仍僅此，可是，因其拓製完正、清晰，所現示之意義與價值，自不同於商氏所著錄者。又若九七二號拓本，其拓製面積僅約十平方公分；而拓印完正之拓本，其面積則在五十二平方公分以上，且有背面拓本可資參稽。其他類此之情形者甚多，茲不詳舉，請參閱校釋即知其詳。其著錄拓本所以如此者，蓋緣拓本之拓製，僅僅著眼於文字之奇古，書體之詭異等；至於其他更吃緊之要件，具皆不値一顧也。

商氏所作之「考釋」，其在當時，或有意義。然於今時籀讀其「考釋」，勿寧是簡略的釋文而已；此或亦緣於當時之環境，及商氏之著眼所使然也。蓋其間似有若干絜辭當考而未之考、當釋而未能釋者。若四〇七片者，其辭曰：「又出日，又入日」；又，即今字侑之初文，動詞，祭祀之義。而商氏之「考釋」則僅釋其文爲：「又廾日、又六日」，此外，未作任何之說明或解述。又若八十六片之辭爲：「又于出日」，考釋雖釋爲「有于出日」，卻不能「考」明有即侑，侑祭之意。至於「出日」「入日」，或何以侑祭出日入日，則亦未之「考」也。而將此上好絕佳之史料失之眼簾，直至五十年後，敘其徒所鈔懷特一五六九片之辭之時，誑爲「過去甲骨文辭所未見」者，驚爲新發現，而贊嘆不已。

佚存所錄拓本，由於糾集衆家之收藏，再緣編者商氏不能辨認各家拓本之情形，致將後世之僞造仿刻，雜湊駢合者統皆入錄；而其前後重複者又屢見於編中，馴至以無爲有，並亦容於一編。至其自我牴牾編輯體例者則更勿論矣。茲就籀讀所見，條記於後，藉備參稽。

一、僞刻者：就佚存所錄拓本評量，著錄後世僞造之情形約有三焉：

1.部份疑似後世仿造者：若四三〇、五八〇、九一五等三拓本。

2.全部疑似後世仿造者：若十三、三九一、四〇三、四一〇、五一〇、五七七、七〇九、七八三等八拓本。

3.絕對全部爲後世仿造之贗品：若三八一號拓本。

二、雜湊駢合者：佚存所錄拓本，固有其文獻上之價值，然其雜湊駢合之情形亦見於篇中：

1.以面拓定爲另一拓本之背拓，湊合爲一個編號，若二十五號之兩拓本，均爲面拓者是也。

2.以不同時期之兩拓本，湊合爲一個拓本，若八九〇號拓本，其右半爲祖甲時期之絜辭，左半爲武丁時期之絜辭者是也。

3.以面拓與背拓湊合爲一個拓本，若五三七號拓本者，其左半爲右半之背拓。

4.以三片非同腹甲之拓本，駢湊爲一個拓本，若二三四號拓本是也。

5.以四片非同腹甲之拓本，與背甲之拓本駢湊爲一個拓本，若九八七號拓本是也。

三、本書拓本重複著錄者：

1.一三〇即三六〇加三六一加三六三

2.一三八即五五四

3.一四八即三六四

4.一七三即五六四

5.二五六即九八六

6.三九一即四〇三

7.四四六即八四五

8.五〇一即八三九

四、以無爲有者：若九八六號拓本是也。

按：此拓本決非拓自實物之原初拓本，宜爲經過綴合後之複制拓本。蓋其實物，分藏於我國及美國，故判定商氏宜無此實物之拓本。若確有此綴合後之拓本，亦僅止於綴合後之複製品，或半爲複製、半爲原始拓本而已。然商氏卻於佚存中定爲己藏之拓本；豈非以無爲有歟？

五、違牾自定編錄體例：考商氏編錄佚存拓本之體例，面背或面背臼編錄爲同號，體例良佳；且於七十八號編錄拓製不同之兩拓本，提供學者充分比勘研究之素材，用意至善，亦爲佚存所獨具之優良體例，値得喝采。然籀讀其整體之編錄，商氏卻又自毀其此一優良體例，遂而成爲無例之一塌糊塗編錄。若六十一號拓本，爲六十號之背面拓本，據例，宜編錄爲同號，且商氏亦知其爲同骨之面背兩拓本（見商氏考釋），然於此二拓本之編號，卻自毀其編例，賦予不同之二編號。又若九八五號爲九八〇號之背拓，依例，亦當編錄爲同號，然商氏爲炫耀其千號拓本之集錄，竟不惜違牾其所定之體例，分裂爲兩個編號。

佚存所錄拓本，經右述之校核，董理，據其編例，應予刪除十四個編號。另緣離析駢湊之拓本，應予增列七個編號。兩者相抵，應刪除七個編號，再併計本書自相綴合之拓本五號，實應刪除十二個編號。

佚存，爲糾集十家之藏契而成者，於所著錄各拓本之面背，或面背臼拓本，經予重複著錄之各書詳爲比校，知其所錄，於面背或臼各拓本之著錄，頗多漏失。此或緣於藏家，或緣於編者，亦或緣於坊肆之賈人；於今，不得知其確矣。茲就比勘所見，應予補增之拓本甚多，分別條紀於左，藉資參稽。

一、應補錄正面拓本者：一八八、五四六、五五八、六八九、七五一、九七三、九八五、九九五等八號。

二、應補錄背面拓本者：二一、二五之一、三五、九四、一五三、三〇〇、三二八．三七八、三九七、五二四、五三二、五五〇、五五一、五六三、六六六、六八五、六八八、七五二、七九五、八一〇、八一八、八四四、八四八、八九〇、九一〇、九二三、九四三、九七三等二十八號。

三、應補錄骨臼拓本者：一九、四二、一〇五、三六一、八八六等五號。

右三項總凡補錄拓本四十一個，佚存原著一〇四一（照相正反各一）個拓本，經前述之董理、應刪除十二個拓本，因離析而增加一個拓本，實際著錄一〇三〇（同前）個拓本。茲予補錄四十一個拓本，總凡一〇七一個拓本。爲便於觀覽，更列表如後：

佚存所錄拓本，統皆私家之收藏；私家所藏，變動不居，時有遷轉，且各家率多拓印成冊，流傳於坊肆，翻檢群書，時見佚存之重複拓本，故欲卻除佚存所錄拓本之瑕疵，還其本眞之面貌，而利於絜辭之研究，與夫綴合之施作，宜以比對諸書之重複拓本，擇其善者優者予以輯錄替換，爲無上之要法。本校釋之作，即本此旨，用力遍索群書，逐片比對，校核其拓製之良窳。故雖仍舊顏之爲「殷絜佚存」，然所輯錄之拓本，則大異前此之殷絜佚存，況乎除前述之汰僞、刪重、離析雜湊，是正編例諸事之董理外，約要言之，尚有左述三事之董理與增補。

一、選輯拓製完善完正之拓本，替換原錄惡劣或拓印差池之拓本，約爲原書所錄拓本百之七十以上。

二、補錄商氏漏失之正、反、臼三種拓本，達原書二十五之一。

三、增錄前賢於佚存拓本之綴合，並益以拙所作之綴合版，且達原書之二十五之一以上。

本校釋所錄拓本次序、編號，一仍商氏原書之舊貫，僅將馮汝玠、柯昌泗二氏之藏拓予以提列標出，與其餘八家之收藏並駕齊驅，藉資彰顯其對甲骨學之貢獻；但各拓本之編號仍據商氏。顧商氏原書雖有甚多之缺憾與瑕疵，而爲學者所病，然佚存出版行世，迄今將及六十年，學者習用既久，若遽予重行編錄，必將引起徵錄契辭之紛擾，及無法預見之情形，故除前述諸事之董理以卻其瑕疵外，一切仍皆舊貫，藉免紛擾。

慨自讀契以來，雖心儀佚存之所錄，然每當展讀，嘗苦其所錄拓本拓製粗劣，故二十餘年來，無時不留意於他書重複著錄之有無，遇有所見，輒爲札記，期使佚存所錄之拓本能完正、完善展現於案頭。猥以未讀史公之貨殖、無力交通；短褐襤褸，謀生乏術；既無材遍覽群籍，是以寡陋；復緣身丁亂離，苟活至上；況蟄居鄉僻，資訊缺如，故不敢顏之曰「考」，亦不敢呼之爲「證」。僅就籀書所見，聊爲札記，知之爲知之，故名之曰「校」，藉符鄙陋之實；而「考證」之事，有俟達者聞者，或有力者矣。至所稱之「釋」，乃取述敘之意，說文通訓定聲：「釋、敘也」。蓋轉述前賢之論著、或「考證」之謂也。或有坐井之見、面壁之說，蓋乃籀書所啓發者，非拙有此力也，固知本校釋之漏誤必多，敬請大雅方家教之。時

中華民國七十五年二月十九日　記於楓林風雨滿懷盦

壹、孫壯藏拓校釋

渾源 白玉崢 撰

〇一 骨 第一期

1. 丁未卜
2. 戊申卜
3. 貞：行古王事

   行古
4. 貞：叀戌
5. 貞：□及叀長
6. 舞㞢雨
7. 貞：叀戌

本拓本又著錄爲殷虛書契續編第五卷第三十一頁第三片（簡作續五、三一、三。下仿此），甲骨續存下卷第一三五片（簡作存二、一三五。下仿此），商周甲骨文總集（簡作總集）五四五五片。

按：續編所錄拓本，羅氏將一二兩辭翦棄，第三辭亦殘缺不全。審本片各辭，與甲骨綴合新編（簡作新綴）四四四版爲同組卜骨，且均爲右骨之右緣；彼之卜序爲二，本片之卜序殘佚。又殷虛書契前編第七卷第三十二頁第二片（簡作前七、三二、二。下仿此），庫方二氏所藏甲骨卜辭（簡作庫）一六七九（英國所藏甲骨錄三四一）片均爲同文；或爲同組卜骨之殘散歟？胡厚宣作「卜辭同文例」（簡作胡文），定爲八辭同文例（刊中央研究院歷史語言研究所集刊第八本一七一頁）。

行：爲第二期貞人名，其事蹟亦見於第一期之卜辭；是其於武丁時已供職王朝矣。其見於卜辭者又爲氏族之名，若殷虛文字乙編（簡作乙、下同）七三三一片有辭曰：「行取二十五」。丁山謂：「四種刻辭所見的專名，都非人名，而是氏族的徽識」（甲骨文所見氏族及其制度簡作氏族十六頁）。本片之二「行」字均爲人名；或爲方國氏族之領袖，故其辭曰：「行古王事」。行見於卜辭者又爲地名，其地望，疑即今之河北省行唐縣，爲殷時京畿內之方國。

古王事：爲卜辭習見之成語，蓋即勤勞國事之謂也。楊樹達卜辭瑣記（簡作瑣記）釋古爲叶，並謂：說文協或作叶，遂據周禮春官「協事」、「協禮事」之詞，釋爲協王事。于省吾殷絜駢枝續編（簡作駢續）釋古爲載，遂謂：載、行也；載王事、即行王事也。殷虛文字甲編考釋（簡作甲考）釋古爲迪字所从之由：由、輔也、助也。審諸家所釋，意雖可通，然於古字之說解，頗嫌失之牽強，終不若釋古通盬之簡要中肯而有所據。蓋古王事者，徵於詩唐風之鴇羽，及小雅之四牡所詠：「王事靡盬」之義，乃殷人對其王朝所當履行、且必忠誠之政治、軍事、經濟等，以及其他事務之責任與義務之意也。

□：今楷作戉。卜辭亦稱戉方續二、二一、一〇，當即典籍中之越。春秋桓公元年：「夏四月丁未，公及鄭伯盟于越」。杜注：「垂、大丘、衛地。越、近垂地名」。據春秋大事年表：「越、在今山東曹縣」。然則、越爲殷近畿之方國矣。本辭之戉、疑即此越也。

□：商承祚氏殷契佚存考釋（簡作考釋），定爲國族名，無說。簠室殷契類纂（簡作類纂）列爲存疑字五十六頁。商氏殷虛文字類編（簡作類編），定爲待問字。並云：金文恒見之，前人釋爲子抱孫形者也六、十三。甲骨文編（簡作文編）列於附錄三十二頁。校正甲骨文編（簡作校編）列於附錄上二一〇頁。續甲骨文編（簡作續編）釋異卷三頁十；又列於子部之後，定爲說文所無之字卷十四頁十八。貞卜人物通考（簡作通考）从續編之釋，定爲人名一六五頁。又謂爲卜辭所稱之「子異」二〇九頁。甲骨文字集釋（簡作集釋）初从釋異之說八〇三頁，隨又非其說，但無所釋四五三一，繼又重列爲待考之字四六六三及四七三六頁。丁山釋冀，定爲殷時之國名集刊一、二三三頁。甲骨學文字篇（簡作字篇）从之卷八頁三。殷虛書契前編集釋（簡作前釋）釋俘六、二四，說契同。中譯本甲骨文的世界（簡作甲文）謂：□爲□之異構，□是圖像標識；可能表示出於王族的特定身份，亦即多子族也一一六及一三五頁。詳察字之構形，及其在卜辭中之爲用，釋異、釋俘、釋冀等均未必爲是。至其定爲圖像之標識，或王族之特定身份，或多子族等之說，乃緣類編之舊說，無甚新義，僅止於添油揚風而已。其在卜辭，確爲一字一義之文字，殊非圖像之標識。雖不能確認其爲今之何字，然亦非表示多子族、或其特定身份之義。凡此、皆可覆按於卜辭者，勿庸多贅也。至其究當今之何字，則有俟考定。

㝛：考釋隸定爲寅，無說。察其構形，字當从宀从叀，隸定之、當作㝛；字書未見。惟說文有𢍏篆，「舉也。从𠬞由聲」。集韻有畀字，讀渠至、居之二切。其構形與本字之所从相同。本字宜即从宀畀聲之形聲字矣。又金文㝛尊之㝛字（銘文拓本著錄爲金文總集四六七五號），金文編隸定爲㝛，列於穴部之後，爲說文所無之字（七、三六）。其或爲本字之衍變歟？字在本辭，宜爲人名。

舞有雨：爾雅釋訓：「舞、號雩也」。郭注：「雩之祭，舞者吁嗟而請雨」。郝疏：「雩、羽舞也。月令鄭注：雩、吁嗟求雨之祭也。公羊桓五年注：使童男女各八人，舞而呼雩也」。周禮司巫：「若國大旱，則率巫而舞雩」。又舞師：「教皇舞、帥而舞旱暵之事」。卜辭之「舞㞢雨」，蓋以羽舞祭天而祈雨也；其行事、則如月令鄭注及公羊注所云者。舞者呼吁，衆人和而應之，其聲若「嗟」！以求天雨解除旱暵也。而祈雨之祭之事，則自殷商迄於近世（余曾於民國二十年夏、參加家鄉祈雨之祭），一脈相承。中華文化之源遠悠久，於此「舞㞢雨」之辭，即可覘知之矣。

〇〇二　骨　第一期

面：1.庚辰卜爭貞：翌辛巳啓

貞：翌辛巳㞢啓

2.癸丑卜爭貞：今日其雨

今日不其雨

背：止日允雨

本拓本又著錄為續四、四、六片，日本天理大學天理參考館所藏甲骨文字（簡作天理）第一一片，總集一三一一二片。

按：天理所錄有背拓，茲據之補錄如右。

考釋云：「由行文參差錯落，避實塡虛觀之，可知先癸丑次庚辰；後卜去前卜凡二十八日」。按：胡厚宣作卜辭雜例（簡作胡例），定為「獸骨刻辭相間例」；並認定為「多辭左右錯行例」（集刊八、四十五頁）。察本片之契辭行款，頗為別緻；庚辰之辭下行而左，辭序為先下後上；而癸丑之辭則反是。四辭互為錯綜，別饒意趣焉；為同期契辭行款之錯落有緻所僅見。至其究為先庚辰，抑或後庚辰，緣其為殘骨，且乏同類之他片比勘，頗不易肯定。就拓本觀之，此為肩胛骨之左緣，據肩胛骨契辭之通例推勘，考釋所云，未必為是。茲姑定為先庚辰，以俟綴合之證驗。

𢼄：契文亦有作啟、晵、𣆖等，惟均見於第三期之契文。如粹六四二片：「今日壬不啟」。粹六五一片：「今日辛大晵」。粹六四七片：「今日𣆖」等是其例。說文作晵、訓「雨而晝夝也」。夝、楷書作晴；是𢼄、啟、晵、𣆖等即說文之晵，其意為今楷之晴；典籍中通作啟。辭曰：「𢼄」，「㞢𢼄」，蓋即「晴」之意也。

其雨：察其構詞，與詩、衛風伯兮之「其雨其雨」句型同。經傳釋詞五、據易否卦九五之「其亡其亡」，訓「其」猶將也。然則、本辭之「其雨」，蓋即將雨之意也。乃未肯定之祈雨之意也。

〇〇三　骨　第四期

1.乙酉

2.弜允

3.☐小臣☐遏

本拓本又著錄爲殷契遺珠（簡作遺珠）七〇六片，總集三二九七八片。

按：校編併第二辭之「弜」，第三辭之「小臣」爲一辭，隸定爲「小臣弜」合文十一。非是。

小臣：考釋云：「卜辭每見小臣之文，羅師謂：周禮夏官：小臣、掌王之小命等，其職當略同」。甲骨文字釋林（簡作釋林）謂：甲骨文的小臣，地位有高有低，如[字形]和臭每從事祭祀和征伐，其地位等於後世的大臣；而稱爲小臣。他們和一般小臣的地位頗爲懸殊三〇八頁。察卜辭中所稱之小臣，未必如考釋所云者，而釋林所論者亦未必爲是。綜合卜辭中小臣之辭義推勘，蓋即盡力於王事之各類工作人員之謂。其工作性質及責任雖各有所異，然其所面對至尊之國王，當爲渺小，稱之曰小臣、宜矣。即便後世所謂之大臣，亦無自稱爲大臣者。明乎此、則契辭中小臣之稱及其工作內容，豈不瞭然矣。

[字形]：考釋云：「[字形]字从辵从[字形]，當爲動之初字。[字形]字亦見於金文，郘王[字形]鼎从[字形]，木工作妣戊[字形]鼎从[字形]，引鼎[字形]字从[字形]，龏鼎[字形]字从[字形]。體有繁簡，其字實同前二、二七、三有[字形]字，爲地名，疑即重字。从〇東聲；東重雙聲、義可通。如陳、金文又或从土、作塦。玉篇：連、古文重

字」。校編隸定爲遱，列於辵部之後，爲說文所無之字二、三。續編釋動十三卷十三頁，無說。殷虛卜辭綜類（簡作綜類）錄作二三六頁。審其構形，字當从辵从㬥，說文所無。檢字彙補有遱字，與今字遭爲同字。核其構形，與本字形肖；然則、其爲遭之初文？惟他書未見，而本片之辭亦殘佚太甚，無由推勘其究爲今之何字何義。茲姑隸錄如右，以俟考定。

〇〇四　甲　第一期

貞：王勿往省牛于𩫏

本拓本又著錄爲續五、二九、二片，日本京都帝國大學人文科學研究所藏甲骨文字（簡作京都）二一七片，總集九六一〇片。

按：日人貝塚茂樹氏，以本片與京都所藏之另片作密接之綴合。詳察所作綴合，應爲錯誤。蓋本片爲腹甲之右前甲、近甲橋處之殘餘。京都之片爲左前甲之左上緣，與左上甲銜接處之殘餘。兩者雖皆爲腹甲，但緣其部位不同，故不能作密接之綴合。設其確爲同腹甲之折裂者，亦僅止於作左右遙相之綴合。其不可密接綴合之最佳證明，闕爲本片之兆坼左向，卜辭右行；京都之片則兆坼右向，卜辭左行。奈胡厚宣作甲骨文字合集（簡作合集），不僅不能正其綴合之誤，且從其誤，則殊爲錯誤矣。胡氏是否因年已耄耋，不識甲骨歟？

：考釋云：「爲省之本字；象省察時目光四射之形。金文作、、組子鼎、揚敦、姊省毀。後人以爲从目生聲，遂用作目病生翳之眚。日久而忘其初，復變爲□作□以代之，朔意盡失矣。祭祀用牛，故王每省視之，昭其愼也。王出必卜；勿省者，不利行也」。或釋相，爲相貌字之初形。或釋眚，或釋省讀獮：蓋本辭之省、其義爲省牲，周禮肆師：「大祭祀展犧牲」。注：「展、省閱也」。見於他辭者有「省田」，蓋即省耕作或觀獵之義也。

𦎫：考釋謂爲地名。察其構形，从羊从亯。亯、今楷作享，隸作享。若據六書爲說，宜爲會意。蓋以經過烹調之羊（羊肉）享祀天神地祇人鬼之意也。疑爲今字燉之初文。集韻讀「殊倫切」。字於本辭、義爲地名。通考據淮南高注、疑讀爲頓。遂據「至于頓丘」之詩，釋本辭之𦎫即詩之「頓丘」。考頓丘之地，春秋時屬衛邑，地當今河南省濬縣之西，殷虛之東南方。距殷虛約爲二日之行程，似爲殷之京畿地。故以詩之頓丘釋之，未必爲當，且失之牽強。

〇〇五　骨　第三期

1. 𦎫
2. 弗及
3. 戍衛不雉衆
4. 戍亡𢦔
5. 叀咏又𢦔

6.叀鸝又戋

本拓本又著錄爲殷契粹編（簡作粹）一一五三片，總集二一六八八片。

按：考釋未釋第一辭，另將二三兩辭併爲一辭，作「伐衛弗及不雉衆」。非是。

[illegible]：考釋隸定爲伐，無說。類編釋伐卷八頁三。文編从之卷八頁四。類纂釋戍、曰：「古戍字。伐戍二字許書皆訓从人持戈，甚難辨別。按伐字段注：戍者、守也，故从人在戈下；入戈部。伐者、外擊也，故从人杖戈；入人部。此字从人在戈下，即戍字」正五六頁。續編卷十二頁十八，校編卷十二頁十五均从之，惟均無說。粹考曰：「戍、乃師戍之戍，與辰戌之戌有別」一四七頁。又曰：「殷周古文伐字，與戍字頗相類；然應有區別之處。伐、象人以戈伐人，戈必及人身。戍、示人以戈守戍，人立在戈下。此其大較也」一四八頁。說文通訓定聲云：「戍者、下人上戈，人何戈也」。詳察契文之構形及在卜辭中之爲用，戍伐二字頗多殊異。類纂、粹考之說雖是，然其說解尚差一間。戍、蓋象人荷戈以衛安全。其初義當即衛護安全。而伐、則爲以戈擊人。二字之構形及意義均有差異。辭稱「戍衛」，蓋倒句也。左僖十三年傳：「爲戎難、諸侯戍周」。蓋調集諸侯之兵衆，保衛周室之安全也。又左桓六年傳：「北戎伐齊，諸侯之大夫戍齊」。其戍字亦護衛安全之義也。

衛：考釋定爲地名，無說。學者亦多以地名爲解。審其辭義，未必爲當。檢說文：「衛、宿衛也」。左文十七年傳：「文公之入也、無衛」。服注：「衛、從兵也」。國語齊語：「以衛諸夏之地」。韋注：「衛、蔽扞也」。書康王之誥：「一二臣衛」。孔傳：「爲蕃衛，故曰臣衛」。疏：「臣衛者，諸侯在四方皆爲天子蕃衛，故曰臣衛」。據上諸解，衛、乃保衛之義，亦即兵衆敝扞保衛國家安全之義也。辭曰「戍衛」、蓋即執戟之士保衛國王之義也。他如左僖二十四年傳：「秦伯送衛于晉三千人」，戰國策趙策四：「願補黑衣之數以衛王室」，其衛字亦皆此義也。

雉：考釋隸作雉，無說。增訂殷虛書契考釋（簡作增考）釋雉（中三二頁）。按：說文：「雉有十四種」，固非文字之說解，而于省吾「雉、傷亡也」（駢三、二五、釋林六〇頁）之說，亦爲望文生意，無當於契辭之解釋。卜辭綜述（簡作綜述）謂：雉、可能是部別、編組人衆（六〇九頁）。其說苦澀，不能達理；且與衆字糾纏不清。於契辭之說解，並無多大助益。檢禮記曲禮下：「凡贄、士雉」。孔疏：「士雉者，取性耿介，惟敵是赴」。又儀禮士相見禮：「冬用雉」。鄭注：「士贄用雉者，取其耿介」。賈疏：「義取耿介，不犯干上也」。周禮大宗伯：「士贄雉」。鄭注：「雉、取其守介而死，不失其節」。字於本辭，當即耿介赴敵、忠於職守之義也。

衆：考釋定爲國名。非是。按之說文：「衆、多也；从㐺目」。字於本辭，宜即庶民之義。以今語況之、蓋即衆人、大衆、或一般國民之義。國策趙策一：「豫讓曰：范、中行氏以衆人遇臣，臣故衆人報之。知伯以國士遇臣、臣故以國士報之」（史記刺客列傳略同）。衆人與國士爲對文，則此衆之義應爲凡俗、平庸、或普通之人之義。書湯誓：「格爾衆庶」。其衆字亦此義也。然則、辭曰「雉衆者、蓋其衆忠於王朝之謂也。」「不雉衆」者，乃反問之詞，即衆不雉也；亦即其衆不忠於王朝之謂也。

咏：考釋云：「金文㕤尊與此同；昔釋咏」。粹考隸定爲㕤、無說。續編釋㕣，列於口部之後，定爲說文所無之字十二、十二。通考釋沿云：「即泳字。乃繁形益口旁；如貍之作⿱貍口也。沿見於卜人出之卜辭，與泳時代亦合」六一七頁。金文之沿，金文編釋詠卷三頁六，與此形近，當爲同文。說文：「詠、歌也从言永聲。詠、或从口」。席氏記云：「班志引尚書歌咏言，从口。師古曰：咏、古詠字。今書作永，省文也。古書多有省母从子之體」。字於本辭、疑爲人名。亦或爲方國氏族名。

鸍：考釋隸定爲⿱隹冉，粹考隸定爲⿱隹冉，均無說。校編列再部後四、十八，續編列隹部後四、十一，集釋隸定爲⿰冉鳥，亦列隹部之後九二一二，均定爲說文所無之字。集釋又列爲存疑之字四四七一。就其構形審量，疑爲鳾字。集韻：「鳾、或作鸍」。爾雅釋鳥：「鸍、沉鳧」。郭注：「似鴨而小，長尾，背上有文；今江東亦呼爲鸍。音施」。郝疏：「即今水鴨。鳧善沉水，故曰沉鳧。或曰：鳧好晨飛，因名晨鳧。魏文侯嗜晨鳧是也」。字於本辭，疑爲人名；亦或爲方國氏族之名。

〇〇六 甲 第一期

1.丁卯卜☐弗亦☐朕☐

2.☐上甲☐辜☐其☐

本拓本又著錄爲續五、一八、九片，總集一一九七片。

按：考釋定第二辭爲「其☐辜☐上甲」。未必爲是。蓋本片爲腹甲之左上甲。據栔辭通例，辭宜左行爲是。

上甲：史記殷本紀（簡作本紀）作微。索隱引皇甫謐曰：微、字上甲。漢書古今人表（簡作人表）作微。微諸卜辭，索隱引皇甫謐之說應爲非是。上甲之稱，乃其廟號也。據彥堂先生所著甲骨學六十年：上甲、爲殷先公之第九世。國語魯語：「上甲微能率契者也，商人報焉」。又或稱報甲微。而契文則作[十]、或⊞也。

〇〇七加天理一四九　骨　第一期

1. 其[先行]至[自戉]
2. 其先行至自戉
3. 其先戉至自行
4. 其先戉至自行
5. 戉其㞢𡆥
6. 戉其㞢𡆥
7. 戉亡其𡆥
8. [戉]亡[其]𡆥

本拓本又著錄爲續五、一四、八片，總集四二七六片。

按：本片與天理一四九片爲同骨之折裂者，茲予綴合還原。又本綴合版他書尙未著錄。

又按：第一辭之闕文，乃據二三兩辭之例予以補錄；其辭式或作「其先戍至自行」歟？未敢必，故仍懸空三字，以俟綴合。

行：考釋將二「行」字統皆定爲地名，未必爲當。檢春秋桓二年經：「冬、公至自唐」，三年經：「夫人姜氏至自齊」，又十八年經：「丁酉、公喪至自齊」。其構詞之型式與此同。準此句型，則第二辭之「行」宜解爲人名，或行地之衆人爲當。第三辭之「行」考釋所定則是矣。

戍：考釋將諸戍字亦均定爲地名，未必爲當。據第二辭之句型及所論，第二辭之「戍」定爲地名爲當，餘辭之「戍」字，似皆宜解爲人名，或戍地之衆人爲當。

古：考釋定爲地名，無說。簠室殷契徵文考釋（簡作簠考）釋𠫓。通考釋示，即宗即崇；聚也。均非。釋工、動詞，今已是定論。惟前賢於字之構形所爲說解，多屬支離歧異，與顯有未當者，察其構形，蓋象板築時夯土工具之杵形。孟子告子篇云：「傅說舉於板築之間」。說苑雜言篇云：「傅說負壤土而釋板築」。太行山區之土質最宜於板築，迄今、衆多之房舍仍爲板築者。板築之房舍，俗稱爲土板牆。凡此，皆可說明殷時，或其以前，以迄於今，當地板築之盛。所謂板築，略如現時房屋建築工程中之一貫作業者。則取板築主要工具之杵，圖其形爲字之體，取其夯土時之聲爲其音，其義，當即工作之事矣。形音義三者具備，文字之能事已盡。此在當時，人人皆爲耳孰能詳者。

〇〇八　甲　第一期

1.庚辰卜內貞：侯專囚凡㞢疾 一

2.貞：囗王囗 二

本拓本又著錄爲戰後京津新獲甲骨集（簡作京津）一六六七片，總集一三八八三片。

按：考釋定第二辭爲「王貞」。非是。

凡：考釋云：「凡、或釋風；般庚之般亦有如此作者」。通考從契文舉例之說釋同（四一頁）。按：釋凡、義爲風疾，已是定論。至其造字之初，何以如此構形，則緣年荒代遠，文獻有間，難於徵實矣。惟頗疑其取象於古代製圖之器；然亦無實物及文獻可徵，不能成說焉。說文雖云：「凡、从二，二、耦數也；从乁，乁，古文及字」。乃據小篆之形爲說，不足據也。早期之契辭，其風雨之風，皆作鳳鳥之鳳，至第三期以下，則於鳳鳥字之旁，加注凡疾之凡爲聲符，甚或直以凡爲風而書之。若林一、三〇、二片有辭曰：「風雨」，其風字即直書爲凡字。而風疾之凡，遂漸爲風雨字所呑噬，字亦淪爲聲符之偏旁矣。說文：「風，从虫凡聲」。然此「風」之義亦爲音律、八卦、五行等所侵呑，風雨之義退爲附庸矣。說文：「風、八風也。風動蟲生，故蟲八日而化」。段注：「八風、從律應節至也，所以節八音而行八卦之風。乾音石，坎音革，艮音匏，震音竹，巽音木，離音絲，坤音土，兌音金；風之用大矣哉！凡無形而致者皆曰風。風、風也；教也」。又曰：「風之大數盡於八；八主風，風生蟲，故蟲八日而化」。風之爲用，既玄且妙也。而絜文叚鳳鳥字爲風之鳳，說文則曰：「鳳、神鳥也。莫宿風穴。从鳥凡聲」。段注：「風穴、風所從出也」。如段注，則此風乃專指因空氣流動而產生之風矣。與始義之風疾已脫離關係矣。

囚凡㞢疾：爲武丁時期習見之語辭；義爲因風而染患疾病也；以今楷書之，即「禍風有疾」。風，似爲致病原因之一。故內經有「風痺」之論，素問亦有「風爲百病之長」之說。而風之致病；據內經有所謂：偏枯、風痱、風懿、風痺等病狀。風之爲病，亦可謂夥矣哉！

〇〇九　甲　第四期

1. 丙辰卜𠂤：叀☐于☐
2. 丙辰卜𠂤：叀牛于祊
3. 丙辰卜𠂤：[甲骨文字]叀牢
4. 丙辰卜
5. 庚午卜[甲骨文字]：王朿河祉于岳

本拓本又著錄爲總集二一一一四片。

按：考釋定第二辭爲「叀二牛于□」，第五辭爲「延于戊[甲骨文字]」。又第四辭衍「貞」字。均非。

[甲骨文字]：考釋釋東戉，云：「[甲骨文字]戉、又作[甲骨文字]戉（前一、四五、三片），爲一人名之合文。戉、亦戌也。戊、戌、

戌古爲一字。金文戌作□，又作□。戉作□、又作□。戍作□。後乃嚴爲分用」。前釋謂爲「□戌」合文，□與□爲一字一三四頁。通考釋幾、云：「字从戌从□，象束絲形；殆幾之本字。幾、原从糸，後乃从丝。如畜之作畜，是其比。隸定之，應作絨。此字習見，爲用牲名，即畿也」一二四頁。審其構形，及在卜辭中之爲用，考釋云云，未當。且所錄前一之文，及「人皆」之說殊誤。檢前編之文作□形，而人皆應爲「人名」之誤。前釋及通考之說，亦未必爲是。惟通考謂爲用牲名，則是也。至其字究當何釋，則有俟考定。

河：考釋云：「爲人名，卜辭習見。余昔以爲妣乙合文，非也」。字今釋河，亦即黃河之稱，已是定論。

岳：考釋寫作「戉□」二文、並定爲人名。綜類遂寫爲□形一八三頁。詳勘拓本、緣其殘泐太甚，拓印又欠清晰，故不能肯定其究爲何字。然就辭例審量，並比勘他辭，疑其爲「岳」字之殘。茲姑定爲岳字，以俟清晰之拓本，或同文之他辭證驗。

宰：考釋云：小牢爲羊，故卜辭从羊作宰。牛爲大牢，故从牛作牢。此宰上雖不冠字，觀其所从，已知之矣」。

〇一〇　甲　第一期

貞：其大事于西于下乙勹　五月

本拓本又著錄爲北京大學國學門藏殷虛文字第四卷第八頁第三（簡作北大四、八、三。下仿此）片，續一、四六、四片，總集一六七三片。

大事：按：春秋傳曰：「國之大事在祀與找」。辭謂「大事于西」，西、宜爲方位之稱，疑即「西戎」之簡語。則所稱之「大事」，宜爲兵戎征伐之事。辭又曰：「于下乙勹」。勹，玉篇謂同丐。集韻：勹、求也。又漢書西域傳注：師古曰：勹、與也。宜即求于下乙之意也。然則，辭之「大事」，乃未出兵之前，告祭之事者也。春秋文二年經：「大事于大廟」。杜注：「大事、禘也」。公羊文二年傳：「大事者何？大給也。大給者何？合祭也」。據辭推察：蓋於下乙之宗廟舉行祭祀之禮，求其保護戰爭勝利之意也。

下乙：增考定爲人名（上十一頁）。遺珠發凡釋爲地名。胡厚宣卜辭下乙說、考定爲武丁稱祖乙之辭。綜述（四二一頁）、通考（一三四頁）等從之。駢三釋爲小乙之稱（第十一頁）。校編（合文三頁）、甲考（四二五頁）等從之。茲從祖乙說。

〇一一　甲　第四期

1. 丙午☐王☐告
2. 丙午卜：王令壱臣于兒　六月
3. 己酉☐止☐　丝用
4. 庚戌卜：王其令☐員于☐

5.辛亥[甲骨文]䀌

6.杲☒[甲骨文]侯

本拓本又著錄爲總集二〇五九二片。

按：本拓本之拓製頗不清晰，緣斯，各家之隸定或釋文，各皆殊異。茲姑如右作，以俟較清晰之拓本。綜類併二六兩辭爲一，作「王令杲𡆥臣于[甲骨文]侯兒」（一八八七及五〇七頁）。又第四辭既迻寫爲「庚王貞」（三九七頁），又迻寫爲「王☒令貞于☒」（五〇七頁）。何其無準據耶邪?!

令：考釋云：「令命一字，卜辭凡命皆作令，金文亦多如此」。按：栔辭中令命固爲一字，然就文字之衍進言：命爲令之後起字。且令字在卜辭中之爲用，即爲命令之義，故隸定其字爲令。

兒：考釋云：「兒、即郳國也；後下四、一一片有兒伯」。前釋云：「疑郳、倪之初文。左襄六年傳：齊侯滅萊，遷萊子于郳。公羊莊五年傳：倪犁來朝之倪即郳。蓋郳爲殷世之伯」（七、十二頁）。按：兒固爲郳、倪之初文，然就其引申之隸定言：郳、宜爲地名，或方國之稱。倪、宜爲人名、或郳地之領袖之稱。卜辭之「兒伯」，即倪伯，爲郳之領袖。左莊五年傳：「郳黎來朝」。疏：「郳之上世出于邾，戰國楚滅之」。說文：「郳、齊地」。然則、殷時之兒國或氏族，於周時已爲邾所侵，郳之名雖見於春秋，然已非殷時之兒矣。

[甲骨文]：考釋隸定爲亡，無說。就拓本所現示之情形審量，或爲貞人[甲骨文]之署名歟？未敢必。

[甲骨文]：考釋云：「疑爲杲。金文皇字多从[甲骨文]，象日光芒四射之形」。檢本字僅此一見，且緣實

物殘泐，拓製亦不清晰，無由推尋其義。然審量其情形，考釋之說似可採信。說文：「杲、明也。从日在木上」。詩衛風伯兮：「其雨其雨、杲杲出日」。傳：「杲杲然日復出矣」。則其義宜爲雨後日出也。故傳曰「日復出」，明非朝日也。又楚辭遠遊：「陽杲杲其未光兮」，其義宜爲浮雲蔽日也。故曰「未光」。

[illegible]：字不識。

○二一　甲　第一期

1. 乙未卜㱿貞：且乙弗左王
2. 勿☐且☐

本拓本又著錄爲京都二○片，總集一六二四片。

且乙：本紀及人表均作祖乙。本紀云：「河亶甲崩，子帝祖乙立，殷復興」。「祖乙遷于邢」。索隱：「邢，音耿，河東皮氏縣有耿鄉」。正義：「絳州龍門縣東南十二里耿城，故耿國也」。契文習見「中宗且乙」之辭，若戩三、四，存一、一七九五，明後二三一○等皆其例，所稱中宗且乙，即此且乙也。然本紀及尚書無逸孔傳，皆以大戊爲中宗，學者無異說。自卜辭出，王觀堂作戩壽堂所藏甲骨文字考釋（簡作戩考）云：「凡卜辭中單稱祖乙者，蓋謂河亶甲之子祖乙；稱中宗祖乙，所以與他帝名乙者相別也。史記殷本紀以大戊爲中宗，此本尚書今文家說。辭云中宗祖乙，與自來尚書家說全異。惟太平御覽八十三引竹書紀年云：祖乙滕即位，是爲中宗，居庇。今本紀年注云：祖乙之世殷道復興，號爲中宗。又晏子春秋內篇諫上云：夫湯、大甲、武丁、祖乙、天下之盛王也。以祖乙與大甲、武丁並稱，似本周人釋書無逸之說。今以卜辭證之，知紀年是，而古今文尚書家之說非也。又徵之卜辭，則殷人於大甲、祖乙往往並祭，而大戊不與也；是亦中宗乃祖乙，非大戊之一證也」。

𠂇：考釋隸定爲祐，無說。戩考云：「古文反正不拘，或左或右，可任意書之。惟𠂇（𠂇、又）（𠂇）諸字例外」。然則、考釋隸定爲祐非是矣。說文：「𠂇、右手也，象形」。段注云：「左、今之佐字。左部曰：左、𠂇手相左也。是也。又手得𠂇手則不孤；故曰左助之手」。按：說文無佐字，李富孫說文辨字正俗云：「古左右字作𠂇又，而相助字作左右；易、詩、爾雅，猶不加人旁。後人別制佐佑字，而以左右爲𠂇又」。察本辭之𠂇，蓋爲佐助之意，當即今字佐之初文。易泰卦象曰：「以左右民」。疏：「左、右、助也」。辭曰：「𠂇王」、當即助王之意。弗𠂇、不助也。

○一三　甲

1. 其㞢
2. 貞：叀弗其冓𢀛方

本拓本又著錄爲北大二、二五、二片，續三、七、二片，總集六一九六片。

按：本殘片爲龜腹甲左甲橋之下半；徵諸同類同部位之他片，其行款、書體、句型等均與此殊異。蓋其行款拘僅呆板，書體遲鈍稚弱。既不類殷史所契之遒勁傳神，活潑有緻，亦不似當時習契者所作之眞切。且現時傳世之甲骨資料，有關[illegible]方之卜辭不下百數千條，要無「叀弗」並用，及「冓呂方」之辭。辭例、句型，皆無可徵。緣斯，頗疑其爲後世射利之徒模擬仿製，且不識卜辭辭例，句型等，而杜撰僞造者。商氏作考釋時，未能識其爲後世之僞造者也。

○一四 甲 第一期

1. 壬戌卜㱿貞：乎子戠㞢于芯犬
2、壬戌卜㱿貞：乎子戠㞢于芯叀犬㞢羊

本拓本又著錄爲鐵雲藏龜之餘第四頁第一（簡作鐵餘四、一。下仿此）片，續五、一二、五片，總集三一九〇片。

[illegible]：考釋隸定爲伐，無說。胡考及其所作「殷代封建制度考」隸定爲⿰女大。類纂列爲存疑字（五十六頁）。增考釋伐（中六八頁）。類編（八卷三頁），文編（八卷四頁）校編（八卷四頁）等从之。續編釋⿰女丮（三、十三），集釋从之，並說之曰：「[illegible]字雖不从丮，然从大而一手特繪其指，是與丮字無異。商氏釋伐；伐乃象以戈擊人，刃加于頷。[illegible]則象一人以手持戈，其意迴別。是仍以釋⿰女丮爲是也」（八八五頁）。按：說文：「⿰女丮，擊踝也」。又「踝，足踝也」。段注：「踝者，人足左右骨隆起突出者也。在外者謂之外踝，在內者謂之內踝。丮部曰：⿰女丮，擊踝也」。然就契文之構形審之，並無擊踝之義；是釋⿰女丮之說未必爲當也。察其構形，字从大（即人）執戈。蓋

爲「執干戈以衛社稷」之義也。就其形隸定其字，宜如胡氏所定之𢦏。惟字書無𢦏字，然就其形義觀察，疑即今字戡之初文。說文：「戡、刺也；从戈甚聲」。爾雅釋詁：「戡、克也」。集韻：「戡、勝也」。廣韻：「勘、少斫也」。諸書所釋，皆與字之構形吻合。書西伯戡黎孫星衍今古文注疏：「戡、說文作𢦟、殺也」。說文：「𢦟、从戈今聲」。字作𢦟者，或爲傳寫之誤。然則、其爲今字戡之初文，殆無疑也。

子戡：據例：宜爲武丁時諸子之名。就右辭審量，乃代表時王武丁、致祭於芯者也。

[illegible]：拙釋芯，即二十八宿心宿之心之本字。原刊中國文字新十二期。

〇一五　甲　第一期

1.癸酉☐㞢兄☐

2.甲戌卜王：余令角帚古朕事

本拓本又著錄爲粹一二四四片，總集五四九五片。

角帚：考釋定爲角歸，粹考定爲角帚，均無說。胡考定爲婦角，爲武丁六十四婦之一。審「角帚」之稱，在諸多之卜辭中僅此一見，究否爲武丁之諸帚，抑或爲方國之領袖，無從比勘，單辭孤文，無由解說考定。胡考定爲婦角，失之僞造卜辭。

〇一六　甲　第一期

1. 貞：戉其乎來　五

2. 、來

本拓本又著錄爲續五、三五、三片，總集四二七九片。

按：考釋未釋第二辭。

〇一七　骨　第一期

丁未卜㝅貞：勿令卓伐𢀛方弗其受㞢又

本拓本又著錄爲總集六二九七片。

按：本片之辭與存一、五八〇片之辭爲同文；其或爲同組之兩卜骨歟？又佚存八六二片第二辭、除貞人、餘亦同文。胡文定爲「同文異史例」（一六頁）。

卓：按：此字衆說繽紛，迄無定論。茲就說之尤者，及影響較顯著者，摘錄數說藉觀其概。契例釋髙（下四二頁），增考釋羅（中四九頁），殷虛書契補釋釋禽。文編隸定爲𠦪（四、十九），校編隸定爲卓（十四、八），續編入革部之後，定爲說文所無之字（四、十九），集釋隸定爲罔（二五七八），殷商氏族方國志（簡作方志）釋札（八十四頁）。其究當釋何字、何義，有俟論定。茲爲便於說解卜辭，姑隸作卓。字於本辭，宜爲人名；其事蹟：就現時流傳之契辭所現示之情形，予以排比、推勘、歸納，其重大者約有三事。㈠、爲武丁時征伐𢀛方之主將；爲殷王朝立下諾大之汗馬功勞，爲當時之重臣。㈡、代表殷王武丁施行祭祀天神或人鬼之大典。㈢墾田實邊，減少後方之補給輸送。此一事件，頗可證明殷時即已施行兵農合一之政治。

𢀛方：契例釋爲昌方（上三二頁）。鬼方黎國並見卜辭說謂即鬼方。前釋釋爲苦方（一、九五）。天壤閣所藏甲骨文字考釋〈簡作天考〉釋爲邛方，其地望約當今之四川邛縣（五十二頁）。駢三釋爲凷方即鬼方（五頁）。殷代舌方考釋爲共方。方志釋爲吉方（四十二頁）。通考釋爲耆國即黎國，其地望約當今山西省之黎縣、上黨，即太行山一帶（一六三頁）。綜上諸家所論，釋昌方、苦方、吉方，皆與字之構形不合，且於史無徵，無徵，則不信。釋邛、雖於字之形義較他說爲優，然所指地望，若干學者謂其失之遼遠，衡諸當時情形，疑其不太可能。至通考之說，不僅於字之形義輾轉太多，其所指地望若干學者亦不贊同；是其說未當也。其餘諸家之說，雖各皆言之成理，然頗乏確證爲其說之張本，故亦未必爲然也。彥堂先生據分期斷代之研究，判定𢀛方即鬼方。其說略曰：「𢀛、从𢀚从口，𢀚即工字。卜辭別有鬼方；蓋同音叚借，先後異文也。工鬼同爲見母，合口；而韻則陰陽。殆如胡與匈奴之演變矣。𢀛方之名不見於祖庚以下，而文武丁世有鬼方無𢀛方。𢀛方、鬼方，爲當時殷人呼之之名，先後異字耳。卜辭先後異字之例甚多，最顯著者如：貞與鼎，因與吠，巛與戈等。則易𢀛方爲鬼方不足怪也」（全集七〇五頁）。至其地望、徐亮之氏中國史前史話〈簡作史前〉云：「𢀛方的地盤，約跨有今山西西北、陝西東北及北部，河套中和南部一帶，在殷都西北。乃黑流兔河小橋畔、孛羅巴爾蘇一帶，細石器文化的主人」（一八三頁）。按：𢀛方之稱鬼方，固如彥堂先生所考證，然因時間之衍進，於其稱語亦有所變異。據文選趙充國頌注、引世本注云：「鬼方於漢，則先零戎是也」。鬼方與先零戎並無字音上之關聯，而其所以變異者，實緣時間演進，與文化發展之殊異所致也。並由此注文可證徐氏之說頗為切近。

〇一八　骨　第一期

[癸丑卜㱿]貞：勿隹王正呂方下上弗若不我其受又

本拓本又著錄為總集六三二四片。

按：本片與佚存一一六片，龜甲獸骨文字下冊第九頁第六（簡作林二、九、六。下仿此）片，為同組之三卜骨。本片卜序數字殘佚，一一六片之卜序為五，林片為四。本辭闕文。即據彼補錄。胡文以佚存一一六片及林片，定為「辭同序同例」一七九頁；而遺本片，非是。

〇一九　骨　第一期

面：戊辰卜㝑貞：登人乎往伐呂方

臼：丙寅帚妸示五屯　㱿

右面臼兩拓本著錄為總集六一七七號。面拓又著錄為戩壽堂所藏甲骨文字第十一頁第十二（簡作戩一一、一二下仿此）片，續三、四、四片。臼拓又著錄為戩四八、八片，續五、二〇、七片。

按：佚存未錄臼拓，茲據總集補錄，並今譯其辭如右。

𤼷：考釋定爲登，無說。類編釋𤼷卷五頁七。積微居甲文說（簡作甲說）釋登二十三頁。天考釋𢍰四十七頁。茲取天考之義，另就栔文之構形隸定爲𤼷，藉便說解。

𤼷人：考釋隸定爲登人，無說。學者率多與「奴人」混同一論；若文編卷五頁八，續編五、十二，甲說同前，殷虛文字丙編考釋（簡作丙考）七十一頁等是其例。察其所以然之由，蓋緣字之構形與栔文之□或□相仿，遂而定爲一字，並以今字登爲釋。又緣𤼷人之辭在栔文之爲用，略與「奴人」大同，遂據𤼷字从奴之構形，斷定奴爲𤼷之省寫。再緣栔辭中凡言「𤼷人」或「奴人」之辭，句型相類，且均與征伐之事有關，遂以今字徵，登之古音同在登部，同爲端母；因而牽扯傅會，旁轉對轉，左彎右拐，待讀者墜入五十里迷霧時，突出奇召、驟而定爲一字一義。茲詳徵栔辭，𤼷人、奴人，或與征伐之事有關，然見於卜辭者尚有「盃人」之辭，句型相類，且與征伐之事有關。若佚存九八二片：「盃人三千伐□」，外一〇七片：「勿盃人三千乎垔呂方」，林一、二五、一片：「勿盃人三千〼」等是其例。又有「奴衆人」之辭，見於前七、三、二片，林二、一一、一六片等，其辭雖未直接記述征伐之事，但其「古王事」之辭不能謂爲無關。若此者，其義亦與「𤼷人」、「奴人」同歟？否歟？是「𤼷人」、「奴人」二者之辭義未必相同，奴亦未必爲𤼷之省文。況乎二辭同見於武丁時期。若非殷人使用文字能力稚弱，或意識觀念不清，則二者之辭宜有所差異；固不得故爲羅織之焉。茲輯錄二者之辭數條，藉資比勘而尋其同異。

一、登人：

1.庚子卜宂貞：勿登人三千乎□呂方弗其受㞢又　前七、二、三．

2.貞：勿登人乎伐呂方弗其受㞢又　佚存五一

3.貞：登人三千乎伐呂方受㞢又　續一、一○、三．

4.□登人三千乎伐土方　新綴三九一

5.己未卜㱿貞：王登人三千乎伐姝方　總集六六四○

6.丁酉卜㱿貞：勿登人三千□　鐵二五八、二．

7.貞：勿登人五千　續二、三○、一○．

8.貞：登王亥羌　續一、二、一．

9.貞：其登中奞于唐　乙六七二三

10.貞：登羊三百　天五一

二、奴人

1.丁酉卜㱿貞：今春王奴人五千正土方受㞢又　後上三一、六．

2.貞：我奴人伐巴方　鐵二五九、二．

3.、己酉卜爭貞：王勿乎帚好先奴人于龐　前五、一二、三．

4.□多射奴人于皿　卜九○

5.貞：今在北工奴人　　粹一二一七

觀右錄諸辭，二者之間頗多差異。蓋「奴人」之辭必冠誰何奴人，或奴人之時間與地點；而⿱癶皀人之辭則否。此其一。奴人之辭不規定所奴之人數，但指定所奴之人應到達之處所或目的地，或用途；僅第一辭指定人數，似與⿱癶皀人之辭仿佛。宜爲特例。此其二。⿱癶皀人之辭不僅指定所⿱癶皀之數量，目的等，且以「乎伐」壯其聲勢，肯定其用途，並示以決心；而奴人之辭則否。此其三。奴人之第一辭雖曰「正土方」，但無「乎」字壯其聲勢。第三辭雖有「乎」字，但無征伐之絕對事跡。此其四。⿱癶皀人之語辭，除⿱癶皀人外尚有「⿱癶皀羌」、「⿱癶皀牛」、「⿱癶皀羊」等，而奴之辭則無。是⿱癶皀不得讀爲登，亦非省作奴，更不得解爲登記或徵召。此其五。

就右之比勘、知二者之意義頗有差異，而奴人之義不與之同也。然則、⿱癶皀人之意爲何如耶？就契文⿱癶皀之構形審量，字从奴从皀，隸定之、當作⿱癶皀。⿱癶皀、字書未見。惟說文有皀字，曰「穀之馨香者，象嘉穀在裹之形」。按篆文之，乃契文之形譌。、文字新詮謂：「象食器，U爲座」一二九頁。就其形察其義，字蓋象滿積食物之狀，下从、象盛食物以饗之器。从奴、則示用左右手取此食物而饗之義。故奴覆于皀之上。與契文、、、等所从之皀雖同，但其另半之所从殊異，因而所表示之意義各皆殊趣。是⿱癶皀者，乃進行饗食之義也。⿱癶皀人者，衆人饗食之謂也。墨子耕柱篇：「饔人袒割而和之」。周禮天官內饔注：「饔、割亯煎和之稱」。疏：「孰食曰饔」。辭曰：「⿱癶皀人□千乎伐□方」者，當即犒勞征伐□方之將士□千人之義也。奴人者、蓋爲糾集王畿或方國、或氏族等之丁壯於指定之處所，以供王朝、或使臣、或將軍等之檢閱、訓練、或其他事宜，故其辭曰「奴人于□」地也。

婀：戳考逐寫爲[glyph]。文編寫作[glyph]附八〇頁。綜類寫作[glyph]四三六頁。蓋緣拓本拓製不清，故各家所錄殊異。檢佚存九九七片之臼拓有[glyph]字，天七三片臼拓有[glyph]字，學者釋婀，取與本字相勘，頗多相類，本字或爲其拓制不清，或緣泐紋所致者。茲姑隸作婀，藉便說解。

〇二〇　骨　第一期

貞：今春叀王从望乘伐下危受㞢又

本拓本又著錄爲續二、三一、二片，總集六四九九片。

按：辭曰「叀王从」，僅此一見，殊爲突出。檢同辭例之他辭，僅曰「王从」，或「王勿从」。然詳察拓本情形，既非後世之僞刻，亦非當時習契者之所爲，爲殷史所契毫無疑問。則此「叀」字或其衍文歟？惟檢卜辭七B三十六片，有「勿隹王从」之辭，爲否定式之構辭，亦僅一見。然與本辭肯定式之構辭，恰爲對比。則當時當有此種辭型，惟不多見而已。

[glyph]：考釋謂：「卜辭屢見[glyph]、[glyph]，省作[glyph]、[glyph]。葉洪漁釋春。未當。日字于各書體中，決無作[glyph]者；且夏秋與今字連文極少，冬則決無。於紀時尤難證明。再推其紀月，一至十一月可稱春，以此例之，當無定時；則春之用決非後世之每年三月也。又春字最多見，若爲紀時，春事不應如是之

多。春夏秋冬之稱，金文未見，其名始於春秋之世；釋春、于卜辭能通其讀，不能通其理也」。按：此字釋者雖衆，然迄無定論。茲仍姑从葉氏暫隸爲春，藉便說解。

檢孫籀廎先生作契文舉例，以藏龜一五一、二之□、爲□字之省儉，此後，說解此文之學者，皆从之而無所疑。今詳勘各該字之辭例，確知契文中決無□字。察其致誤之由，蓋緣孫氏作契例，其所據之資料僅爲藏龜一書而已；而藏龜所著錄之拓本有限。又緣當時環境之所限，無論拓本之拓制，或書籍之印刷，均嫌不彀清晰。孫氏既無實物，亦無其他資料書可資比勘，其致誤也宜矣。且藏龜爲著錄甲骨文字之第一書，此前，知有甲骨文字之士極爲有限，況乎認字，識辭等之事；其致誤也乃理之當然，亦事之必然。迺後之學者不能省其誤，進而從其誤，則殊爲非是矣。檢藏龜一五一、二拓本，□字下从之卜形，適當卜兆之豎坼，而拓本之拓製或印刷，恰於此處呈漆黑一團，無由辨認其構形，因而誤以爲獨體之文。今據同事類同辭例之比勘，除藏龜之此字，其字皆作□形，可證藏龜一五一、二之□文爲誤。設實物之契文確如此作，其下所从之卜宜爲漏契，然徵於先豎後橫之契刻法，不應爲漏契，宜爲拓製不精所造成。今由拓本之觀察及辭例之比勘，確知各家所錄之□形，契文確無其字。然則，此文說者雖衆，卻僅止於文鈔；而聲名愈耀眼，其鈔亦愈最焉。

望乘：就現時流傳之甲骨資料可考知者，爲武丁時期征伐下危之主將。或謂：爲當時氏族之酋長，服務於王朝者，說亦可通，惟乏積極之確證。

下危：考釋未釋。林義光氏釋爲下旨。于省吾釋爲下危（駢枝二三，釋林十七）。通考謂：「□爲地名，或邑名。

山海經中山經有陸郮之山；征人方卜辭之危、似在攸附近。危地，當在今皖、蘇交界處。辭言下危、即在危附近」（一四及二三〇頁）。彥堂先生云：「下旨、卜辭作[甲骨字形]，不可識，姑書作下旨，便稱說耳。下旨之地亦不可考，殆與土，呂二方毗連，在殷都西北。故土、呂二方同時寇邊，以援助之也。伐下旨之役，發動於武丁二十九年二月，結束於同年之十一月」（全集乙篇七〇二頁）。下危、爲殷時之方國，當無疑義。至通考所引陸郮之山，見於山海徑中次八經，畢阮校曰：「舊無此傳，今據李注文選增入」。其地望爲何？則自郭注、郝疏，皆不能確指，畢校僅謂采自文選李注。是通考之說，於下危之考釋並無意義。至謂其地望在蘇皖交界處之說，了無確證，僅止於空口白話而已。至危字之確解及下危之地望，則有俟考定。茲姑從于氏之說，藉便說解也。

〇一二　骨　第一期

乙丑卜㱿貞：曰：呂方其至于彖土其出[甲骨字形]

本拓本又著錄爲總集六一二八片。

按：本辭與京津一三三三、前七、三六、一，元嘉造像室所藏甲骨文字（簡作元嘉）八六、九三等片同文；本辭缺文，即據彼補錄。通考定爲「卜某貞日例」。

彖：考釋云：「疑㒸之本字。說文从㒸，乃寫譌。金文从彖作[金文字形]（散史𣪘）增田；彖亦豕也。散氏盤彖作[金文字形]，下从彖，與此同。彖土、地名」。通考云：「彖土、即原土。原者、左隱十一年：以蘇忿生田與鄭、有原。水經注：濟水東源出原城東北；昔文公伐原以信，而原降，即此原城也。故城在河南濟源縣西北。殷之原土疑在此」一六六頁。審考釋所據之史㪅文，初見錄於擇古錄金文二三、六〇，字作[illegible]。又著錄於敬吾心室彝器款識《下三十九》。核其構形、字从[illegible]从[illegible]，則考釋所錄爲誤。吳氏亦有誤書。按：金文尚有[illegible]陳公子甗[illegible]單伯鬲、[illegible][illegible]邍父鼎等文，學者釋原。石鼓作原鼓有[illegible]字，學者亦釋原。察其構形，與契文雖小有歧異，要就時序之演進大校比勘，應無甚軒輊；釋原、宜屬可采。至所引散盤之文，雖或有釋原者，然尚無定論，不足爲據。檢說文：「[illegible]、高平曰邍，人所登也。从辵备，彔缺」。段注：「此依韻會，他本作高平之野」。又字彙有「邍」字，謂「古原字；高平之野」。字彙補作「邍」。周禮夏官邍師字作邍。疏云：「高平曰原」。釋原、宜無疑也。茲就契文之構形隸作彖。至通考釋「彖土」、爲濟源縣西北之原城，則未必爲是。其一、所引左隱十一年之原，據杜注：「原在沁水郡西」。通志謂：「周文王第十六子封于原，今澤州沁水縣是其地」卷二十七。其二、所引水經注晉文伐原之原，核與左隱十一年之原爲同地。伐原事，亦見左僖二十五年傳：「冬，晉侯圍原」。國語晉語四、文公二年。韓非子外儲說左上。均有伐原之紀事。惟各該注或疏，於原均無說。詳察注或疏無說之由，蓋原之注，已見於隱十一年，於此，當不需辭費。故淮南道應篇高注，亦僅曰「原，周邑」，而不予贅辭。審通考之說，乃鈔自劉文淇之春秋左氏傳舊注疏證稿者，劉氏之疏，則取自清之一統志卷二〇三原城條者。通考作者不審劉說之然否，竟而據之爲說，其粗糙猛浪，固不可原諒也。左僖二十五年傳：「原降，趙衰爲原大夫，孤溱爲溫大夫」。則原溫兩地爲鄰邑，但未必爲緊鄰。據現時通行之地圖測之，自濟源之原東南至溫，約為七十公里；自溫西北，至沁水之原，約百五十餘公里。以春秋時諸侯國之附庸分佈情形推勘，定濟源之原，為晉文伐原之原，未必合於當時之實情。再就各字書之說解言：無論「高平曰邍」，或「高平之野」，以沁水之原當之，至為恰當。若濟源之原，則於「高平」之說頗有抵牾。蓋沁水之原，地處王屋山之高原區，而濟源之原，則居於黃河北岸，王屋山之南麓，固不得以高平之野說之也。綜上之考察，絜文之「豢土」，宜即今山西省沁水縣之原城。地當殷都西北，以大行山之阻隔，道路頗為迂遠。而其小徑，則可逆洹水西上。辭曰：「呂方其至于豢土呂」，當為呂方即將到達之義。則「豢土」或為殷王朝之西北重要城邑？又「豢土」之土，疑即社字。原社，猶亳社之比。故辭曰：「于豢土其㞢呂」。彥堂先生殷曆譜武丁日譜，以本辭系於武丁三十年五月二十三日；其時，正當殷呂前哨戰之序幕，則「豢土」當為殷王之行營，亦即前敵指揮所之所在地。則其地必為殷王朝之兵略要地也。

〇三一 骨 第一期

1.辛卯卜㱿貞：勿令望乘先歸 九月 四

2.壬辰卜㱿貞：王勿隹沚戠从 九月 四

本拓本又著錄為總集七四九二片。

按：本片與存二、三三三片，戰後南北所見甲骨集，誠明文學院所藏甲骨文字（簡作南誠）二九加京津二一七四〔如附圖〕片，爲成組之三卜骨；存片卜序爲一，本片爲四，南誠加京津爲五。本片缺文，即據彼補錄。所缺二三兩卜序則不知所之矣；續五、三四、一片或爲其中之一歟？緣片碎辭殘，無由肯定。又前七、四、三片除貞人外，餘悉同。胡文定本片及前片爲「同文異史例」一八一頁。再佚存所錄拓本，四週均未拓製，致第一辭之「乘」、第二辭之「从」等，均未見於拓本。茲據總集所錄拓本補錄如右。

又按：彥堂先生以前編之辭〔與本片同文者〕譜入武丁二十九年九月十五、十六之日譜全集乙編六三九頁。蓋此際，殷與下危之戰已近尾聲，下危之國力已疲弱無力，不堪支撐戰爭，而請土方出兵援助，冀能挽救其覆亡之命運；因之，也揭開了殷土戰爭之序幕。就本拓本之二辭觀察，雖非同日所卜，但爲密接之二日，審量二辭之辭意，宜爲一事。且辭曰「先歸」，最堪注意。故頗疑此二辭爲殷王朝于對土方未正式交戰前，所爲「廟算」諸事之一；亦即派遣對土戰爭之主將之事者。孫子兵法始計篇：「夫未戰、而廟算勝者，得算多也」。所算爲何？孫子

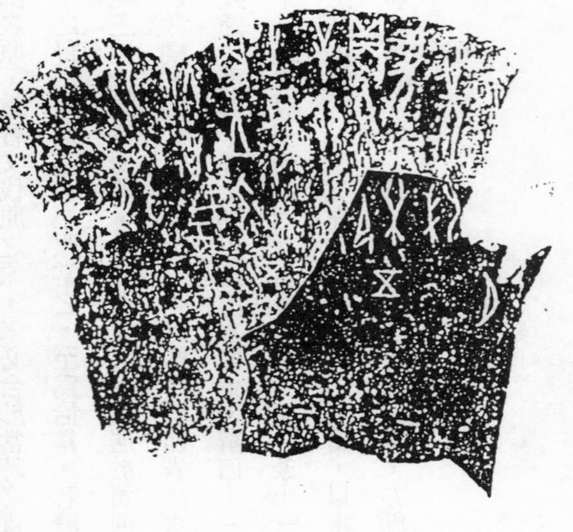

云：「經之以五事……四曰將：將者，智信仁勇嚴也」。「校之以七計，而索其情……曰、將孰有能」。從卜辭考知、望乘爲征伐下危之主將，緣其謀深善戰，將士用命，遂以極短之時間擊潰下危，戰績輝煌。而於此時，土方爲挽救下危之覆亡，遂對殷王朝燃起戰火。此際，殷王朝有意遣調望乘爲征伐土方之主將，遂有此「先歸」之卜。或緣其他原因之考量，至翌日，而有「沚戩从」之卜。據彥堂先生武丁日譜：殷土之戰，始于武丁二十九年三月，至三十年一月正式交戰；迄三十二年冬，與殷呂之戰同時結束。殷土之戰，綿延三年餘；土方，可謂頑強矣。

沚戩：就現時流傳之甲骨資料考察，爲武丁朝征伐土方之主將，曾爲殷王朝立下偌大之汗馬功勞。其事蹟見於卜辭者，除征伐土方外，如伐巴方（粹一二三〇片），又如爯冊土方（續三、一〇、一片），呂方（續三、五、五），巴方（乙七七三九片）等皆其重要者。沚戩、或爲武丁時之方國領袖，服務於王朝者；沚爲封邑，戩乃私名。卜辭習見沚之地名，若文錄五五七、六八五等片之「在沚卜」之辭。惟沚之地望則史無可考。史前則謂：「沚、位於山西西部，陝西東部，土方之西南」（二一八頁）。可備一說。

〇一三　骨　第一期

面：1.己巳卜㱿貞：犬☐其㞢☐

2.辛巳卜㱿貞：王隹倉侯伐髳[方]受[㞢又]

臼：乙未帚妹示屯　爭

本面臼兩拓本又著錄爲總集六五五二號。面拓又著錄爲戩一三、五片，續三、一二、五片。臼拓又著錄爲戩三五、八片，續四、二八、一片。

按：戩考未釋第一辭之「㞢」。又據骨臼刻辭例，本臼辭「示」下「屯」上，疑漏契所貢之數量。又本臼拓之辭，綜類定爲「癸未」，定戩拓之辭爲「乙未」，且不知戩拓，續拓等爲本拓本之重出（一四頁）。

[glyph]：考釋未釋。契例釋庯（上三六頁）。王國維氏釋舍（觀堂一九全九四集），又釋鄘（戩考二十六頁）。丁山氏釋豕（集刊一、二四七頁）。通纂釋匡（二一二頁）。天考釋牄（六十二頁）。集釋釋倉（一七八八）。茲從天考之說隸定爲倉。至其地望，則有俟考定。

[glyph]：考釋未釋。類纂列爲存疑字（二十三頁）。殷虛文字待問編（簡作待問）謂：「說文解字死，古文作[glyph]，與此形近」（卷四頁五）。簠考釋羌（三十四頁）。前釋釋蒙（四、六〇）。天考釋死（四〇）。于省吾氏隸作羌釋髳（駢續四及釋林十六）。集釋釋兎（二六〇〇）。茲從于氏所釋，定其字爲髳，以其字見於詩：「如蠻如髳」（小雅角弓）；亦見於說文也。至其字之構形，葉說近似，而一間未達。蓋其字从人从[glyph]，象形。[glyph]、象帽及帽飾。而此帽及帽飾不必定爲羊角，或狩獵時之故意僞裝；亦非如後世之故意裝飾。而此之飾，蓋其氏族習俗自然之頭飾也。殷人或其以前，以其頭上之裝飾異己，遂以其頭飾之特徵，繪其形爲字，定其稱曰「髳」即毛，而爲字音。亦如近世稱俄人爲老毛子，荷人爲紅毛子然。久之，相沿成習，遂爲此氏族之定稱。且其稱髳之意，至周初未失；僅用形聲字之髳爲之耳。不必辭費，以旁轉對轉，此叚彼叚，左灣右灣、傅會牽強，爲之說也。

帚妹：僅見於本臼拓；他辭單稱妹，或爲人名，或爲地名。其稱人者是否即本臼拓之帚妹，未敢必。胡考定爲武丁六十四帚之一，惟其說乃據前三、三三、八之帚媟（字作□），殊誤。

〇二四 骨 第一期

1.庚午卜王：不其隻 一

2.庚午

3.☒ 一 二告

4.丙子卜王：允隻豖一 一

5.戊寅卜王：不其隻

6.庚辰卜王：隻

7.辛巳卜王：隻 允麞五

8.☒ 二告

9.☒ 二告

本拓本又著錄爲總集一〇四一一片。

按：考釋定爲八辭。另將一、三、四三辭之兆序「一」、及第三辭之兆相術語「二告」遺棄不釋。第四辭「允」上衍隻字，第六辭「王」下衍卜字，並謂：該辭爲「左行兼右行」之契刻；且以第七辭之驗辭「允麞五」濫入第六辭，八、九兩辭之兆相術語「二告」，各皆定爲卜辭。均非。茲正如右。

又按：曾毅公作甲骨綴合編，以本片與前編之兩片，及戩壽堂、甲骨卜辭七集T（簡作七T，下仿此）各一片予以綴合，編著為二三八版。詳察其所為綴合，僅前編之兩片與戩片之綴合不誤，總集已著錄為一〇四一〇版；七T及本片之綴合則非。蓋本片為牛肩骨右骨近骨臼處之左緣，兆序為一；七T之片為肩骨頂端之骨臼，兆序為二；總集所錄之正確綴合者，為左骨中央及下之右半，兆序為三。三片之部位或重疊、或相左，且兆序各異，而殘辭、殘字，折痕等均不能密合，顯非同骨之折裂者，不能綴合；故本校釋不予采錄。惟就卜辭之辭意及兆序等觀察，其或為同組之卜骨歟？

：考釋隸定為馬。無說。按：此字衆說繽紛，然迄無定論。茲姑从唐蘭氏「獲白兕考」之說，隸作彖，藉便說解。至其究當何字何義，則有俟論定。

：考釋隸定為鹿，無說。栔例釋鹿下四二頁。文編初釋薦，隨又改釋鹿一〇二〇。校編釋鹿一〇三〇。續編釋薦一〇三〇。鐵雲藏龜拾遺考釋（簡作拾考）隸定為馬十頁。天考釋鹿五十九頁。丁龍驤先生釋麈：「栔文所見鹿字之字形，本從字共二十餘文，分為有角無角二類。麈、鹿屬；似鹿而大，一角。又名駝鹿，尾為拂子，原出東北寧古塔，養於北京之南苑。冬至，乾隆親巡，見麋角不解，而麈角解，因改時憲書中之麋解角之麋為麈。故嚴章福先生說文校議議謂：今之所謂麈，即說文之麋。今之所謂麋，即說文之麈。稱名互異，相沿已久。此屬僅存一種，由北京宮廷接種，豢養於英國；經動物學家鑑定，而識為麈」中國文字二十二期。茲從其說。

○二五 甲 第一期

貞：其逐豕 隻

本拓本又著錄爲鐵雲藏龜之餘（簡作鐵餘）五、二片，凡將齋所藏甲骨文字（簡作凡將）二一、三片。續三、四三、四片，卜辭通纂（簡作通纂）七二八片，總集一○三九九片。

豕：考釋隸定爲馬，非是。

○二五、一 骨 第一期

面：丁丑卜㱿貞：夕亞 丁丑雨

背：娥

右面背兩拓本著錄爲日本東京大學東洋文化研究所藏甲骨文字（簡作東洋）一○八○號。面拓又著錄爲續五、一九、一二片，遺珠九八○片，總集一○三九九片反及一三四七一片。

按：商氏定本片爲前片（○二五）之背拓，不識本片爲面拓，且自有其背拓。金祖同作遺珠發凡已辯其非（四十六頁）。惟謂：爲遺珠「拓墨時未見背文」，並定爲續五、一八、三片之重出，則爲金氏之非。今東洋不僅著錄背拓，且及實物之正反照片；當可證明商氏所定之非，金氏之粗糙也。又佚存及續編所錄拓本，均失拓右下角，惟遺珠較爲完正，惜亦失錄背拓。茲據東洋所錄，補錄背拓，並定其編序爲二五、一號。又面拓之「雨」，考釋未釋。金氏釋文於貞下夕上衍「今」字。均非。

[illegible]：考釋云：「甲骨文字研究釋蝕，但卜辭有日月食之文，其字作食本書二七四版。葉洪漁先生釋堊，近是」。契例釋豐下二二頁。殷契鉤沉釋堊即禋，前釋同一、一〇九頁。甲骨文字研究釋蝕，初版通纂考釋同，再版眉批曰：「堊、非蝕」〇九，究當何釋，則未之說。殷虛文字記釋良四二頁，印行本五四頁。駢續釋[illegible]二七。集釋釋[illegible]四七〇〇。通考釋壹即噎九八。衆說繽紛，卻無定論。惟就其構形及在契辭中之用法推勘，文字記據以釋良之[illegible]文，僅見於續五、二〇、五片，其字作[illegible]形，爲骨臼之紀事辭，曰「癸未[illegible]示十」。以[illegible]釋爲「帚良」，應爲非是。即使其確爲「帚良」之稱語，單文孤證，不足爲據。更不可定爲良之變體。充其極，僅能認之爲誤契，或因骨紋所造成者。亦不得據以證釋其他構形類似之文。至於[illegible]文，其在契辭，爲武丁時期方國之專名，無一例外。如「壬寅卜爭貞：今春王伐[illegible]方受㞢又？十三月」。存一二六、二七。就其構形論，釋良，亦應屬非是。審[illegible]在契辭中有「夕堊」與「堊」牲及干支「堊」三種辭式，其辭性均宜爲動詞。由此推察，鉤沉之釋則較他說爲優，惟謂即禋字，則未必爲當。再就其構形推察，其字宜爲會意之文，而非形聲之字。[illegible]、雖象器形，而意則自[illegible]生。檢說文：「堊、塞也。商書曰：鯀堊洪水。或从阜」。段注：「此字古籍多作堙或陻」。[illegible]、蓋示滯窒阻塞之意，故於[illegible]上从二一上出。至其从土或从阜，乃後世隸變所增之意符，然原初爲會意之文，遂衍化爲形聲之字，而堊之本形，則淪爲聲符矣。

夕堊：考釋無說。通纂考釋謂：「屬於夜間之事。又每間於二日之間，前日之夜有此事，次月必有凶事以應之，知必爲有凶咎意」〇九。綜述謂：「夕垔、一定指晚上的氣象，不外乎夜間有星無雲，有雲無星」二四六頁。就辭意推勘，綜述所論，似鄰於揣想，通纂雖就栔辭爲說，然未必盡爲凶咎意。若「戊辰卜㱿貞：帚好娩幼？丙子夕垔，丁丑娩幼」殷綴四〇五片。又如「王固曰：得。庚午夕垔，辛丑允得」乙五二六九片。就本辭言：乃卜問當日是否夕垔，而其驗辭則曰：「丁丑雨」。可證「夕垔」並不僅是有雲無雲，或爲有雨與否，但未至天晚即已有雨，故其驗辭曰「丁丑雨」。是於卜問時或有陰雨之兆，卜後不久即雨，故卜辭曰夕垔。然則，夕垔者，蓋祈望天晚陰雨之意也。再就前舉第一辭言：似爲孕婦有難產之兆，經過一晚之奮鬥，至丁丑始平安分娩。次就第二辭言：爲斷辭及驗辭。斷辭雖曰得，但驗辭則曰「庚午夕垔」，至次日「辛丑允得」。是夕垔含有困難之意也。次就佚存一二三片之辭言：夕垔，宜爲患者於乙未日發生呼吸阻塞之症狀，或已至斷續呼吸之彌留狀態，而延至次日丙申死去。就上所論：「夕垔」、夕、宜爲狀詞，垔則阻滯閉塞之意也。

〇一六 骨 第一期

1. 貞：戉弗其𢦏
2. 貞：戉𢦏
3. 貞：戉弗其𢦏
4. 貞：戉𢦏

5.貞：☐受王[又]

6.貞：戊𢦏

本拓本又著錄爲續五、一四、七片，總集七六九一片。

按：第五辭之王，契文作王，頗類第二期之書體。

〇二七　甲　第一期

癸酉卜☐叀阱☐取☐

本拓本又著錄爲總集八八四九片。

〇二八　骨　第一期

[丁未卜　貞：☐]三日庚戌☐九旬㞢一日丁[丑]☐丙不吉其☐𢀛方☐

本拓本又著錄爲簠室殷契徵文、地望（簡作簠地。下仿此）第五十六片，續五、三三、二片，總集一一六四八片。

按：考釋云：「此版殘缺過甚，姑寫作一段」。綜類則僅截取「九旬㞢一日丁」一六八頁爲辭，而將其餘遺棄。茲據腹甲契辭通例，及本殘辭之「庚戌」、「㞢一日丁」，推定其卜日爲丁未，並推勘其辭如右。

旬：考釋云：「王靜安先生釋□爲旬，甚確。十日爲一旬，故从丨十。其初體疑當作□，由十至十也。後寫爲□、□，遂無義可說」。審考釋之說，似是實非。設旬之造字初義，確爲十日爲旬，週而復始，亦非由十日至十日也。考殷人以干爲謚，以干紀日，干字共得十字，由甲至癸之十日爲旬。十爲數字之極，周而復始，循環來復，其用無窮；遂以十日爲旬。故旬者、徧也；徧歷甲乙丙丁以至壬癸之日也。說文：「旬、徧也」。詩江漢：「來旬來宣」，傳：「旬、徧也」。說文段注徐箋：「日自甲至癸而徧；引申之，凡徧帀之偁」。又說文：「徧、帀也」。廣韻：「徧、周也」。易、益、虞注：徧、周帀也」。察其字所以作□者，蓋字从十甲从□；由甲至癸之意也。从十甲、始也，至癸、終也。从□、周而復始，循環來復也；故作屈曲迴旋之形以見意也。甲、栔文作十，癸、前期作□，後期作□；若去其周帀之□，則爲╳，正之、則爲十，形與十甲同；重疊鳥瞰之，仍爲十；將其橫筆引申而迴旋之，則呈□形矣。是□之義，爲自甲日至癸日，循環來復，周帀終始之意也。說文以「徧也」釋之，是也。至其迴旋形因時序演進，而有所變易者，非關乎造字，乃書體之修飾與取姿也。又□字就六書言：宜爲會意。小篆作□，已失其形意，說文不察，遂以「从勹包日」會意說之，非是。所錄古文□，不詳其所據。段氏則以「从日勻」說之，亦非。

〇二九　骨　第一期

1. 癸丑卜爭貞：旬亡囚　二

壹、孫　壯藏拓校釋

2.癸酉卜爭貞：旬亡囚

本拓本又著錄爲凡將一六、一片，續四、四七、二片，總集一二七九〇片。

按：本片與庫六爲同組之卜旬骨，庫片兆序爲三，本片爲二。至其餘兆序之卜骨，則不知其所之矣。胡文定爲「三辭同文例」一六四頁。

考釋云：「二卜相隔四十日」。按：所云非是。蓋卜旬辭契刻辭序之通例，爲自下而上。本片之二辭，僅間「癸亥」一旬而已。最明確之卜旬辭序，可自其附記月序者證知之。此可證明商氏不識辭序，遂有此謬說。

〇三〇　骨　第一期

1.貞

2.貞：用

3.貞：勿用

4.勿用

5.貞：告

6.貞：王循土方

本拓本又著錄爲總集六三九一片。

按：本拓本各辭與鐵雲藏龜第三十四頁第二（簡作鐵三四、二。下仿此）片加鐵一一六、一片，即鐵雲藏龜新編（簡作新鐵）七一九片爲同文。本片爲牛肩骨之右緣，彼爲左緣。惟二者似各爲一骨之殘；其或爲同組之兩卜骨歟？

循，考釋云：「字又作[illegible]，从彳从[illegible]。前六、七、三有[illegible]字，余釋爲直類編卷十二第一頁。孫仲頌釋德栔例下七，後人多从之。葉洪漁釋循通巡鈎沉乙三。通纂謂：循伐，殆猶言征伐。古文直僅作眞若徝，小篆从乚，殆乚之譌一○頁。均未諦。篆文直从乚乃後增，非因乚誤也。左襄七年傳：能正人之曲曰直。徝从彳者，行而正之，義當爲征伐之徝之專用字」。按：增考釋德中七二頁。簠考釋省游田一頁。甲考釋循三○。衆說紛紜，莫得一是。茲姑从葉氏說，隸作循，藉便說解。

土方：考釋無說。通考云：「土方即杜方。詩緜：自土徂漆。齊詩作自杜。周有杜伯射王于鄗，見墨子明鬼。國語韋注：杜國、陶唐氏之後。左襄二十四年傳：士匄言：在商爲豕韋氏，在周唐杜氏。漢書地理志：杜水：水經注：杜水、出杜陽山。方輿紀要：杜水、在今陝西麟遊縣西南。疑土方舊地即在此」一七二頁。史前云：「土方的地盤，約跨有今山西北部，包頭東南，河套東北一帶；乃高山鎮等地細石器文化的主人。地居殷都正北」一八二頁。彥堂先生云：「土方在殷之北，與下旨及呂方必有相當之連絡」全集乙篇七○二頁。審通考之說，未必爲是。蓋豕韋之稱，在栔文中不下數十百見；而土方之稱，更是俯拾即是，且均同時見於武丁時期。此可證明：殷時之豕韋自爲豕韋，土方自爲土方。史前所論土方之地望，約略可取。趙尺子氏在其所著蒙漢語文比較學舉隅中，曾就語文衍化之情形予以考證，認爲今內蒙古之土默特旗，即殷時之土方。其說甚當。且與彥堂先生之考證，及史前所論均約略吻合。惟頗疑外蒙之土謝圖汗、為殷時土方之後裔，內蒙之土默特旗為其分支。惜乏直接之證明。然近年之考古發掘，曾於內外蒙之地域，發現殷時之器物頗多，有此地下資料之說明，謂蒙旗之土謝圖與土默特，即殷時土方之後裔，雖未必完全為是，但不能謂為懸空之說。

循土方：甲骨文的世界謂：省土方，就是出擊土方之前，舉行巡視告祭之卜（一三四頁）。

〇三一　甲　第一期

庚申叀盧

本拓本又著錄為總集三一一四七片。

[illegible]：考釋無說。駢續（釋林同）據粹考釋[illegible]為盧即鑪之說，因釋本字及[illegible]等為盧，即鑪云：「上象鑪之身，下象款足，即盧之象形初文。盧、鑪，古省作膚；[illegible]又為膚之初文。[illegible]字本象鑪形，加虍為聲符，乃由象形孳乳為形聲。義為剝割，為豕肉之膚美。盧膚同字，後世歧化為二。[illegible]為人名，為地名或水名。又[illegible]字通旅，為祭名，當即周人所謂之旅祭也」（二〇）。據駢續所論，其字之構形約為㈠[illegible]、㈡[illegible]、㈢[illegible]。㈠㈡兩形文編列於附錄（二十），校編从之（二上一七）；續編釋㈡形為臚（膚），㈠形則附於㈡形之後（四、二六）。集釋於三形初皆釋盧（一七〇九），繼又釋㈢形為鑪（四〇七三）。㈢形文編列為附錄（七十八頁），校編釋盧（十五、十二），續編釋鑪（十四、二）。察各字在絜辭中為用及句型與詞性，㈠㈡兩形與㈢形異，而㈠㈡兩形則同。再就分期

斷代審量，㈢形之書體最爲晚出，初見於第三期之卜辭。然則，其構形之不同，乃因時序之演進焉。茲從駢續之說，隸定爲盧。至其在本辭中之詞性，則緣辭殘太甚，無由推勘矣。

○三一　骨　第一期

甲申卜亘貞：□求于大甲

本拓本又著錄爲總集一四三九片。

□：考釋無說。類纂列爲存疑字三十。文編列爲不識之字，入於附錄三四。校編从之附上二五。續編入於収部，定爲說文所無之字三卷八頁，惟與□字原書甲二一七七、當即三二七七之誤同列。綜類則予分別著錄之八〇頁。集釋隸定爲□，列於収部，爲說文所無之字八〇頁。天考釋再四片。　甲考謂與□、□、□等字爲同文異體一八三頁。通考則謂：□爲□之繁形从収字。卜辭余□彡與余勿彡乙二一八對言，則□爲語詞。卜辭記兆術語習見不□二字。□、从糸从才，隸定之，殆即紂字。檀弓釋文：紂、本又作緇、甾，古通載。□字每用於動詞之前，故知□爲語詞之載四五七頁。按：釋再、釋載，及與□等爲同文，均未必爲是。蓋其字从□从▽；非从□从収。□、在契辭中爲獨立之文字，若明後一六七八：「貞：呂方不隹出□」，京津二一三四：「貞：収雀□牛」皆其例。其字从8从収；8、釋午已是定論。至所从之▽，汗簡釋口；又嘯堂集古錄有□字，汗簡有□字，並皆釋言；言字从口，則▽之釋口殆無疑義。據契文之構形，本字例當隸定爲□，集釋隸定爲□、應爲非是。至通考之說，徒逞筆鋒之利，口舌之巧，蓋契文之糸字作□形，與本字所从之8構形殊異，其非一字，至爲明確。再者，[glyph]在栔文中固亦爲獨立之字，然其多用於卜兆術語之紀述，通考所據之乙二一八片：余[glyph]彡，余勿彡，不僅引據之辭誤，其辭之出處亦誤。如此引據錯誤，且一誤再誤，焉能解說正確之栔文？檢乙二一三八片有辭曰：「丁巳卜王：余勿[glyph]彡。丁巳卜王：余[glyph]彡」，今已綴合爲一版整腹甲，著錄爲丙九十片，正反各二辭。可以復按。就此四辭推勘，[glyph]字之義決非語詞，是通考之說，旨在僞列卜辭，矇人自矇而已。至其字究當今之何字何義，則有俟論定。

大甲：考釋無說。本紀及人表均作太甲，栔文又作夫甲。本紀云：「帝仲壬即位四年、崩；伊尹迺立太丁之子太甲。太甲、湯適長孫也」。詩商頌那篇：「湯孫奏假，綏我思成」，集傳：「湯孫、主祀之時王也」。又「顧予烝嘗，湯孫之將」，傳：「湯孫、太甲」也。

〇三三　骨　第三期

1. □□卜：來乙亥酒鼓　三

　弜酒　三

2. 壬午卜：令般从侯告　三

3. 癸未卜：令般从侯告　三

本拓本又著錄爲遺珠六三三片，總集三二八一二甲片，天理五一二片。

按：曾毅公作甲骨綴合編，以本片與佚存八九六片遙相綴合爲一版，編錄爲五五版。審此綴合，應爲錯誤，但胡編甲骨文合集竟不識其誤，而竟著錄其誤，則殊爲錯誤矣。蓋本片爲牛胛骨左骨之上端，兆坼右向，契文卜字相應亦爲右行，契辭左行，故殘存於版面之卜兆紀數字清楚明白。而佚存八九六片，則爲右骨右緣之中央殘餘者，兆坼左向，契文卜字相應亦爲左向，契辭則右行；其左緣折裂處，適當卜兆之豎坼，故版面無卜兆紀數字之存留。因知二片非爲同骨之折裂，不能綴合。然就本片各辭之紀兆數字，與八九六片之殘辭等徵侯比勘，其或爲同文之兩骨？仰或爲同組之卜骨？則有俟正確之綴合，及其餘兆序之卜骨發現之證驗矣。

又按：考釋定第一辭之卜日爲「癸酉」，學者率多从之。茲詳察各重複之拓本，卜日並皆殘佚；考釋既未說明所據，則不知其何所而來矣。茲就本辭言：癸酉至乙亥僅爲一日之隔，徵諸卜辭用「來日」之辭例，凡間隔五日內者皆稱「翌日」，增訂本書契考釋已有此說。辭曰：「來乙亥」，其卜日宜非「癸酉」。檢甲七九五片有辭曰：「丙午卜于甲子酒鼓」；丙午至甲子相間十七日，又前七、二七、二片有辭曰：「戊辰卜爭貞來乙亥不雨」；戊辰至乙亥相間六日。續三、一五、一片有辭曰：「丁酉卜㱿貞來乙巳王入于□」；丁酉至乙巳相間爲三十一日。準此，定「癸酉」爲卜日，殊爲未當。宜爲非是。然則，其卜日爲何？據天理所著錄之彩色照片詳察，「卜」上尚殘存亅形之筆畫，但所錄拓本及黑白照片，此殘畫則均不顯，與他書所錄拓本之情形同。就彩照所顯示之殘畫推察，其爲□字之殘歟？若然，則此卜日似爲「壬戌」。而壬戌至乙亥，間隔十二日，亦合契辭「來乙亥」之辭例。茲定其卜日爲「壬戌」。

□：考釋隸定爲鼓，無說。類纂列爲存疑字二十八頁。類編釋鼓卷五頁十。文編从之卷五頁七。校編入於附錄，與□字同列云：「疑爲㱿字」上四〇頁。續編釋𢀛三、一三。集釋从之八七七頁。文字篇从增考之說，釋鼓卷五頁五。戩考隸定爲𡔷，無說七〇。甲考釋㱿、曰：「卜辭从□之字往往又从□，如鼓字作□，亦作□」二九，「爲神祇之名」一二五頁。粹考隸定爲毃，無說八五。詳察栔文之構形，及在卜辭中之爲用，釋鼓、𢀛、𡔷、毀等均非。甲考釋㱿雖是，而其說解則非；謂爲神祇之名，殊爲未當。蓋其字从□，□非食字，乃食字所从之□，今隸作𠧢，乃今字㱿之初形。後世隸作簋、朹、匭、𠥩等形者。各字或緣時序之推移衍化，或緣製器資材之不同，而定形異音同義同之形聲字。清儒於此字之形音義，及器物之爲用與形製等，曾有深切之研究與考證；惟皆未能擺脫說文之羈絆。近世戴家祥氏據栔文之構形，曾釋簋之作，詳論其形音義，並及於器物之形制文字篇三卷十四頁。其說雖未必精準無誤，然頗多可采之處。茲據栔文之構形，隸作𣪘，而以今字簋之義爲說。

〇三四　甲　第一期

戊申卜貞：午酒囚戠幸　一月

本拓本又著錄爲北大二、二八、四片，總集七〇五五片。

□：考釋隸定爲戎，無說。待問篇疑爲戈字卷四頁四。文編列於附錄十二。校編同上二一三。續編釋戠卷十二頁十八。集釋从之三七六八。栔例釋或即國下十九頁。簠考从之地望六頁，惟謂與□爲一字人名三頁則非。前釋謂與□爲一字四、二八亦非。骿枝釋戩三三頁釋林五八頁。茲姑從骿枝之說，以俟考定。

○三五 骨 第一期

面：1.癸亥卜𡧊貞：旬亡囚

2.癸未卜𡧊貞：旬亡囚

3.癸巳卜𡧊貞：旬亡囚

4.癸卯卜𡧊貞：旬亡囚

5.癸丑卜𡧊貞：旬亡囚

6.癸亥卜𡧊貞：旬亡囚

7.癸酉卜𡧊貞：旬亡囚

背：1.王固日：㞢祟

2.王固日：㞢祟

右面背兩拓本著錄爲總集一六九○○號。面拓初著錄爲鐵二五三、一（新鐵六八九）片，又著錄爲戩二八、一二片，續四、四五、四片。背拓未詳。

按：佚存未錄背拓，茲據總集補錄，並今譯其辭。又各重複著錄本拓本之資料書，一二兩辭皆已殘佚；茲據初錄拓本今譯。第五辭各拓本皆未見「亡」字，或原物漏者歟？今據卜旬辭例補錄之。六七兩辭骴考未釋，餘辭之序爲自上而下，故與本校釋之序列相反。背拓二辭，乃分承面拓二四兩辭者。又考釋不知此爲鐵雲故物。

〇三六　甲　第一期

1.□亥卜〼⿱力口卯〼帝其降囚　其[illegible]　一
2.貞：卯〼帝弗其降囚　十月
3.丙〼不〼
4.四日〼允〼

本拓本又著錄爲總集一四一七六片。

考釋定第二辭爲「卯帝弗其降囚卜」。綜類初从之一七八頁，繼又改作「卯〼帝其降囚」五〇七頁。胡雜定第一辭爲「丁亥卜卯丁帝其降囚」，並說之曰：「卯丁、乃丁卯之倒稱」。由是，遂定其辭爲「干支倒稱例」四一七頁。按：胡說非是。詳察拓本，「丁亥卜」三文，不僅無「丁」字，即「亥卜」二字亦屬殘文。其下「卯丁」之丁亦爲殘文，就其殘存之筆勢推勘，決非契文「丁」字之殘。蓋契文之丁皆呈正方之構形，至文武丁時期或有作圓形者。而此作橫寬之方形，未必爲丁字，茲以□號示之，以俟綴合之證驗。

⿱力口：考釋隸定爲⿱屮口云：「⿱屮口爲人名，其上闕一字，以它辭例之，應作⿱屮口貞，所闕，或即貞字，而文倒刻」。綜類迻寫爲㞢五〇七頁，錄其辭爲「㞢卯丁」一七八頁。惟就其殘存之書體筆勢、行款、殘辭之辭意等，並參酌類似之他辭綜合推勘，其字宜爲□之殘。□、今釋[力口]、與咎同；卜辭習見，祭名，爲新派五種祀典之一。然則，考釋所論，綜類所錄，皆爲非是矣。

□：考釋隸定爲勿，旁注物，無說。綜類作□形五〇七頁，又作□形一五七、一七八、三〇三頁。胡雜隸定爲㓞，無說。究當今之何字何義，有俟考定。

〇三七　骨　第一期

壬辰卜永貞：翌甲午不其易日

本拓本又著錄爲戩二三、一四片，續五、一六、五片及續六、一五、一片，總集一三二六二片。

按：戩考定貞人爲派，無說。

易日：卜辭習見，多與「雨、不雨」同貞。前修於此辭之說解，至爲紛紜。惟綜其所論，或釋易日，或釋易日；然所爲說解，則皆與卜辭之辭意一間未達。茲從易日之隸定，而於辭意之說解則殊於前修。按：易、爲今字陽之初文，而陽，則爲暘之譌變。說文：「易、開也」，段注：「此陰陽正字也；陰陽行而侌易廢也」。六書疏證云：「易、雲開也」。說文：「暘、日出也」。段注：「祭義：殷人祭其陽。鄭云：陽、讀爲日雨曰暘之暘」。綜觀易日之絜辭，若以「雲開」「日出」之義說之，則無不豁然暢達也。然則，易日，乃暘日之初文也。今字太陽之陽，蓋即暘之譌變矣。

○三八　骨　第四期

1.丁丑卜：又且丁一牢
2.辛巳卜：王步　壬午易日　不易日
3.辛巳卜：王步　乙酉易日　不易日
4.壬午卜：王步　癸未易日　癸未不易日
5.易日

本拓本又著錄爲遺珠六七八片，日本大原美術館藏甲骨文字（簡作大原）二七片，總集五四○一○片。

且丁：考釋隸定爲「丁祖」，非是。此蓋倒書者。三四期之辭多有之。本紀及人表均作祖丁。若據世系；爲第九世之殷王，若據王位傳承，則爲第十六位殷王。

○三九　甲　第一期

己丑卜𣪊貞：翌庚寅令☐

本拓本又著錄爲總集一九一〇四片。

按：本辭綜類未錄。

〇四〇　甲　第一期

1. 雨

2. 庚午卜：方帝三豕㞢犬卯于社，宰。求雨？二月。　一　二　三　四

3. 庚午卜：求雨于岳？　一

本拓本又著錄爲續一、一、三片，總集一二八五五片，天理一五片。

方帝：考釋無說。蓋即五岳之主神也。呂覽仲春：「大雩帝」，注：「大雩、旱祭也；帝、五帝也」。周禮春官小宗伯：「兆五帝於四郊」，注：「蒼曰靈威仰，太昊食焉。赤曰赤熛怒，炎帝食焉。黃曰含樞扭，黃帝食焉。白曰白扭拒，少昊食焉。黑曰汁光紀，顓頊食焉」。然則，五帝者，五岳之神也。五岳者，東岳泰山，南岳衡山，中岳嵩山，西岳華山，北岳恒山也。察本辭之義，乃求雨之卜也；而同日之另辭直曰：「求雨于岳」。是方帝之義，乃祭祀五岳之神祇以祈雨也。

社：考釋無說。字於本辭，學者間或釋土，或釋爲殷先公相土，均未必爲當。茲從釋社說。社者，乃尊祀后土而神之之謂也。詩莆田：「以社以方」，傳：「社、后土也」。禮記郊特牲：「社，所以神

地之道也」。我國農業立國，且發達最早，其尊祀土地而神之也宜矣；況乎殷之世，神巫用事，而農業正當發展之際，其專祀土地而神之之習且必傳之前世。白虎通云：「王者所以有社何，爲天下求福報功。人非土不立，故封土立社，示有土尊也」。左昭二十九年傳：「共工有子曰句龍，爲后土；后土爲社」。蓋社之義：自狹義言，乃尊祀土地之廟也。曰后土者，猶如今語之「土地公」，或「福德正神」者是也。

岳：據說文，爲今字嶽之古文；證之契文，當爲嶽之初字。察其構形，蓋象崇山參差，峻嶺疊障，峰谷連綿，層巒起伏之狀。其在卜辭，則有二義焉。其一、爲地名。即書舜典：「歲十有一月，朔巡狩，至于北」之岳。傳：「北岳，恒山也」。亦即禹貢：「大行、恒山」之恒山。山在今山西省渾源縣境，爲陰山支脈、恒山山脈之主峰，海拔約二千六百公尺。唐虞以降，即爲我國之鎮山。周禮職方氏：「并州、其鎮山曰恒山」。水經漯水注謂之「玄嶽」。讀史方輿紀要云：「恒山、在大同渾源州南二十里，即北岳也」。其二、爲人名，亦有二。一爲史官名，見於骨臼刻辭，如「乙巳、隯示二屯。岳」續六、一〇、一〇。一爲貞人名，如「癸酉卜岳貞：㞢來自西」丙九四片。小屯南地甲骨考釋謂爲殷之先公，其說非是。至本辭之岳，當即第一義也。

○四二　骨　第一期

癸巳卜㱿貞：使人于𠀠其㞢曰气〼
一

本拓本又著錄爲戩二六、九片，續五、一七、八片，續六、一六、八片，總集五五三七片。

按：總集五五三八片與本片爲同組之兩卜骨，彼之兆序爲四，此則爲一；均爲右肩骨近骨臼處之殘餘，皆爲殘辭，不能互定其辭，殊爲可惜。又辭云「其㞢曰气☐」，甲世釋爲「其㞢出」（一一五頁），非是。蓋目前之甲骨資料中尚未發現同句型之辭。茲詳察拓本之情形，並參酌同文之另辭，今譯如右。

㽙：考釋無說。按：此字之說解頗爲分歧。或釋㽙，或釋撞，亦有釋臾、奄、矣、弁等者，眾說繽紛，至爲繁頤（詳見集釋二四〇七），卻無定論。金文中亦有此字，亦眾說紛陳，而無定論。若張廷濟釋曾（小校二、三），朱善旂釋甾（小校三四、五），羅振玉謂即篆文之☐（集古遺文卷九頁二），方濬益謂：上从八，下象兩手匊杵之形（綴遺齋卷十一頁二），吳大澂釋爲八申二字（集古錄一九、一〇），容氏金文編則入於附錄上（八四），定爲圖形文字等是其例。其究當何釋，則有俟論定。茲姑隸作㽙，藉便說解。惟字在絜辭，多用爲人地名，或邦族名。其在本辭，似宜解爲地名較妥；其地約當今之何地，則有俟學者研討與考證。

〇四二　骨　第一期

三：于省吾釋气（駢一、五五頁及釋林七九頁），即今字乞，是也。

面：1.戊辰卜韋貞：爵子㞢　一

2.戊辰卜㞢貞：唐☐

臼：癸丑吏示十屯　爭

右面臼兩拓本著錄爲總集三三三六號。面拓初著錄爲鐵二四一、三（新鐵一〇一一）片。

按：佚存未錄臼拓，茲據總集補錄並今譯其辭。面拓亦未拓製「子犇」，茲據藏龜拓本補錄。

子犇：據例，宜爲武丁時期諸子之一。

爵子犇：爵、宜爲動詞。即分封子犇之官位或地域之義。亦即封建諸侯，爲殷王蕃衛之義。

〇四三　甲　第四期

1. 亢
2. 鹿七豕四一麀百

本拓本又著錄爲總集二〇七二三片。

按：考釋隸定第二辭爲：「鹿七二豕卌一麋百」。綜類迻寫爲：「……亢山[甲骨文]」二三六頁。繼又迻寫爲：「……[甲骨文]……亢山……[甲骨文]」四六七頁。詳察拓本情形，兩辭之書體風格，頗有差異。第一辭之書體遒健，刀法圓熟。第二辭則書體板滯，刀法稚弱；行款參差，絜辭苦澀，不類殷史所絜者。緣斯，疑其爲習絜者之習作。茲姑如右釋，以俟識者。

[甲骨文]：从唐蘭氏說，釋亢古文字學導論下二一頁。

[甲骨文]：考釋隸定爲鹿，無說。續編迻寫爲[甲骨文]，釋麋，麞也一〇、四。校編迻寫爲[甲骨文]，釋麋一〇、三。甲骨文字研究釋五十，隸定爲麋，無說十頁。集釋未錄。詳察其構形，考釋之隸定不誤，字當釋鹿。

[字形]：考釋隸定爲「七二」，無說。釋五十釋爲「七十一」，並謂：「七十、作[字形]」頁十。按：釋爲七十二是也。惟謂七十之合文作[字形]，則非是。詳察拓本，字作[字形]形，其豎筆挺直上出，約當一下豎畫之二倍，徧檢絜辭七十之合文書體，若乙五七六二，京津二二八二，南坊一、二等，其豎畫皆直挺上出，無作右斜，甚或左斜者。知作[字形]形者，蓋出於虛臆也。

[字形]：考釋从唐蘭氏獲白兕考之說，釋麋，是也。

〇四四　甲　第一期

丁酉卜㱿貞：子漁㞢𠕋于娥酒　二

本拓本初著錄爲鐵二六四、一（新鐵二三四）片；又著錄爲通纂三五五片，總集一四七八〇片。

按：敘辭除酉字，考釋均未釋。

子漁：爲武丁諸子之首。其事蹟見於卜辭者，多爲代表時王武丁施行祭祀天神先祖者。據地下資料顯示，擬爲第十二世，亦即第二十三位殷王，史記等書稱祖庚，卜辭稱且庚者是也。其在祀典，爲殷王之小宗。

〇四五　骨　第一期

☐達羌☐攺㞢國☐

本拓本初著錄爲鐵七六、一（新鐵八一一）片，又著錄爲總集五〇二片。

按：考釋雖亦隸定爲一辭，但與此異，而作「羌攺㞢𡆥」。蓋就拓本所顯示之情形及殘辭推勘，似與新綴三三八版爲同文；若然，則其辭宜爲：「☐八日庚子戈達羌☐人攺㞢𡆥二人☐」。惜新綴之辭雖歷經綴合，仍爲殘辭，不能補足辭義，則仍須努力於綴合也。

[illegible]：就拓本殘餘之情形，與同型之他辭比勘，其字宜如上作。隸定之，當作羍，字書所無。檢說文達字與此形近，學者遂以今字撻說之。撻、伐也。辭曰「羍羌」，當即伐羌之謂也。惟契文有辭曰「伐羌」，何以不曰「伐羌」，似需予以考量者也。設其確爲說文之撻，正字通則謂：「撻、笞擊也」。周禮地官閭胥注：「撻、扑也」。辭曰「撻羌」，蓋以刑具輕擊羌人之在王朝服務，以糾其過失之謂也。以今語況之，意即施以較輕之體罰。惟撻字就其楷書之構成言：宜爲達之引申或演化；而羍，宜爲初文，達乃後世之形聲字。

羌：卜辭中之爲用，約有五意，茲說之如下。

一、氏族也，方國也。

1.戋羌方？　甲一九四八

2.辛巳卜貞：収帚好三千登旅萬乎伐羌？　庫三〇一

二、地名也。

3.☐巳卜貞：王其田羌亡戋？禽鹿十又五。　金一八二

4.戊辰卜在羌貞：王田衣逐亡巛？ 京都一八六五

5.乙巳卜穷貞：三羌用于且乙？ 前一、九、六、

6.匚于上甲九羌卯一牛？ 後上二八、二、

三、犧牲也。

又謂：凡爲犧牲之羌人，皆因戰爭之故，而被殷王朝所俘虜者。遂又認定殷王朝有虐俘之事。殷王朝或有殺人以祭之事，但未必盡爲羌人。

按：右辭之羌：說者謂爲：羌氏族之民而爲殷王朝祭祀之犧牲者，因之，遂認定殷世施行人祭。蓋卜辭中記述用羌之辭甚多，且其數字多至三百，而殷王朝之祭事，幾乎無日無之；羌氏族何來偌多之民，供殷王爲犧牲邪？其不合事理遑足論哉。再就虐俘言：俘虜、必因戰爭而產生，既乏戰爭，何來俘虜？綜觀傳世之卜辭，紀述戰爭之事者甚多，而於殷羌之間卻乏激烈、或聯綿不絕之戰爭記述，何來偌多之羌人被俘？再者，殷世最強悍之敵人莫若𢀛、土等方國，其與殷王朝之戰爭，卜辭屢見不鮮，何以不見𢀛、土等之俘虜爲王朝之犧牲，卻獨以羌人爲之？虐俘、近世仍有之，殷世，必當有之。何以殷王朝偏偏虐待羌方之俘虜？抑或殷羌必有戰爭，羌人亦必被俘，亦必用爲犧牲；然獻俘之祭，乃勝利者班師凱旋後之行爲，非經常之祭祀，而見於卜辭之「羌×羌」、「羌×人」等，乃經常施行祭祀之事。由此可證：殷王朝用羌人爲犧牲，及虐俘之說於卜辭無據，於典籍無徵。

四、獸也。

7.乙丑卜：弜獲圍羌？　鐵三一、三、

8.圍羌？　庫七〇六

右辭之羌宜爲獸名，此可自卜辭中用圍之辭例證知之。然典籍中並無以羌爲名之獸類；然則，其別有異稱歟？若然，則此獸之異稱疑其爲羱。爾雅匡名：「羱、如羊。說文羊部無羱字，當作莧。說文十上：莧、山羊細角者；从兔足苜聲，讀若丸。繫傳曰：莧、俗作羱」。郭注：「羱羊似吳羊而大角，角橢、出西方」。郝疏：「羱羊、出甘肅。有二種，大者重百斤，角大，盤環，郭注所說是也。小者角細長，說文所說是也」。玉篇：「羱、西方野羊也」。姑無論其家畜或野生，就其產地言：與羌氏族所居之地望相合。是爾雅之羱、或說文莧，宜爲卜辭之羌矣。再就字義審量：說文：「羌、牧羊人也」。是羌人所牧之羊宜即此羱羊也。再就羌之構形評量：固有如郝疏者，或亦有其「角細長」者。惟此種構形，或爲書契者之習慣，或爲書體之美觀而取姿，固未必爲實物之寫照。然既曰象形，則其字固當象其形；是契文羌字之構形，未必盡關乎書體之取姿也。然殷人何以稱羱爲羌？以年荒代遠，典籍未錄，末由徵其確矣。其在殷世，必爲任人皆知之瑣事。雖然。或可據理推勘者，羱之產地

及牧者既皆爲羌，而其來源，或因圍狩而獲，但察殷羌間之關係，羌方必有所貢獻，雙方亦必有彼此貿易之行爲。久之，以其產地及供應者皆爲羌，遂以其名名之；而此，亦爲人之常情，事之常理。再就字音言之，羌與羱乃今古之異讀。羌爲漾韻，羱乃元韻，羌羱可以對轉；且羱字見於字書者又作桓、阮等，而桓，可以讀桓，故說文字作莧。

五、動詞：樂舞也。

9.丙午卜：翌甲寅、酒、⿱凶厶，邘于大甲，羌百羌，卯十宰？　粹一九〇

右辭之上羌字，學者謂爲用牲之法，並以辜、磔等訓之。未必爲是。按：彥堂先生嘗有：「商人於祭祀時，使羌人作樂舞生以襄祭」之考證（獲白麟解）。用知此「羌」之詞性當爲動詞，義爲樂舞；亦即以羌氏族之音樂，伴奏羌氏族之舞蹈之謂。下「羌」字宜爲名詞，義爲演奏此樂此舞之人，限定爲羌氏族之人；其數，則爲百人。夫蠻、夷、戎、狄爲華夏之四裔，而羌乃西戎之一族。殷時，以其善長之樂舞襄祭，宜爲當然。若就今事況之，猶如「以一百位山地青年男女，表演山地之音樂與舞蹈」。準此，右辭之義宜爲：於丙午後之第九日甲寅那天，以酒和⿱凶厶爲祭品，用邘際之儀式，另以卯宰之禮祭祀上甲；另於儀式進行之際，用羌氏族人百人，演奏羌氏族之樂之舞，以助儀式之進行，以增祭禮之威儀。

10.王其又于小乙，羌五人，王受又？　甲三七九

右辭之羌，當爲動詞，義即樂舞。亦即用羌氏族之樂舞以襄祭儀之義。其與前辭之異，端在演奏

此樂此舞之人，前者限定爲羌氏族之人，此則任人皆可爲之，僅限定爲羌氏族之樂與舞而已。猶今時表演西藏之舞蹈者，不必盡爲藏人，伴舞之音樂雖限定爲藏樂，但演奏之人，不必盡爲藏人。明乎此，則卜辭中「羌×羌」，「羌×人」之辭，則皆豁然暢達矣。

至本辭之羌，當屬第一義，亦即羌人也。

○四六　甲　第一期

1.貞：求年于丁垔三物牛𠕋三十物牛　九月

2.物牛　十月

本拓本又著錄爲北大一、三六、二片，續一、四五、四片，總集一〇一一七片。

丁：或釋方，即枋。疑非。茲釋丁：疑爲祖丁之稱。蓋殷世先王之稱丁者，於武丁之前依序爲大丁、沃丁（據本紀），仲丁、祖丁。據本紀、大丁未承王位，沃丁雖承王位，而爲小宗，且其稱語在卜辭尚無定說，仲丁雖爲大宗，然就卜辭所考知者，未若祖丁爲後世所隆祀。緣是，故疑此丁爲祖丁之稱。

物：契文作□。金祥恒先生釋爲犂（中國文字）。茲姑從王觀堂釋物說，以俟論定。

○四七　骨　第一期

1. 癸未卜祝貞：旬亡𡆥

2. 癸巳卜祝貞：旬亡𡆥　十月

3. 癸巳卜祝貞：旬亡𡆥

4. 癸卯卜祝貞：旬亡𡆥

5. 癸丑卜祝貞：旬亡𡆥　十二月

6. 癸亥卜祝貞：旬亡𡆥

7. 癸卯卜祝貞：旬亡𡆥

8. 癸巳卜祝貞：旬亡𡆥　十三月

本拓本又著錄爲簠雜三六片，總集二六六八一片。

按：絜文有□、□、□、□等四文，乍看、構形相若，但細審之則殊異；然自王氏類纂，孫氏文編等均釋兄；衡諸當時情形，頗有可說。然數十年後孫氏再作校編，一仍不能分辨，則殊爲非是矣。續編於□、□二文雖然分列，但□列□後，定爲說文未列之字，亦有未審。迺集釋最爲晚出，且當甲骨學鼎盛之際，不僅未能糾其誤，且从其誤，竟盲然襲其說，沛然而成書。於是滔滔者皆以□、□爲□矣。可慨也夫！然究當何釋？此可自各該字在卜辭中之爲用，意義等證知之。檢絜辭凡卜問祭祀並含祝告之意者，其字皆作□。凡受祀之神主稱兄×者，其字皆作□。一無例外。準此，知貞人之名□者當釋祝，名□者當釋兄。此不必辭費，只需通讀卜辭即可知者。至

□之釋拜，拙曾有說，請閱中國文字新九期。□釋邑、已是定論，勿庸贅錄矣。

又按：本片共契卜旬辭八辭，附記月序者三辭，爲癸巳十月，癸丑十二月，癸巳十三月。據其旬日及月序，知此八辭非爲密接之四個月序所卜者。彥堂先生作殷曆譜，曾據本片及戩二九、五片之辭，製爲旬譜四（祖庚五年十一月至翌年十一月），其後作旬譜補及殷曆譜的自我檢討，改訂爲旬譜五，又據八月乙酉之月食，將祖庚五年之閏上移爲四年。經此改訂，本片及戩片各辭，已不能適合祖庚五年之月序，亦即訂正後之旬譜五、已無所附麗，須另予調整，期使合於訂正後之曆譜。檢訂正後之曆譜，於祖庚元、四、七年均爲閏年；其七年之十三月，不能適應本片之十三月、四年之十三月雖然適應，但其前之三年，後之五年則皆不合。僅元年十三月及二年十月恰適相應，茲據之譜爲祖庚旬譜。

祖庚元年

十一月大丙子朔

癸未 初八

癸巳 十八　癸巳卜祝貞：旬亡𡆥？

癸卯 廿八　癸卯卜祝貞：旬亡𡆥？

十二月小丙午朔

癸丑 初八　癸丑卜祝貞：旬亡𡆥？　十二月。

癸亥 十八　癸亥卜祝貞：旬亡𡆥？

癸酉廿八

十三月大　乙亥朔

癸未初九

癸巳十九　癸巳卜祝貞：旬亡𡆥？　十三月。

癸卯廿九　癸卯卜祝貞：旬亡𡆥？

佚存四七

祖庚二年

一月小　乙巳朔

癸丑初九　癸丑卜即貞：旬亡𡆥？　一月。

癸亥十九　癸亥卜即貞：旬亡𡆥？　一月。

癸酉廿九　癸酉卜即貞：旬亡𡆥？　一月。

二月大　甲戌朔

癸未初十　癸未卜即貞：旬亡𡆥？　二月。

戩二九、五、

癸巳二十

癸卯三十

戩二九、五

三月小　甲辰朔

癸丑初十

癸亥二十

四月大　癸酉朔

五月小　癸卯朔

六月大　壬申朔

七月小　壬寅朔

八月大　辛未朔

九月大　辛丑朔

十月小　辛未朔

癸酉初三

癸未十三　癸未卜祝貞：旬亡囚？

癸巳廿三　癸巳卜祝貞：旬亡囚？　十月。　佚存四七

十一月大庚子朔

癸卯初四

癸丑十四

癸亥廿四

十二月小庚午朔

（三）一月有丑亥酉三癸，祖庚時可容之年數六與七，今以六年者，以用骨之例相合，上片為左胛骨右邊，此片為右胛骨左邊，相對稱，為連續使用之證。

戩二九、五片卜序示意：

10 未
7 丑
9 酉
8 亥

佚存四七片卜序示意：

5 巳
6 卯
4 亥
3 丑
2 卯
1 巳
12 巳
11 未

癸酉初四

癸未十四

癸巳廿四

附記：

一、校編合文二六以本片第二辭「十月」，定爲十二月；宜爲非是。蓋合文之月序書契通例；其二字皆契於十月合文之上，變例或有契於其下者，但「二」字必密接於十月之下。詳察拓本之二，與十月合文之間距頗爲遙遠，竟達半公分之遙，核諸月序之契例，不能定爲「十二月」之合文。故不予採錄。

二、通考八四頁八定貞人爲兄，非是。並定本片爲祖甲時之卜辭，其說云：「此片兄卜，亦見十三月之名，是不得云祖甲時卜辭絕無十三月之稱」。今證之於旬譜，知其說旨在淆亂分期斷代之標準而已。

〇四八　甲　第三期

1. 癸亥卜[何]貞：王𣧊[叀吉]　不冓雨
2. 乙丑卜何貞：王𣧊叀吉　不冓雨
3. □□卜何貞：[王]𣧊叀　[吉]
4. 乙丑卜何貞：王宊杋不冓雨𣧊叀吉

5.乙丑卜何貞：王宏杋⿰矢丙吏吉不冓雨

6.丙寅卜何貞：王宏杋不冓[雨]⿰矢丙吏吉

本拓本又著錄爲簠天一一及八二片，續四、一二、六片，總集三〇五二八片。

按：通考七一〇八以燕七九五片與本片綴合，並隸定爲五辭（含增入甲子一辭），均非。又第六辭「雨」、原片漏契、據例補錄，故以□號別之。審本片爲右背甲之左上部份，辭序爲：先右、自下而上行；至頂、折而左旋，轉爲自上而下行。故所錄辭序與考釋異。

：考釋隸定爲燕，通考釋丙八五。檢契文自有燕字作，丙字作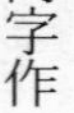；且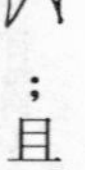同見一辭，例證頗多，如「王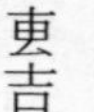吏吉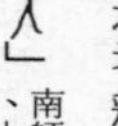」南師二、七六。是釋燕爲非是。以之釋丙，亦是出於瞽說，不值論辯。審其構形，字从矢从丙；隸定之，當作⿰矢丙。⿰矢丙、說文所無。考五音篇海有⿰弓丙字，與此形近；⿰弓丙，似爲⿰矢丙之形衍，蓋古文从矢或从弓一也。強、音狂、又音強。然否，有俟深考。

：考釋釋㚔。曰：「象人燔積木之形」。非是。茲從釋杋之說。

〇四九　骨　第一期

1.今丁卯其雨

2.若

本拓本初著錄爲鐵五二、三（新鐵五七三）片；又著錄爲戩一七、一四片，續四、二三、一〇片，總集一二〇八〇片。

按：戩考定為一辭，非是。

丁：戩考釋曰，云：「蓋卜今日卯其雨，占之而從，故後刻一若字」。所釋非是，若乃另辭之殘餘。

〇五〇　甲　第一期

癸酉卜貞：翌乙亥㞢匚于丁十□

本拓本又著錄為北大四、三一、一片，續六、二六、二片，總集一九四四片。

匚：通考釋祊，謂即說文之鬃，動詞（一〇八頁）。

〇五一　骨　第一期

1.貞：勿登人乎伐呂方弗其受㞢又

2.貞：呂方弗𦎫沚　一　二告

3.登人乎伐　一

4.☐　一

5.乙巳

本拓本又著錄爲簠征九及二一片，續三、三、三片，續三、五、七片，總集六一七八片。

沚：地名，當即沚戠之封邑。

〇五二　骨　第一期

1.丙戌

2.戊子卜沭：翌己丑其雨　一

3.戊子卜沭：翌己丑不雨　一

4.己丑卜沭：翌庚寅其雨　一

5.己丑卜沭：翌庚寅不雨　一

6.庚寅卜沭：翌辛卯不雨　一

　翌辛卯其雨　一

按：第六辭「翌」，未契橫畫。胡雜定爲「獸骨卜辭對貞例」四五一頁。又本版契辭行款，頗異於他片。

本拓本又著錄爲簠天六六片，續四、五、一片，總集一二四三六片。

沭：考釋疑爲焚。集釋列爲存疑字四四八一。簠釋釋者。粹考隸作沭。胡雜釋賚。通考云：「契文作沭，及沭，从水从木。又有从屮者，从屮與从木同，當是一字。或省水，但作木」六五〇頁。茲詳校通考舉證各片之字之書體，粹及本片之字皆作□，甲一一六七加二〇二九之綴合，中國書譜㈠早經指其綴合錯誤。甲五一六之字作□。乙三一七一和三四一七及其以下之三片，字均作□。乙四二九三無其字，亦非通考所謂之「甲尾對貞」者。京都九四一不僅無其字，且係僞造；審京都五三〇背有「□入四十」之辭，而九四一片爲牛胛骨，絕無通考所云之紀事辭。綜觀通考所舉證者，謂其爲子虛僞造，應爲從寬論評。通考之作者，自認爲此學之權威，爲達成其謬說，竟不惜子虛僞造，矇騙世人，則其所爲論著，殊不值一觀矣。茲姑从粹考之隸定，藉便說解。字在本片各辭，當爲貞人之署名。

〇五三　骨　第五期

1.癸卯王[卜]貞：旬亡[猧]
2.癸丑王卜貞：旬亡猧
3.癸亥王卜貞：旬亡猧
4.癸酉王卜貞：旬亡猧
5.癸未王卜貞：旬亡猧
6.癸巳王卜貞：旬亡猧

本拓本又著錄爲簠雜一片，總集三九一四五片。

按：簠雜所錄拓本僅存契辭，餘皆翦棄。

〇五四　骨　第一期

1.癸卯卜㱿貞：我不其受年

2.〼　二告

本拓本又著錄為簠歲一〇片，總集九七一〇片。

按：簠歲將第二辭翦棄。

〇五五　骨　第一期

己丑卜㝴貞：雨　庚寅風

本拓本又著錄為簠天一二片，續四、八、一片，總集一三三三〇片。

〇五六加前二、二三一、二、　骨　第五期

1.戊寅卜貞：王迖于召[往]來亡巛　王𡆥曰弘吉〼隹三祀彡日隹〼

2.辛巳卜貞：王迖于□往來亡巛

3.壬午卜貞：王戋于蒿往來亡巛

4.乙酉卜貞：王戋于塼往來亡巛 一

5.丁亥卜貞：王戋于宮往來亡巛 一

6.甲子

本綴合版已著錄爲總集三六七三四版。首片又著錄爲簠游五二片，續三、一五、六片。

按：三六兩辭簠游翦棄，續編亦翦棄第六辭。

隹三祀：前釋定爲「隹王二祀」。非是。詳察拓本並參稽同類之他辭，茲訂正如右。

塼：栔文从叀从□。□、今釋壵，从三土。隸定之，當作[土叀]即今字塼。蓋古文从三土與一土同。字在本辭爲地名，其當今之何地，則有俟考定。

又按：本片雖殘存「三祀彡日」之辭，惜其月序或附加之他辭殘佚，欲考得其眞實之卜用時日，殊爲困難。蓋乙、辛二王之三祀皆有彡日，故曰非易。茲就其辭義、書體，行款等徵侯綜合推勘，或爲帝辛時所卜者歟？且帝辛之田游辭中最習見之地名如召、宮等，本片皆有之。茲姑據之譜之於後，既俟綴合之證驗，亦聊備一格而爲案頭之資。

帝辛二祀

十二月大 甲甲朔

癸巳甲午 彡工典

癸卯甲辰　彡上甲

癸丑

帝辛三祀

癸亥甲子　彡大甲

癸酉甲戌　彡小甲

正月小甲寅朔

乙亥廿二

丙子廿三

丁丑廿四

戊寅廿五　戊寅卜貞：王迖于召、往來亡巛？王𠕁曰：弘吉。〼。隹三祀彡日。隹〼。

己卯廿六

庚辰廿七

辛巳廿八　辛巳卜貞：王迖于□，往來亡巛？

壬午廿九　壬午卜貞：王迖于蒿，往來亡巛？

二月大 癸未朔

甲申 初二

乙酉 初三　乙酉卜貞：王𨑨于塼，往來亡巛？

丙戌 初四

丁亥 初五　丁亥卜貞：王𨑨于宮、往來亡巛？

戊子 初六

己丑 初七

庚寅 初八

辛卯 初九

壬辰 初十

癸巳甲午　彡戔甲

癸卯甲辰　彡羌甲

三月小 癸丑朔

甲寅　彡虎甲

癸亥甲子

癸酉甲戌　彡祖甲

〇五七　骨　第一期

1.貞：弗其挈
2.貞：挈
3.貞：並挈
4.貞：庚申勿省出
5.貞：庚申王省出

本拓本又著錄爲簠游六片，簠雜八一片，總集七二四一片。

按：考釋謂：四五兩辭爲王氏割棄，非是。王氏雖予割裂，但未遺棄，乃著錄於田游類也。校核未密也。

〇五八加〇五九加四一四加粹九五九丙己加鄴一、三一、二一、　骨　第三期

1.丁巳　姃
2.甲子卜：逐麋禽
3.乙丑卜：逐麋禽
4.丙寅卜：逐麋禽
5.丁卯卜：逐麋禽
6.戊辰卜：逐麋禽
7.己巳卜：逐麋禽
8.庚午卜：逐麋禽

9. 辛未卜：逐麋禽
10. 壬申卜：逐麋禽
11. 癸酉卜：逐麋禽
12. 甲戌卜：逐麋禽
13. 壬辰卜：逐麋禽
14. 癸巳卜：逐麋禽
15. 甲午卜：逐麋禽
16. 乙未卜：逐麋禽
17. 丙申卜：逐麋禽
18. 丁酉卜：逐麋禽
19. 戊戌卜：逐麋禽
20. 己亥卜：逐麋禽
21. 庚子卜：逐麋禽
22. 辛丑卜：逐麋禽
23. 壬寅卜：逐麋禽
24. 癸卯卜：逐麋禽
25. 卜：逐麋禽
26. 麋
27. 夕
28. 午入夕

本綴合版已著錄爲新綴五二三版。首三片依次又著錄爲鄴一、三一、一片，三二、三片，三〇、三片。

按：胡編合集據粹編所作之綴合，著錄爲三五二六一版，非是。本綴合版與粹九五九庚辛，甲八八二，京津四五〇四，明續二六五七等片爲同文。胡文以本綴合版與甲八八二片定爲「多辭同文例」一七二頁。

逐：通考定爲武丁時之貞人，並隸定其字爲「豕」一〇七。非是。字在本辭爲動詞。

入夕：校編定爲「六月」之合文[八二]，非是。

又按：右二十七辭，其干支日辰可稽者凡二十四辭；自甲子至癸卯共曆四旬。若並第一辭之丁巳計入，則爲六旬矣。就全版情形估量，第二十五辭所殘佚之日辰或爲甲辰。再就右方所餘空間推斷，或爲乙巳？粹考謂：「均係逐麋之事，而日日卜之者」。「亙兩月而日日逐麋，亦頗足異」。詳察拓本與契辭之情形，及書體、行款等，知粹考之說爲非是。苟確爲日日卜逐麋之事，而其卜兆，兆序等卻均不見於版面；且其行款、佈局、態勢等，悉與契刻卜辭之情形殊異。用知其確非日日卜逐麋之卜辭。又通觀全版所契各辭，除第一辭，餘皆爲倒植胛骨所契者。肩骨契刻通例爲骨臼在上，此則骨臼向下，確證其決非卜辭，更非日日逐麋之辭。實爲習契者所爲之習作而已，頗不希奇，亦無足異。粹考又謂第一辭之延，爲契刻者之署名或題記。審其說亦非。蓋亦爲習契者所作，無所謂題記或署名也。粹考於本片之說解一無可取，不足采信。茲檢附本綴合版契辭辭序示意，藉便觀覽。

○五九　已綴入○五八片　刪

○六○面（○六一背）　骨　第一期

面：1. 癸巳卜㱿貞：旬亡囚？王固曰：㞢祟。其㞢來嬉。气至五日丁酉，允㞢來嬉自西。沚

佚存五八綴合版辭序示意

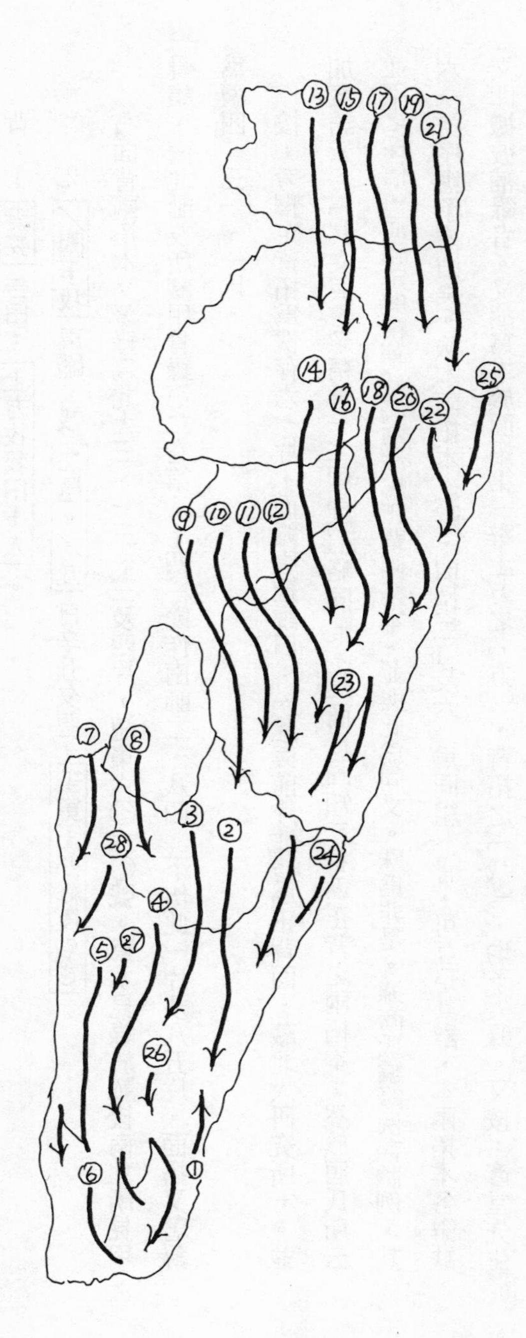

戠告曰：土方圍于我東鄙，戠二邑；𢀛方亦牧我西鄙田。

2. 王固曰：㞢祟。／長友角告曰：𢀛方出。

背：1. 妻䇓告曰：土方牧我田十人。

2. ／圍于我東鄙，𢦏二邑。／九日辛丑夕堊。壬寅王亦終夜。

右面背兩拓本又著錄爲北大三、一三、三及四片，總集六〇六〇號。寫本見錄於戰後南北所見甲骨集，南北師友所藏甲骨錄第二卷第八十四（簡作南師二、八四。下仿此）片及八五片。面拓又著錄爲續四、三一、一片。

按：考釋定背拓爲佚存六一片，而錄唐氏說曰：「此與前片（按指第六十片）爲正背面，藏北大研究所」。並加案語云：「其文與書契精華一二兩片（亦正背面）略同」。是商氏固知二者爲正背之兩拓本；然於唐氏所云並不之採信，而認定與精華一二兩片爲正背兩拓本，並與此爲同文。殊爲非是。據商氏編錄佚存體例，其六一號序應予塗消矣。檢本兩拓本之辭，與精二正及六反爲同組卜骨，可互足其辭，本兩拓本各辭缺文即據彼補錄者。又胡寫本於面拓第一辭土方之「方」，背拓之「𢦏」，均予失錄。又按：彥堂先生撰武丁日譜，考定精二及六之辭分別爲：武丁二十九年三月十四日癸巳，四月十五日癸亥，七月六日癸未，十六日癸巳等四日所卜契者。則本正背各辭當亦如之。詳見武丁日譜，此不贅錄。

三：考釋云：「余襄釋三，後以爲下上二字合文，亦未敢遽定。郭氏謂是川字。川至者，盛至也。詩小雅大保：如川之方至。川字卜辭有之，作、、水形，在古文字中雖有橫寫，然皆屈曲，無作平直者。容氏釋彤，亦不類。卜辭及金文彤日、彤月之字，皆斜筆作彡、彡、彡、〵〵，亦不作平直，且三字十之九與至連文，疑爲古成語，究不知應讀作何字也」。茲從釋气即乞說。

〇六一　已併入前片，刪

〇六二　骨　第一期

辛未卜㱿貞：王夢兄戊何从不隹囚　四月

本拓本初著錄爲鐵一二一、三（新鐵六三六）片，又著錄爲總集一七三六八片。

兄戊：徵諸生稱名，死稱謚之禮，此「兄戊」，當爲武丁稱其已死之兄，而廟號曰戊者。檢彥堂先生敘殷虛文字乙編，曾有「五世四戊」之論證。惟現時出土之甲骨資料，較諸四十餘年前何止倍徙？而見於卜辭者武乙亦有兄戊之稱，總集二三〇七四片之辭是其例（詳見斷代問題）。則康丁之世當有兄戊。於今，宜謂爲「六世五戊」。茲仍以表明之。

小乙	武丁	祖甲	康丁	武乙	文武丁	帝乙
（子戊）	兄戊佚六二	父戊粹三七七	祖戊粹二六六			
	（子戊）	（兄戊）	父戊粹三一二	祖戊丙九二		
		（子戊）	（兄戊）	父戊丙六二三		
			（子戊）	（兄戊）	父戊乙一六九加四〇九	祖戊後上五·二
				（子戊）	兄戊甲一八二	（父戊）

注：

凡（　）內之稱語雖未見於時王之卜辭，然當必有此兄之稱語。察其原因，一、此人壽考，時王當稱其生稱，故不見於時王之辭。或亦見於時王之辭，然不能證明生稱死稱之當然。二、此人未必皆爲時王之兄，惟緣後王登極後去世，後王必當稱兄，三、時王或有此稱語，或緣出土資料不夠完正，故未見於卜辭。

何：通考認定與第三期之貞人「何」爲同一人之名（一七五頁及一〇一二頁）。核其說殊爲非是。姑不論其舉證如何，且就人之年壽常識判斷，所論亦非。據彥堂先生考定：武丁在位五十九年，祖庚七年，祖甲三十三年，廩辛六年，康丁八年，總凡一一三年；今以武丁，康丁在位之年折半計之：爲七十年。以何至二十歲時即立於武丁朝爲史官，至康丁五年已九十之年。其必非一人當可斷言。是知此「何」與第三期之貞人何，僅止於異世同名而已。再就本辭詞義推察，此何，十之七八爲已去世者，緣斯，王遂卜其所夢祥否，或爲患與否。是知此「何」，與第三期之貞人何，一無干係。

〇六三　骨　第一期

☐其𡆥☐旬㞢☐中夕堊☐周允☐

本拓本又著錄爲續五、一六、六片，總集八四五二片。

按：佚存所錄拓本頗有損傷，不若續編之善。又考釋定爲一辭。綜類以𡆥爲貞（四〇二頁）

〇六四　甲　第一期

⧄王阱㲋⧄吉禽⧄㲋禽⧄

本拓本又著錄爲續三、四五、六片，總集一〇三六一片。

〇六五　骨　第一期

1.乙巳卜王⧄朿三牛⧄于⧄四日己酉⧄大驟風⧄

2.不用

本拓本又著錄爲簠典五〇片，續二、二〇、一片，總集一三三六六片。

按：此爲右胛骨上段之背面拓本，無鑽鑿灼之痕跡；然非紀事之辭，其鑽鑿或在下段歟？總集所錄拓本較爲完整，上及於骨臼處：絜文之拓製亦優於佚存。

考釋定四日爲「四牢」，驟風爲「驟酒」，另以「不用」濫於四牢之上，定其辭爲「不用四牢⧄驟酒」。

〇六六　骨　第一期

1.甲午卜㗊貞：呂出

2.甲午卜𠱦貞：㞢于岳

本拓本初著錄爲鐵二三四、一〔新鐵一〕片，又著錄爲總集六〇九三片。

〇六七加燕一九二　骨　第一期

1.貞：隹龜令
2.貞：隹師火令
3.貞：允隹師火令
4.其作丝邑𡆥　四月
5.弗作丝邑𡆥
6.貞：帚媟娩不其妨
7.貞：勿告

本綴合版已著錄爲總集七八六〇版。首片又著錄爲簠雜七八片。

按：本綴合版與總集七八五九版爲同文，闕文即據彼補錄。胡厚宣定爲「獸骨相間刻辭例」四三三頁。師火：考釋云：「殆即火師之官，亦即周禮秋官司烜氏：凡邦之大，共墳燭庭燎及一切火職。又曰火正。漢書五行志：古之火正謂火官也。掌祭火星行火政。名雖出入，職務則同」。按：國語晉語：「大火，閼伯之星也，是謂大辰」。商主大火，見於左氏。辭言師火，疑即商時之火正，亦即職司天文之官。

〇六八　骨　第三期

1. 丝省田
2. 王其田　吉
3. 其風　吉
4. 叀宮田省　吉
5. [叀]盂田省　大吉

本拓本又著錄爲遺珠六六九片，總集二九一七五片，天理五五八片。

〇六九　骨　第四期

按：考釋隸定爲育，無說。綜類未錄。

〇七〇　骨　第四期

□未卜：若風□〼

本拓本又著錄爲遺珠六九四片，總集三四〇三四片，天理五三三片。

按：總集所錄拓本雖較完正，但絜辭之拓製，以泐痕龐大且多，亦無同文之辭例比勘；茲姑如右作。

〇七一　骨　第三期

1. 庚辰
2. 辛巳其冓大風
   不冓大風

本拓本又著錄爲遺珠六九三片，天理五五〇片。總集三〇二四四片。

按：考釋未釋「巳」字。

〇七二　骨　第三期

1. 丁卯
2. 其遘大雨
3. 戊王其田虞不遘小雨
4. 虞

本拓本又著錄爲粹一〇〇六片，總集二九二九八片。

〇七三　骨　第三期

1.辛卯

2.弜田其雨

3.壬

4.弜田其雨

5.今日辛王其田不冓大風

本拓本又著錄爲簠天七片，總集二八五五六片。

按：校編定「風」字爲風雨合文，另將其所从之[illegible]未錄，非是。

〇七四　骨　第三期

于岳祟又大雨

本拓本又著錄爲遺珠六八八片，大原五片，總集三〇四一九片。

[illegible]：考釋云：「爲求字，在此當釋爲祭名之𠦪」。通考云：「希雨，謂殺氣盛而有雨也。希、非求字」二四五頁。按：所釋皆未必爲當。說文：「祟、神禍也」。繫傳：「禍者，人之所召也；神因而

附之。崇者，神自出之以警人者」。集韻：「崇者，鬼神爲厲也」。或緣當時雨潦成災，遂卜問原因，乃岳神警人也。

○七五　骨　第四期

1. 戊辰貞：亡囚
2. 戊辰貞：其征豈又若

　　弜征豈

本拓本又著錄爲北大二、二八、二片，續四、三五、三片，總集三四四七六片。

[字形]：考釋云：「即囚。又或作[字形]、[字形]、[字形]諸體。又曰亡囚、允囚、㞢囚，故知與[字形]爲一字也」。審卜辭亡囚、㞢囚，固爲習語；但「允囚」之辭，編檢傳世甲骨資料竟無其辭；僅燕大二○二片有辭曰「王見不允囚」。但允囚與不允囚二者辭義背馳。考釋所云允囚，未悉所據。

[字形]：續編五、一〇、校編五卷七頁、集釋一六五三均釋壴。詳察字之構形及在卜辭之爲用，疑即今字凱之初文。說文：「豈、還師振旅樂也」。集韻：「豈、可亥切」。正韻：「豈、與凱通」。蓋豈者，戰爭勝利軍隊班師凱旋，前導樂隊所演奏之鼓樂也。蔡邕禮志：「黃帝令岐伯作軍樂凱歌」。周禮大司樂：「王師大獻，則令奏凱樂」。然則、辭曰「征豈」，乃繼續演奏軍樂，振奮人心之義也。

〇七六　骨　第四期

1. 癸未貞：求生于𢦏妣庚
2. 癸未貞：□又祟不于妣㔾
3. 于來庚子酒妣庚求生
4. ☒至于多后

本拓本又著錄爲粹四〇〇片，總集三四〇八六片。

按：本片與殷虛文字外編（簡作外）四六片爲同文，可以互定其辭，本片闕文即據彼補錄。胡文定爲「二辭同文例」一六二頁。

又按：考釋併三四兩辭爲一，並謂四五行之間有直欄云云。詳察拓本，證之同文辭例，其所云均非。直欄實在三四行之間。

□：粹考隸定爲賁。非是。

□：前釋謂：王襄疑死字六、四三。粹考隸定爲妻，無說三六。丙考疑與□爲一字七二三頁。察其構形及在卜辭之爲用，釋死、釋妻，均未必爲當；與□亦未必爲一字。就本辭言：若釋死或妻爲是，則其辭當爲「求生于死妣庚」，或「求生于妻妣庚」。如斯，無論辭意或語法，豈非一大荒唐？是宜另求說解也。檢金文之□損氏鼎、薛氏款識九卷，□散鑾戟、同上十卷，□牧師父簋三代八、七六，□呂尊、商周金文錄遺二〇五，□散盤、周金文存四；石鼓有□馬薦，

[illegible]原作等字，構形不異。金文編釋散八卷四頁。石鼓文研究釋散三○及微十七。且契文有作[illegible]形，見於京都二一四六及陳二三。釋散、殆無疑矣。說文：「散、眇也，从人从攴豈省聲」。段注：「凡古言散眇者，即今之微妙字；微行而散字廢」。說文：「微、隱行也。从彳散聲」。若以之說解本辭，其義當爲：默禱於妣庚，求其護佑，則辭順意達，施之他辭，亦皆舒暢無礙。

[illegible]：考釋隸定爲六旬，無說。續編釋爲下旬合文二七。究宜何釋，有俟論定。

○七七　骨　第四期

1. ☐[illegible]☐劦☐　八月
2. 壬辰卜王貞：令侯取⿰豕彡宁涉

本拓本初著錄爲鐵六二、一（新鐵一〇二五）片；又著錄爲總集二〇六三〇片。

取：考釋云：「从又从耳，即取字。說文：取、捕取也，从又耳。周禮：獲者取左耳。司馬法曰：載獻聝；聝者，取左耳也。又聝注：軍戰、斷耳也。春秋傳曰：以爲俘聝。聝，从耳或聲。聝、或从首。案：詩大雅：攸馘安安、傳：馘、獲也。不服者殺，而獻其左耳，曰馘。魯頌：在泮獻馘，箋：馘、可格之左耳。此字正象以手持割耳，義與馘同。金文毛公鼎作[illegible]，番生毀作[illegible]、已整齊其形。至小篆則更誤矣。葉氏謂爲父之變體，非是」。

⿰豕彡：考釋隸定爲豕，無說。就其構形隸定其字，字當作⿰豕彡。⿰豕彡、字書無之。惟檢字彙有⿰彖彡字，曰

「古祥字」。據契文字例，从羊从牛不異。字从豕，不悉是否與之爲一字，則有俟考證。

〇七八　骨　第四期

1.又伐五十歲小宰上甲　用　一

2.癸卯卜貞：升伐五十甲辰酒上甲小宰　用　一

3.甲辰卜：升伐且甲歲二牢　用　一

本拓本又著錄爲遺珠六二九片，總集三二一九八片。

按：胡編合集以本片與遺六六二片綴合爲一。甲骨綴合新編訂譌篇（簡作訂譌）已論其綴合之非，本校釋不予采錄。其詳請參閱訂譌，此不贅錄。

又按：考釋定「癸卯」辭爲三，「甲辰」辭爲二。並釋其辭爲：「癸卯卜貞升十五伐酌甲辰小宰上甲用」，「甲辰卜升二伐祖甲歲二牢用」。均非，茲訂正如右。

再按：癸卯辭之「小宰」，就其所居部位審量，似爲另辭；然緣泐紋太多，且拓製惡劣，茲姑贅於辭下，以俟清晰之拓本，或高明目驗實物，正其然否。

考釋云：「卜辭中合體數字有作⊥Ⅹ、⊥∧者，前人釋爲十五、十六。郭氏釋爲五十、六十，說極精當。此版第一段凡三行；又伐爲一行，⊥Ⅹ爲一行，歲小宰上甲爲一行。⊥Ⅹ二字在第一行又字右旁之間；若依金文，不足十百千之數，於文每加又例之，則此又字似應在十五二字之間。故疑此又字爲漏刻而後沾注。卜辭亦有前例，如後上九、三，左旁補入卜字，本書四〇七版左旁補入升字，皆其證也。第三段[illegible]，亦當讀十五伐，乃合體書」。按：[illegible]釋五十已是定論，勿庸贅述。而又，爲祭名，與第一期之㞢祭之㞢同，僅形異而已，商氏不識爲祭名，故以金文證之，而發此妙論。

〇七九　骨　第三期

1. 二牢王受又
2. 莫歲三牢王受又
3. 五牛王受又

本拓本又著錄爲遺珠六二六片。總集三〇七二九片。

〇八〇　骨　第四期

1. 辛☐其索于且乙
2. ☐十伐又☐其☐羌

本拓本又著錄爲京都二三一三片，總集三二一五〇片。

按：金璋所藏甲骨卜辭（簡作金）三七五片，有辭曰「乙亥貞其[illegible]于且乙」，與第一辭約略相仿：缺文，即據彼補錄。又考釋定第二辭爲：「弜十人又」。詳察拓本，所定非是，茲訂如右。

[illegible]：校編隸定爲敕三、一八。續編釋[illegible]三、一三。駢三據禮記郊特牲：索祭祝于祊之索，釋索、求也。求神之所在也三五。茲從其所釋。

○八一 骨 第三期

1.弜从
2.其从犬日禽又豚 兹用 允禽
3.弗禽
4.不雨

本拓本又著錄爲粹九二四片，總集二八三一六片。

按：考釋及粹考均將「允禽」之辭濫於第一辭。審允禽、爲事後所紀之驗辭，爲紀事之性質；且辭義與第一辭不相連貫，脈絡窒礙，宜爲非是。

○八二 甲 第一期

乙丑卜㱿貞：王聑隹不囚丰 一

本拓本初著錄爲鐵一七七、四（新鐵七四九）片；又著錄爲凡將一三、四片，續六、一一、一片，總集五三〇九片。

按：考釋不知此爲劉氏故物。

丰：考釋未釋。增考釋玉中四〇頁。卜辭綜述釋工五七二頁。粹考釋介五頁。究宜何釋，有俟考定。

〇八三　甲　第一期

1.☐　四

2.勿祟☐岳

本拓本又著錄爲總集一四四七三片。

〇八四　甲　第二期

貞：[illegible]

本拓本又著錄爲總集一五八八四片。

按：庫方三二八片有「子[illegible]」之辭，貞人爲出，屬第二期。此[illegible]、是否與其相同，待證。

[illegible]：疑即哆之初文；从多从口。

[illegible]：不識。

〇八五　甲　第一期

1.☐卜㱿貞：☐遲从祉戠☐亡囚　一

2.貞：今夕系麋眔

本拓本初著錄爲鐵七二、三（新鐵二六九）片；又著錄爲總集七一一片。

按：考釋不知此爲鐵雲故物。

[illegible]：通考定爲武丁時貞人，其說曰：「武丁時貞人有尻。尻字亦作徲，如徲貞京津二七二五。徲、舊釋遲，遲之異字。說文又作迡。徲即遲姓之遲。然除京津、明義士作徲外，餘字並从尸。說文几部：尻、處也，从尸几。絜文有彳旁，似釋尻之古文更合」七六八頁。按：所云非是。遍檢甲骨卜辭，武丁時無此貞人。京津之片乃殘辭，且單文孤證，遲爲貞人之說尚有俟確證。

〇八六　骨　第四期

1.乙未貞：☐

2.辛未：又于出日　丝不用

3.☐　用

本拓本又著錄爲粹五九八片，總集三三〇〇六片。

粹考云：本片與粹五九七片皆爲「卜侑出日，日期相同，殆是一片之折」八十四頁。按：兩者決非一片之折。其一，本片之兆坼右向，卜辭左行，爲左骨左邊緣。粹片之兆坼左向，卜辭右行，爲右骨之右邊緣。其二、粹片左緣折痕殘存之兆序爲三，本片右緣折痕無此兆序之殘存，且折痕不能密合。故不能綴合。胡編合集不僅未能正其誤，且著其誤，殊失之審辨矣。

又按：商氏序其徒李圃所作甲骨文選讀，以懷特氏所藏甲骨一五六九片「又出日入日」之辭，咤「爲過去甲骨文辭例所未見」，驚爲新發現，而予大書特寫。其實，商氏或因年衰而健忘，其所糾集之佚存，即有兩片（本片及四〇七片）爲「又出日入日」者。惟商氏當時不識此「又」即侑，故釋本片之辭爲「有于出日」，四〇七片之辭爲「又廿日又六日」。釋文不僅荒誕，且將驚咤爲大好之資料失之筆下，直到五十年之後，以懷特氏之藏契咤爲「前所未見」，豈不惜哉！

〇八七　骨　第三期

壬子卜：王其戔于桑　用　吉

本拓本又著錄爲遺珠六七一片，大原二一片，總集二九〇一四片。

桑：契文之桑，多爲地名；本辭之桑，當亦地名。徵諸典籍，古地以桑爲名者甚多；若桑中，見於詩鄘風之桑中。若桑田，見於定之方中，及左僖二年傳。若桑間，見於禮記樂記。若桑林，見於呂覽順民。通考作者認定契文之桑地即詩之桑田（一九三頁）。然未必爲當。設其確爲地名，宜僅爲泛稱，不能確指某地爲某桑，抑其確指，亦僅爲某大地名中某一小地區而已。蓋凡種植桑樹之處所，或植數十株乃至數百千株者，皆可稱爲桑林或桑田。凡於桑林、桑田中工作、遊戲、約會等，既可稱爲桑中，亦可稱爲桑間。「桑間濮上」，可解爲濮水兩岸之任何桑林間。因之，釋爲不確指某地之泛稱或某一小地區，甚或觸景生意之偶稱，未嘗爲非。至本辭之桑，或絜文以桑爲地名者，疑即通鑑周紀：安王二年：「魏韓趙伐楚、至桑丘」之桑丘。胡氏注：「水經：瀗水東南流，注于汝水。又東南逕下桑里。史記作乘丘。正義引地理志：故城在兗州瑕丘縣西北三十五里」。史記楚世家，悼王二年：「三晉來伐楚，至乘丘而還」。正義「至乘丘、誤也」。桑丘、地當今山東省滋陽縣境，清一統志：宋以前之瑕丘，即宋元時之嵫陽，明清稱滋陽。滋陽、地在今山東省泰山南麓。當殷都之東，爲殷時之重要田獵區。則絜文之「桑」地，當在今山東泰山南麓之滋陽縣境矣。

〇八八　骨　第三期

1. 旦乙又正
2. 于

本拓本又著錄爲京都七二六片，總集二七二三一片。

按：佚存所錄拓本，拓製極爲粗劣，茲據京都所錄拓本今譯其辭。

又正：考釋隸定爲㚔，無說。

〇八九　甲　第一期

1. 癸卯卜貞：亞☐　二

2.戊辰卜貞：翌己巳涉𠂤　五月　二

本拓本又著錄爲北大、一三、一片，續三、三七、三片，總集五八一二片。

按：考釋定第一辭爲：「癸卯貞亞」，另將「五月」定爲一辭，均非。

𠂤：就其構辭及在版面之情形推勘，疑爲「歸」字漏契[甲骨字]者。若然，則其辭宜爲「涉歸」。若謂「涉𠂤」爲是，不僅乏辭例可徵，且嫌不辭。

〇九〇　甲　第一期

[甲骨字]

本拓本又著錄爲總集一八一三八片。

[甲骨字]：疑即說文之咢。說文：「咢、語相訶歫也；从口辛」。从[甲骨字]、[甲骨字]即今字齒。从口或从齒意同。則咢之釋，殆無疑矣。

〇九一　骨　第四期

1.庚戌卜王貞：[白+禺]允其𠬝　一

2.□午卜王☐

本拓本又著錄爲殷虛卜辭後編〔簡作明後〕二六二二片，總集三〇五三二片。又寫本見於戰後南北所見甲骨集，明義士所藏甲骨錄（簡作南明）一七五片。

[glyph]：考釋隸定爲角、無說。唐蘭釋角曰：「象形，說文誤謂與刀魚相似」文字記七二頁。審其構形，與栔文角大類而殊異，釋角、未必爲當。茲姑存其說以俟考定。

○九二 甲 第一期

貞：王夢帚好不隹辥

本拓本初著錄爲鐵一一三、四（新鐵六三八）片，又著錄爲總集一七三八〇片。

按：考釋不知此爲鐵雲故物。

[glyph]：考釋隸定爲[日号]、無說。王國維氏釋辥全集二六一頁。集釋隸定爲[皁号]，列於皁部之末四一五五。通考釋孽：謂：漢書五行志所記、有龜孽、蟲豹之孽，𪊲蟲之孽。卜辭每言風雨疾病爲孽，蓋左傳及東京賦云：「禁禦不若之意一三七頁。詳察辭義，此孽，宜解爲災禍之義。書太甲中：「天作孽，猶可違；自作孽，不可逭」。疏：「孽、爲災初生之名，故爲災也」。又漢書董仲舒傳：「陰陽繆盭，而妖孽生矣」，注：「師古曰：孽、災也」。辭曰「不隹辥」，蓋即不爲災禍之義也。

○九三 甲 第一期

貞：不☐倉侯☐

本拓本又著錄爲總集三三九二片。

〇九四　甲　第一期

面：貞：令倉侯歸

背：☐帚好來

右面背兩拓本著錄爲總集三三八九號，寫本見於戰後南北所見甲骨集、南北坊間所見甲骨錄第三卷（簡作南坊三、下仿此）八七及八八片。面拓初著錄爲鐵一〇〇、四（新鐵三五六）片。

按：佚存未錄背拓，茲據總集及南坊三補錄，並今譯其辭如右。

〇九五　甲　第一期

叀般乎田于并　一

本拓本初著錄爲鐵五九、二（新鐵三七一）片；又著錄爲遺珠九一四片，東洋一〇三三片，總集一〇九五九片。

按：昔葉洪漁氏敘其所撰「鐵雲藏龜拾遺」曰：「先生藏龜凡五千版，今歸余裁此數，它皆不知所往，竊恐一落賈胡，惟利是圖。得不淪於沙吒利與異域，斯亦幸矣」。然而，本小片腹甲卻偏偏流落於東洋，且一再遷轉，而不得返，永將無緣探親矣。葉氏有先知之見歟？可慨也夫！又東瀛兩拓本之邊均殘，惜哉！

○九六　骨　第四期

1.丁亥卜：☐其五十〔字〕　二三

2.☐旋又服王☐

本拓本又著錄爲總集三四六七七片。

按：總集所著錄之拓本，大體言、較優於佚存，緣其下端未契文字之空間亦予拓製。惜其「卜」字之下及左，不若佚存；故用於綴合時特宜謹慎。而上半之拓製，則彼相若，均嫌粗糙，故契辭辨認維艱。

〔字〕：考釋隸定爲牛，無說。續編列於牛字之後，定爲說文所無之字卷二頁三。校編列於附錄上，定爲不可識之字頁八。集釋列爲存疑字，則隸定爲牛四四六一。察其構形，釋牛殊非。惟其究當何釋，則有俟考定。

○九七　骨　第三期

1.壬午卜：王步☐今日易日

今夕圍由

今夕其圍甾

2.丙申卜：今夕不其圍甾

今夕其圍甾

3.丁酉卜：今夕不其圍甾

☐圍甾

☐圍甾

本拓本又著錄爲遺珠六四八片，大原三片，總集二〇三九四片，及三三〇八八片。

按：本片各辭似與庫方一〇五五（美國八三，總集二〇三九六）片，及庫方一一四五（美國一五五，總集二〇三九五）片等爲同文。詳察各拓本，或緣原骨泐紋太多，故拓製惡劣，契辭皆不夠清晰。而總集所著錄之兩拓本，其二〇三九四片乃采自佚存，三三〇八八片乃采自大原。大原與遺珠比較，雖各有優劣，但遺珠之下端被翦裁，而太原於「丙申」兩辭之右邊殘佚，故契辭之拓製兩皆不清。茲就商氏釋文，並取美國所錄兩拓本之優點參酌比勘，今譯如右。

甾：考釋謂爲國名，然否，有俟考證。

〇九八　骨　第一期

面：1.[庚]戌卜㝑[貞]：㞢去　五月

2.辛亥卜𡆥貞：王夢㞢言隹止

3.壬子卜□貞：乎望☒

背：王固曰：其㞢去

本面背兩拓本又著錄爲總集一七四一〇號；寫本見於戰後寧滬新獲甲骨集第三卷（簡作寧滬三，下仿此）一一七正及一一八反片。

按：背拓之辭爲面拓第一辭之固辭。又考釋未釋面拓第三辭；蓋緣所錄拓本未能拓製所致也。

○九九 甲 第一期

1.貞：來庚戌㞢于示壬妾妣庚牝𠃬豭

2.貞：勿戚

本拓本又著錄爲鐵餘四、二片，續一、六、一片，總集二三八五片。

按：考釋定爲一辭；蓋緣拓本拓製不完正所致者。然考釋不能句讀其辭則可知也。

又按：佚存及續編所錄拓本，皆未拓製右半，故第一辭「㞢」字以上之序詞不見於拓本。檢佚存及續編之出版皆早於鐵餘，而所收錄之拓本卻均不若鐵餘。鐵餘、爲羅氏所編錄，續編、亦爲羅氏所編錄，然則、羅氏豈眞健忘耶？

𠃬：或隸定爲臼、入於第二辭，應爲非是。

□：考釋隸定爲㚻，無說。類纂列爲存疑字七十一頁。類編釋㚻，謂爲奚之異體十、十四。文編列於附錄二〇。校編从之上一三〇。續編列於奚之後十、二三。集釋定爲存疑字四五六八及四五八七頁。簠考定爲奚戊合文人名十頁。粹考隸定爲㚻五十四頁。丙考隸定爲㜎上一、二〇五下二、一八頁。均無說。前釋釋繫一、七一。就其構形審量，釋㚻釋㚻釋繫未必爲當。字从□从女从戌。□、隸作糸。从女从戌、隸作威。當即縅字，疑即今字威之初文。縅、見於日本文字，意爲鎧甲所綴合之鱗片。說文：「威、姑也；从女戌聲」。釋名釋言語：「威、畏也；可畏懼也」。詩小雅常棣：「死喪之威」、傳：「威、畏也」。察其形、識其義、宜爲威脅殺戮之義，釋威、殆無疑也。

一〇〇　骨　第一期

其咋中

本拓本又著錄爲明後二六四二片，總集七三七八片；寫本又著錄爲南明二一三片。

一〇一　骨　第一期

貞：不隹☒

本拓本他書未見著錄。

一〇一　骨　第三期

1.于梌

2.于桑

本拓本又著錄爲遺珠六七六片，總集二八九三三片。

按：本片與粹一〇一五片爲同文。

一〇二　甲　第四期

1.辛亥卜王貞：朕[illegible][illegible]☒于㕣☒止☒

2.辛亥卜王貞：朕[illegible][illegible]☒于☒

3.壬☒萬☒川☒其☒

4.☒川☒不☒丁☒

本拓本又著錄爲甲骨文零拾（簡作陳）一二四片，總集二二二三九片。

按：佚存所錄三六〇、三六一、三六二等三片，乃本片折裂後之重複拓本；其綴合版已著錄爲新綴四八三版，惟已殘佚其左上部份。考釋固不知彼三片可以綴合，亦不知與此爲重複，故所作釋文頗有差異。此可證商氏不懂何謂綴合，亦不懂同文異版。

[glyph]：續編定爲不識之字，列於附錄一七十。校編同、列於附錄上四三及七八頁。考釋作[glyph]，無說。

[glyph]、續編定爲不識之字，列於附錄二十一及十頁。校編从之，列於附錄下五十。審其在第二期之卜辭中爲地名，若文錄二五：「在[glyph]」、誠齊一五二「在[glyph]卜」等；然亦有用爲其他意義者，以多屬殘辭，頗不易推勘其確實意義。

一〇四　骨　第三期

乙卯卜，今日[glyph]王其戋亡𢦏　大吉

本拓本又著錄爲遺珠六八〇片，總集二八七五一片，天理五七〇片。

按：遺珠及總集所錄拓本，均較佚存爲清晰而完正，頗有助於綴合之施行。

[glyph]：字不識。續編列止部末，定爲說文所無之字二、一七。校編列爲待考字，入於附錄上八十九頁。集釋定爲待問之字四六四七及四六八〇頁。

一〇五　骨　第一期

面：1.丁卯卜韋貞：斲

　　2.〼　二告

臼：戊戌帚宅示二屯　箙

右面臼兩拓本著錄爲北大四、二、一及二片，總集一八三四八片；寫本見於南師二、二二及二三片。

按：佚存未錄臼拓，茲據右述三書補錄，並今繹其辭如右。又考釋未釋第二辭。

斲：續編列於鳥部之後，定爲說文所無之字四、十六。校編列爲待考字，入於附錄上四八。集釋列爲待問之字四六九三。察其構形，从鳥从斤。隸定之，當作斲或鳰。不見於今之字書。其究當何釋，有俟考定。

一〇六　甲　第四期

己卯卜王貞：鼓其取宋白丕鼓亡囚古朕事宋白丕从鼓　二月

本拓本又著錄總集二〇〇七五片。

一〇七　甲　第一期

壬辰王其涉河不易日

本拓本初著錄爲鐵六〇、二（新鐵六一九）片，又著錄爲總集五二二五片。

按：考釋不知此爲劉氏故物。

涉河：羅振玉云：「卜辭有曰王涉歸，王無徒涉之理，殆借涉爲步也」增考中六五頁。商承祚云：「既有步字，固無庸借涉爲之。所謂涉于某，非徒涉也。以車曰步，以舟爲涉耳」類編十一、八。葉玉森云：「古人陸行曰跋，水行曰涉；涉字固不必訓徒涉」前釋一卷一四二頁。檢說文：「涉、徒行濿水也」。段注：「濿、本履石渡水也，引申爲凡渡水之偁」。詩載馳：「大夫跋涉」，傳：「水行曰涉」。是涉非謂徒涉也。河、蓋謂黃河也。書盤庚：「惟涉河以民遷」。左僖十五年傳：「涉河、侯車敗」，凡此，其涉之義，皆謂渡水或水行。辭曰「王其涉河」，乃謂王將渡過黃河也，非如羅說之義。

一〇八　甲　第四期

1.貞：令☐豕☐丙　十一月

2.辛亥卜𠂤貞：王四☐不如☐　十一月

本拓本又著錄爲總集二〇二五五片。

按：綜類定貞人爲𠂤（一八頁）。非是。

一〇九　骨　第一期

1.丁

2.虎

本拓本又著錄爲京津一四九七片，總集一七八四九片。

按：京津所錄拓本、僅爲右上之虎字。

二一〇 骨 第一期

1. 辛酉卜：壬戌風
2. 壬戌卜：癸亥雨 之夕雨 一
3. 癸亥卜：甲子雨 一
4. 戊辰卜：己巳不其雨
5. 己巳卜：庚午雨 允雨

   庚午不其雨 一
6. 庚午卜：辛未雨 二告

   辛未不其雨 一
7. 辛未卜：壬申雨 一 二告

   壬申不其雨 一 二
8. 壬申卜：癸酉雨 一

   癸酉不其雨

本拓本又著錄爲簠天六及七四片，續四、六、二片，總集一二九〇七片。

按：綴合編以本片與前三、一七、六片，遺珠一三〇八片，續四、六、一片，及續四、一〇、四等片綴合爲一，編錄爲二六四版。察其所爲綴合，正誤各半。其錯誤者，爲本片與前片，及其與前列各片之綴合。蓋本片爲右骨中央與左緣部份，前編之片爲右骨右緣之中央下半。前列各片之綴合，爲右骨中央及左緣之下半。三者同爲右骨，部位重疊。且辭序，行款等殊異，不能綴合。故本校釋未予采錄。

又按：考釋定爲十三辭，序列紊亂，並將兆相術語「二告」列爲卜辭，殊爲非是。茲據干支日序及卜雨辭通例，今繹其辭如右。

一二一　甲　第五期

馬馬[illegible]亡省

本拓本又著錄爲續五、三〇、一一片，總集三六九九〇片。

按：此爲腹甲左尾甲之拓本，佚存與續編所錄之拓本相同，無由辨認其部位；而以總集所錄拓本爲最優。詳審所契五文，殊難句讀，疑非卜辭，而爲習契者所作。

一二二　甲　第一期

貞：[illegible]

本拓本又著錄爲總集一八六〇一片。

[字形]：考釋隸定爲𦃞、無說。續編列於凡字後，定爲說文所無之字一八、一六。校編列於附錄上，定爲待考之字一〇二頁。集釋隸定爲斷，列於凡字之後十三卷三九八一頁。隨又列爲待問字四七一〇及四六六〇頁。甲考謂：「蓋祭祀之名而不可識」二七〇頁。究當何字何義，有俟考定。

一一三　甲　第二期

1.庚[戌卜王]曰[貞：翌辛]亥其田[亡巛]　隹衣　在二月

2.甲寅卜王曰貞：翌乙卯其田亡巛　于谷

本拓本又著錄爲簠游一一六片，續三、二八、一片，總集二四四七一片。

一一四　骨　第三期

1.叀□

2.壬申卜：其朩于且丁叀王執

3.甲戌卜：其執伊又歲

又歲　兹用

4.乙亥卜：歲于且丁□其⊠

本拓本又著錄爲總集二七三〇六片。

[illegible]：字不識。考釋隸定爲示，無說。校編定爲待考之字，列於附錄上七五。

一一五　甲　第一期

1.癸丑卜⿱宀方貞：酒大甲告于且乙一牛　八月　用

2.☐貞：大甲⿰弓斤☐宗　用　八月

3.☐王自☐隹从☐狩☐　九月

本拓本又著錄爲簠帝三八及四〇片，續一、一〇、四片，總集一〇六一一片。

⿰弓斤☐宗：考釋定爲⿰弓斤宗，續編从之附一、二四頁。

一一六　骨　第一期

1.癸丑卜㱿貞：勿隹王正𢀛方下上弗若不我其受又　五

2.癸丑卜㱿貞：勿隹王正𢀛方下上弗若不我其受又　五

本拓本又著錄爲簠征十五、十六兩片，續三、三、二片，總集六三一六片。

按：本片與一一八片爲同組卜骨，請參閱該片說明。

一一七　甲　第五期

貞：王☑盌☑

本拓本又著錄爲總集三八七〇六片。

盌：考釋隸定爲鬻、無說。茲就其構形姑隸作盌，然否，則有俟考定。

一一八　骨　第四期

1.叀☑[illegible]☑[illegible]　一

2.弜𢼸从[illegible]　一

3.☐丑貞：王☐狩且乙

4.☑若

本拓本又著錄爲戩四、七片，續一、一四、一片，總集三二五五五片。

按：戩壽堂及總集所錄之拓本，較佚存爲完正，茲據總集今繹其辭如右。

[illegible]：戩考疑爲舟，考釋則謂非舟字。就其字之構形察之，既似栔文之舟，亦類栔文之凡。然其究宜何釋，以辭殘有間，無由推勘其辭義。

一一九　骨　第一期

[illegible]：考釋隸定爲學，無說。然否，有俟考定。

1.辛卯卜㱿貞：我勿巳㝿不若
2.☐巳㝿☐　五
3.☐　五
4.☐　五　二告

本拓本又著錄為簠典三五片，續四、三四、五片，加續六、二六、一二片，總集一五一九六片。
按：本拓本之命運至為悽慘，先遭王氏簠典之分解，僅存其第一辭，餘皆遺棄。再遭羅氏續編之縱割，分裂為二。佚存雖亦予削銛，尙存一線可辨之眉目。惟總集所錄之拓本為實物之本來面目，頗有利於綴合。茲據之今釋其辭如右。胡文定本片第一辭與粹一一一四、及粹一一一五兩片為「一辭同文例」一五九頁。詳審拓本情形，粹一一一四為近骨臼處之拓本，本片則為右胛骨下半中央部份，二者或為同骨之折裂者歟？未敢必。

一二〇　甲　第一期

1.癸☐貞：☐受☐
2.☐入爻☐自夒☐鼏至☐于新☐㞢

本拓本初著錄為鐵一〇〇、二（新鐵四九五）片；又著錄為戩四二、二片，續六、一九、四片，總集一五六六五片。

按：考釋定爲一辭；入爻、隸定爲「六爻」，無說。戩考隸定新爲「妣辛」，無說。又「癸」、「㞢」二字均未釋。均非。

夔：文編列於附錄，定爲待考字[二一]。校編釋夔、無說[五、二五]。續編釋夔[五、三一]。茲從釋夔說。爲殷之始祖。

一二二　甲　第一期

貞：叀☐乎羞☐

本拓本又著錄爲總集一八五三六片。

一二三　甲　第一期

辛卯卜㝊貞：知子帘于且乙

本拓本又著錄爲總集三一七〇片。

帘：續編定爲說文所無之字，列於宀部後[七、二四]。校編釋帘：「从宀从卩、說文所無。人名」[七、二〇]、集釋从之[二四八九]。察契文之構形，隸定之，宜作帘。帘、不見於字書。然就契文言：似與㝑爲一字；若乙三三二三片有辭曰：「甲辰卜㱿貞王㝑翊日？貞：王咸酒登勿帘翊日」？此爲正反二問之辭，其首辭之字作㝑，从帘从止。次辭之字作帘，與本片之字構形相同。可證二字之構形雖稍有差異，而其音則同。若以叚借爲說，至少在殷世二字之讀音相類似。又如總集一〇三一六片有「子𡧊隻廛」之辭，其字作𡧊，與乙三三二三片首辭之字相同；而子𡧊之稱則與本辭之子穷同。其爲一人宜無可疑。然則，𡧊即穷，契文本身即予證明矣。

子穷：據例，應爲武丁時諸子之一。

且乙：考釋迻錄爲[illegible]、無說。續編從考釋之錄，釋尋卷三頁五。校編亦迻作[illegible]，定爲待考字，列於附錄上四九頁。詳察拓本所現示之情形，並比勘辭例，知其所錄均爲非是。蓋即「且乙」之合文；乃緣版面之泐文、及拓製欠清所致，而有此誤認也。

一二三　甲　第一期

[丙]申卜貞：蜀咼[凡]虫疾？旬虫二日[乙]未蜀允咼[凡虫疾]。百日虫七旬虫[六日庚]寅蜀亦虫疾。

[乙未]夕𡆥、丙申死。

本拓本初著錄爲鐵五、三（新鐵六四二）片；又著錄爲通纂七八八片，總集一三七五三片。

按：考釋析爲三辭、非是。詳審其辭，宜爲一辭。並據殘存之干支日辰推補如右。自丙申始卜至丙申死，凡歷時一八一日，已半年矣。

又按：通纂考釋析爲二辭，並說之曰：「此以申日卜，紀其十二日後『未』日之應，稱『旬虫二日』，又舉『百日又七旬又九』日之應，則應在卜之後已半年。則永無不應之卜矣」一六九頁。審其所述，殊爲非是。乃緣未能讀懂卜辭，且又析之爲二辭之故也。蓋本辭「蜀咼凡㞢疾」爲正問之卜辭，餘皆爲事後所紀之驗辭，且分次所紀者。其一「咼凡㞢疾」之驗爲初次所紀。其二、爲歷百七十四日後再紀「㞢疾」之辭；而此「疾」未必因「咼凡」而有，故辭曰「亦㞢疾」。其三：「丙申死」後所紀。其實，二三兩者並非驗辭，僅爲紀事之辭而已。其眞實患病之日應爲「乙未」，十二日前之「丙申」、似有「咼凡」之徵侯，故有此卜辭。

二四　骨　第一期

先

逐

二五　甲　第一期

本拓本又著錄爲鄴中片羽初集下冊三十二頁第四（簡作鄴一、三二、四。下仿此）片，總集二八七九六片。

1. 貞：☐弗☐戋　四
2. 基☐基☐
3. 乙卯卜

4.子☐弗☐戋□方

本拓本又著錄爲戩四四、一五片，續五、二六、二片，總集六五七九片。

按：戩考列序爲四四、一四，誤。茲正。

二六　甲　第一期

1.甲子卜爭貞：求年于丁㞢十物牛冊百物牛　二

2.物牛

本拓本又著錄爲北大一、三三、四片，續一、四四、四片，總集一〇一一六片。

按：考釋未釋第二辭。或謂：本片與佚四六片爲同腹所折裂者，然詳考卜辭之用牲數，兩者相差懸殊，亦不類正反二問之辭。故本校釋未予采錄。

二七　甲　第三期

叀挈☐[illegible]

本拓本又著錄爲總集九一六八片。

[illegible]：字不識。或爲𧶜字歟？

一二八加鐵七四、二　甲　第三期

1.乙卯卜：匧征

2.乙卯卜：余乎隻　一

3.丙辰卜：王日辰　三月

4.丙辰卜：王日辰　三月

本綴合版已著錄爲新綴四八四版，新鐵一○三四版，總集二○一九二版。首片初著錄爲鐵一四五、一片。

按：此綴合爲拙所綴合，請參閱絜文舉例校讀文字篇。又考釋不知首片爲鐵雲故物。

一二九　甲　第一期

☐周咼凡㞢疾

本拓本又著錄爲總集一三九一○片。

按：據辭例：周上之闕文宜爲干支貞序辭及帚。亦即其辭宜爲：干支卜☐貞：帚周咼凡㞢疾？

一三○　甲　第一期

丙申卜貞：𢦔其㞢巛

𢦔其亡巛　六月

本拓本初著錄於鐵二五二、一（新鐵二八六）片；又著錄爲總集八五九六片。

按：鐵片失拓右緣。考釋不知此爲鐵雲故物。

一三一　骨　第三期

1.丁亥卜：在大宗又升伐三羌十小宰自上甲

2.己丑卜：在小宗又升歲自大乙　三

本拓本又著錄爲遺珠六三一片，總集三四〇四七片。天理四六〇片。

考釋云：卜辭所稱世數，有大宗小宗。宗法：大宗一世之嫡子，其他爲小宗。此又曰大示、元示，則大宗之別稱也。或曰小示、或由一示至廿示，則小宗之別稱也。此辭在小宗祭大乙；大乙爲示癸嫡子。若以宗法言：不應歸之小宗。今據此例，嫡子爲大宗，其他爲小宗之說乃周制；商世固未別定之也」。

按：此爲第三期之辭；胡考謂：三期以下始有合祭之廟，而就其大小爲名。大宗者、大廟也；合祭直系之先祖也。大宗、祭自上甲以下之大示也。小宗者、小廟也。合祭旁系先祖之所也；祭自上甲或大乙以下之小示也。

一三一　甲　第一期

1.乎雀㞢兄丁十牛歲　用

2.丙午卜：乎雀㞢于伐征眴　五月

本拓本初著錄爲鐵一七六、一（新鐵二三〇）片。天理四一片。

按：考釋不知此爲鐵雲故物。

㞢于伐：不詳其義。

眴：或釋龍、讀爲寵，和也。非是。茲從釋眴說。

五月：考釋定爲九月，非是。

一三二　骨　第三期

☐卜：且丁勹㞢新宗王受又

本拓本又著錄爲遺珠六四二片，總集三〇三二三片，天理四七三片。

按：綴合編以本片與佚存二一七片作密接綴合。審其所綴合非是。蓋本片爲胛骨中央之下半，二一七片爲右骨之右緣，二者不能綴合。本校釋未予采用。

新宗：考釋無說。粹考云：「新、殆新之繁文，讀爲薪。詩樸棫：薪之槱之。新大乙、猶言槱大乙也」二十六頁。遺珠釋文云：「親之古文作𡩋，作亲，疑即𡩋字。國策：作祝弗親。通作新，大學：在親民。杜注：親當作新。左傳桓二年：庶人工商、各有分親。注：以新疏爲別。辭言勹𡩋宗，猶言勹近宗也。它辭有言：小宗自大乙者，蓋以先王之祠爲近宗也」四十四頁。卜辭求義謂：「𡩋宗、又稱亲宗。與羔宗唐宗文例同；𡩋與亲、自當是殷先王名。今本竹書紀年云：祖丁名新。𡩋字从新，新字从亲；亲、新、𡩋音並同，然則甲文之𡩋宗、亲宗，皆謂祖丁之廟也。且丁勹𡩋宗、正謂勹祭且丁于且丁之廟，尤𡩋爲且丁之確證也」五十二頁。甲考云：「𡩋、疑與新字同；𡩋宗、即新廟也。𡩋大乙、𡩋作動詞用；蓋新修大乙之廟也。粹考釋𡩋爲薪，卜辭求義謂𡩋爲且丁之名，皆不確」一五五頁按：積微居甲文說十三一頁以吳其昌謂𡩋宗即新廟之說爲非，但其說仍與卜辭求義同，一無新義。然就契文大宗即大廟、小宗即小廟、則𡩋宗自必爲新廟之義；且契文嘗以𡩋宗、舊宗對稱。以此證之，𡩋宗爲新廟，宜無疑也。

一三四加後下一四、一四　甲　第一期

1. 己亥卜永貞：子止循
2. 貞：不其子止循
3. 庚子卜爭貞
4. 庚子卜爭貞

本綴合版已著錄爲新綴二八八版。首片又著錄爲北大四、二六、三片，京津二五二〇片，總集七

二四四片。寫本見於南師二、一五八片。

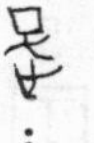：从子从止，隸定之，當作⿱子止，字書所無。

一三五　甲　第一期

1.貞：王☐☐

2.㞢

本拓本初著錄為鐵二一一、三（新鐵四九）片；又著錄為總集四〇三一片。

按：考釋不知此為劉氏故物。

：習見於第一期之契辭，釋者雖眾，但於今仍無定論，有俟考證。

一三六　甲　第一期

1.丁酉卜貞：翌[戊戌]王☐　一

2.己亥卜貞：翌庚子☐阱☐

本拓本又著錄為北大四、三一、二片，續三、四五、二片，總集一〇六七六片。

：考釋隸定為⿱宀⿰子月、無說。續編定為說文所無字，列於宀部後二七、二四。察其構形，字蓋从宀从子从肉，隸定之，當作⿱宀⿰子肉或⿰月字。檢廣韻有胺字，其構形與此相類；蓋从女从子一也。其說云：「胺、肉

敗臭。論語作餲，食臭也」。說文：「餲、飯餲也」。段注：「飯餲者，飯久而變味也」。論語鄉黨：「食饐而餲」。注：「餲、味變也」。然則、契文之宍或⿰月字，即今字胺亦即餲。胺與餲，皆後起之形聲字也。

一三七　骨　第三期

□巳卜：在揖衛☑　吉

本拓本又著錄爲遺珠六八二，總集二八〇六〇片，天理五五三片。

揖：契文作□，从釋揖說。請參閱中國文字新十期。

一三八　骨　第二期

1. 貞：亡尤
2. 乙未卜行貞：王宕小乙歲宰亡尤
3. 乙未卜行貞：王宕叙亡尤
4. 丁酉卜行貞：王宕父丁歲宰亡尤
5. 丁酉卜行貞：王宕叙亡尤

本拓本重錄爲佚存五五四片；又著錄爲粹二八三片，京津三三七一片，總集二三三一七片。

按：京津所錄拓本較差，蓋其右半之空間未予拓製。

再按：據佚存考釋之例，凡重複之片皆予注明；獨本片闕如，故所作釋文亦頗差異。

又按：四五兩辭之卜日，考釋均定為「乙未」，其辭均作「王賓叙亡尤」。質諸第二期卜祭之辭例，所定未當；故粹考於其卜日均作□，第三辭「王賓」以下亦均未釋。此乃聰明人之辦法焉，不足取法。今察：本片為右肩胛左緣之上端，據胛骨卜法通例，其卜序為自下而上。再就祀序及世系考察，小乙為第二十一代殷王，其前代殷王依序為虎甲、殷庚、小辛，其祭日當為甲庚辛三日，其辭序當在本骨版左緣之下端，且當在甲申旬。則本片所闕宜為「丁酉」、「父丁」。列表如左：

甲申	王賓虎甲(六)	甲午	
乙酉		乙未	王賓小乙(二)
丙戌		丙申	
丁亥		丁酉	王賓父丁(三)
戊子		戊戌	
己丑		己亥	王賓兄己
庚寅	王賓般庚(九)	庚子	〔王賓兄庚(亖)〕
辛卯	王賓小辛(十)	辛丑	
壬辰		壬寅	

癸巳　癸卯

又如總集二三二二〇片之辭，當爲本辭最佳之例證。然則、四五兩辭之闕文，宜如右所擬補焉。

一三九　甲　第一期

□☒再☒不☒秋

本拓本又著錄爲北大四二、三片，總集一九五三七片。

□：據考釋迻錄。續文編作□七、二三。校編作□七二、二。蓋緣本字適當版面泐文，故各家所錄各異。茲姑从考釋所錄，然否，未敢必。

□：殷契鈎沈謂蟬形，蟬爲夏蟲，故釋夏。唐蘭駁其說非，並據萬象名義，天治本新撰字鏡及龍龕手鑑等釋龜即秋（殷虛文字記六）。茲從其說。

一四〇　骨　第四期

1.甲寅[貞]：自且乙[至]毓

2.戊午貞：□多宁以鬯自上甲

3.[甲子貞]：又[伐于]上甲[羌一]大乙[羌一]大[甲羌]

本拓本又著錄爲北大一、一三、二片，續一、四、五片，總集三二一一五片。

按：本片與佚存四一五片爲同文。均爲右胛骨右緣。又與新綴五七四版，及明後二四八一加屯南三六七三（如附圖。白玉峥綴合）版兩版爲對稱同文。本版闕文，即據彼三者補錄。

T2③:48
3673
32114

綜觀四版之情形，宜爲同組卜骨之四骨版，而此四骨版恰爲兩對肩胛骨。惜僅新綴五七四尚存兆序，餘均不悉其兆序爲何。然無論如何，此四版爲武乙時期成組卜骨之絕佳證明。

又按：第一辭「自且乙至毓」。毓、宜爲毓且乙（小乙）之省略。自且乙至小乙，若據直系爲說：應含蓋且乙、且辛、且丁、小乙四世。若兼旁系，則爲且乙，且辛、羌甲、且丁、南庚、虎甲、般庚、小辛、小乙等四世九王。二者究何者爲是，則以辭簡，無由推勘矣。

□：按此字釋者雖衆，似均未當。就其在絜文中之爲用祭之，宜爲祭名。

一四一　骨　第一期

己酉卜：方弗𢦏（𡿩） 十二月

本拓本又著錄爲北大四、九、二片，總集六七七四片。

按：新綴四〇一版與此爲同文，缺文即據彼補錄。

𡿩：从臼从土、隸定之當作𡈼、字書所無。宜爲方國或氏族之名。

一四二 骨 第一期

1. 戊亡其死

2. 丙申卜㞢

3. 辛丑卜㞢

本拓本又著錄爲北大四、八、二片，總集四二七四片。寫本著錄爲南師二、九七片。

按：此與續六、七、五片爲同文。

一四三 骨 第一期

1. 貞：▨于▨

2. 貞：叀羊㞢于母丙

3. 甲申卜貞：于祊祟年 娥

4.貞：翌庚子㞢于母庚牢

本拓本又著錄爲北大一、二三、三片，續一、四〇、八片，總集二五二三片。

按：此與佚存一五三片爲同文。第三辭「祟年」、考釋謂爲「求年之筆誤」。然同文之一五三片亦作祟年，佚存七四片又有「于岳祟又大雨」之辭；當不得以筆誤解之，栔文中確有祟年之辭。

母丙：第一期之栔辭確有「母丙」之稱。除本片，若新綴三、丙二六七、五一二，此皆經過綴合者。又如甲三〇四七、前一、二八、三，續一、四〇、七及四一、一等皆有「母丙」之稱。則小乙之爽當有曰「丙」者。

娥：考釋無說。胡考據續五、七、五之辭定爲婦娥。詳勘該拓本，娥上未冠婦字，偏檢第一期之辭亦未有「婦娥」之稱。是婦娥之稱乃胡氏私造者。察栔辭中之娥，殷人頗隆祀之，就辭義推勘，宜爲人鬼之名，故有以娥皇爲說者。但亦有人駁斥其說之非者；遂更有人以殷之先公昌若爲解者。然詳勘其說，頗乏理足氣壯之徵信力，故論者雖多，難衷一是。惟偏檢典籍與字書，於「娥」字之說解千篇一律，僅止於「娥皇」及「美貌之女子」而已，持與栔辭比勘，皆不能恰合。茲就字之構形試探其義。字从女从我，當無疑義。我、則爲鋸齒狀鈎兵式之攻擊武器，而此女持之，其造字之初意似與栔文之□或□相類。殷人既隆祀此娥，此娥豈非殷世，或其以前女英雄之象徵，或護國之女神者歟？就現時傳流之資料所知，武丁時之婦好爲武丁之妃后，確爲當時之英雌。率兵四出征戰，決勝千里，爲殷王朝立下若許汗馬功勞，則此前亦當有更多類此之女英雄。此娥之英雌事跡，在當時必爲人皆盡知者，如今，卻已失傳，而不知其所以然矣。以上蓋就字之構形推察其事其義，世傳所謂娥皇女英者，亦可解爲舜時之英雌、猶婦好之與武丁、如此說，此娥解爲娥皇女英，不算離譜太遠。惟此之推論然否，未敢必。

母庚：爲小乙之奭、武丁之母。

一四四　甲　第四期

1.庚

2.庚寅貞

3.皿　至　豕

本拓本又著錄爲戩四一、八片，續二、二七、六片，續六、二六、三片，總集二一九一七片。

按：戩考定爲一辭，作「皿至庚寅豕貞」。不辭；且漏釋第一辭之庚。詳察拓本，此殊非卜辭，實爲習契者之任意所契，故無辭義可尋。

一四五　骨　第一期

1.亡其來自西

2.勿于河求

3.㞢來自西

本拓本又著錄爲北大三、一〇、四片，續一、三六、四片，總集一四五四八片。

一四六　甲　第四期

1.☐　二

2.癸丑貞：既尞于河于岳

3.岳尞五牢俎五牛

4.契

本拓本又著錄爲粹三三片，總集三四二二五片。

按：考釋未釋前二辭。

契：粹考隸定爲㦸無說。高笏之先生釋襲、即契、爲殷先公名（中國字例二篇二七一頁）茲從其說。。

一四七　甲　第四期

駁鼈

一四八　甲　第一期

壬□卜內貞：衛其來圍我于丝⿱宀休

本拓本重著錄爲佚存三六四片，又著錄爲陳一二九片，總集六八八二片。

⿱宀休：考釋隸作⿱宀朩，釋爲地名。

一四九　骨　第三期

1.其狩亡𢦏

2.弜䠶斿鹿

3.王其田斿不冓大雨

本拓本又著錄爲遺珠六七四片，總集二八三四七片，天理五六一片。

斿：爲地名。田斿、狩獵於斿之義。

一五〇　甲　第一期

1.癸丑卜：☐㞢☐

2.丁

本拓本又著錄爲總集二一一三四片。

一五一　甲　第一期

癸丑卜方貞：禽來屯□十二月

本拓本又著錄爲北大四、六、二片，總集八二六片。寫本見於南師二、一一〇片。

按：胡寫本失錄屯字；十二月寫爲十月。

□：考釋隸定爲雞，無說。校編列於附錄上一〇三頁。字又有作□者，與此稍異。究當何釋、尚無定論。

一五二　甲　第一期

至

□

本拓本又著錄爲總集一八八五七片。

□：考釋謂爲地名。續編釋叔三、十八。校編定爲待考字、列附錄上一〇七。

一五三　骨　第一期

面：1.甲申卜貞：于祊祟年　娥

2.貞：翌庚子㞢于母庚牢

3.求年于昌夕羊朿小宰卯牛

4.貞：☑甲☑

背：乙酉卜貞：

右面背兩拓本著錄爲總集一〇一三〇號。面拓又著錄爲北大一、二三、二片，續一、四一、六片。

按：佚存、北大、續編均未著錄背拓；茲據總集補錄並今譯其辭如右。背拓之辭就其所契位置推察，宜與面拓第三辭之序辭，亦即面背相承之辭。又：此與前錄一四三片爲同文，第一辭闕文即據彼補錄者。

昌：契文作，从目从口；隸定之，當作昌，字書所無。學者率多定其爲人名，遂解爲殷先公名。亦或謂與契辭中之「子昌」有血緣關係。詳勘傳世有關「昌」與「子昌」之契辭，所論未必爲當。頗疑此「昌」爲天神之稱，殷王頗隆祀之。其祭之之禮有酒、㞢、朿、帝等，其用牲則有小宰、牛等，甚且有「㞢于昌三十人」乙五三一七片之辭，就卜辭所紀：殷王亦祈祐其受年等，然則、此「昌」，或爲當時所奉祀之農神之一歟？以典籍失錄；其或傳錄，亦緣古今字異，而難徵其實。且卜辭於此「昌」之所紀有限，亦不能徵詳，故其事跡莫由知矣。

一五四　骨　第一期

1.甲午卜貞：翌乙未于且乙羌十人卯宰一㞢一牛

2.甲午卜貞：翌乙未于且乙羌十㞢五卯宰㞢一牛　五月

3.丁酉

本拓本又著錄爲北大一、四、三片，續一、一二、八片，總集三二四片。

按：第二辭「羌十㞢五」，就前辭例之，五下當有「人」字；疑爲漏契。又合集所錄拓本乃取之續編，故其拓本上端空處被翦棄。

一五五　骨　第四期

1.庚子☐自上甲☐至南☐余不☐

2.☐麐☐允☐六☐

本拓本又著錄爲總集一〇三八一片。

麐：契文作[illegible]。考釋隸定爲鹿，無說。茲從釋麐說。

一五六　甲　第二期

叀[illegible]☐令[illegible]☐从　十三月

本拓本初著錄爲鐵六〇、一（新鐵七五六）片，又著錄爲總集一八二六二及一八九五四片。

按：鐵片及總集之次片均失落右上角；就常識研判，實物爲劉氏所收藏，藏龜所錄之拓應當完正，但孫氏蒐集之拓本卻較藏龜爲完正，不悉何由。

又按：金璋七三二片有辭曰：「貞：叀解商令[illegible]鳴从　十三月」。與此似爲同文。

一五七　骨　第一期

1.不其

2.貞：[illegible]受黍年

本拓本又著錄爲北大四、一九、二片，總集九八〇〇片。

按：考釋定爲一辭，成「☐不其貞[illegible]受☐年」。不辭。茲正如右。

[illegible]：字不識。續編釋鳥四、十六。校編从之四、十六。審其構形，頗不類兩文編所收錄之其他鳥字。其爲鳥類字不誤，但釋鳥則未必爲當。此在當時必有其專稱，只緣古今字異，而失去其意義。其鳥之稱語，於今極可能遷變爲專有之複音名稱，欲識其音義，似宜從古代鳥類圖鑑中比對其特徵，尋得其現代之音義。其字於本辭，宜爲氏族或方國名。

一五八　甲　第一期

☐㱿貞：[illegible]☐克𢦏百☐

本拓本又著錄爲總集八九五二片。

按：考釋定其辭爲「□□囚殸貞𦎫☐兄廾百☐[illegible]羊」、綜類从之九十五頁。通考作「……卜殸貞𦎫……克（商釋兄非）𠬞（供）百……貍（薶）羊……（佚存一五八據商釋）」一五九頁。詳察拓本，其右緣似有殘字之痕跡，但未必如考釋所定。尤以總集所錄拓本，根本無殘字之踪跡，故本校釋以闕文釋之。又通考引錄本辭，謂據商氏釋文，此蓋假禍於人，而稱一己之快者。

一五九　骨　第一期

面：1.己酉卜殸貞：㞢于黃尹　五月　三

2.貞：㞢于黃尹宰　三

3.㞢于黃尹

4.貞：㞢于黃尹三牛

臼：甲寅帚寶示三屯　岳

本面臼兩拓本又著錄爲北大一、一六、一及二片，總集三四六七號；寫本見於南師二、一九及二〇片。面拓又著錄爲續一、四七、一加四八、一片。

按：總集所錄臼拓，右上角已磨損。第一辭卜日考釋隸定爲「丁酉」，非是。

黃尹：蓋即伊尹。殷本紀：「伊尹名阿衡」，又詩長發：「實維阿衡，實左右商王」。黃、衡古音同。

一六〇　骨臼　第一期

壬申邑示三屯　㱿

本臼拓又著錄爲北大四、九、四片，續五、一一、五片，總集一七五六八片。

一六一　骨臼　第一期

己卯雩示三屯　岳

本臼拓又著錄爲總集一七六〇五片。

一六二　骨　第四期

1. 又羌
2. 弜又
3. 三羌
4. 五羌

本拓本又著錄爲遺珠六六五片，總集三二〇八一片。

按：此與佚存一六五片爲同文；此爲肩胛骨之左緣，彼爲右緣，或爲同組卜骨之兩骨。

一六三　甲　第一期

令☐將☐奠☐客

本拓本又著錄爲北大四、七、一片，總集一九五五八片。

一六四　甲　第一期

1.丙戌卜貞：翌丁亥☐菁☐

2.□□卜貞：☐吏☐

本拓本又著錄爲北大四、一〇、二片，總集一八六六九片。

一六五　骨　第四期

1.一牢

2.又羌

3.弜又

本拓本又著錄爲總集三二一三〇片。

按：此與前文一六二片爲同文。考釋未釋第一辭。

一六六　骨　第三期

1.癸亥卜：父甲夕歲二牢　吉
　其三牢王受又　大吉
2.祝叀今日丁酒正　用　吉
3.酒

本拓本又著錄爲遺珠六二五片，大原九片，總集二七四五三片。

按：考釋定爲六辭，兆相術語各皆定爲一辭，非是。又大原及總集所錄拓本較爲完正，有助於綴合。

父甲：當即康丁稱祖甲之辭。

祝：續編釋祝，惟迻錄爲[glyph]，而於遺珠之文則迻錄爲[glyph]（卷一頁六）。校編迻寫爲[glyph]釋兄（八、十四）。姑不論其釋祝釋兄之然否，而其迻寫之書體則皆未必爲是。詳勘各拓本，其字之構形實當作[glyph]。其所以然者，蓋緣骨版泐文太多，且拓製粗率，遂將字之構形與泐紋混而爲一。又以契文實有[glyph]文，因而傅會之，書作[glyph]形矣。

今日丁：據前辭卜日「癸亥」推斷，丁下所缺之地支字宜爲卯；若然，則其日宜爲丁卯矣。

一六七　骨　第三期

1. ☐于福　丝用
2. 癸巳卜：福莫牢
3. 牢又一牛
4. ☐福☐犁牛

本拓本又著錄爲遺珠六三五片，總集三〇九三七片，天理五一五片。

按：第二辭「卜」、考釋隸爲于；莫、隸定爲賁丁。均非。又第四辭「犁牛」未釋。

一六八　骨　第四期

1. 其
2. 甲子貞：其召小乙牢　乙丑☐

本拓本又著錄爲粹二九〇片，總集三三六二一片。

按：考釋定第二辭卜日爲丙子、非是。

一六九　骨　第四期

1.癸未貞：其求生于高妣丙

2.[癸未]貞：其求生于高[妣]庚　允☐

本拓本又著錄爲前一、三三、三片，總集三四〇七八片。

高妣丙：大乙小乙之奭皆曰丙。此爲武乙時之辭，檢世系表：自大乙至武乙，凡歷世十四，則大乙之奭固宜稱高妣；且大乙於卜辭中又稱「高祖乙」粹一六三。是高妣丙，爲武乙稱大乙之奭也。

高妣庚：考釋隸定爲高妣寅。非是。察此與高妣丙爲密接之兩辭，則此高妣庚，自當爲武乙稱示壬之奭也。

一七〇　甲　第二期

壬辰卜出貞：翌癸巳㞢于母癸三宰羌五☐

本拓本又著錄爲總集三六五片。

按：考釋定貞人爲殻，非是。

母癸：此爲二期之辭，則母癸之稱當爲武丁之奭，有廟號曰「癸」者也。

一七一　甲　第一期

貞：㞢于多妣

本拓本又著錄爲總集二五一九片。

多妣：考釋謂即諸妣也。

一七二　骨　第二期

1.貞：从⊠　七月

2.壬子卜既貞：祭其酒奏其在父丁　七月

本拓本又著錄爲北大四、一、四片，續一、三二、四片，總集二三三二五六片。

父丁：此爲二期之辭，父丁，當即武丁之稱。

一七三　甲　第二期

辛巳卜貞：王宊且辛戠一牛亡尤

本拓本重錄爲佚存五六四片；又著錄爲總集二三一九七九片。

一七四　甲　第一期

貞：王夢不隹兄戊

本拓本又著錄爲北大一、二一、四片，續一、四三、八片，總集一七三七九片。

一七五　骨　第四期

1.其匚父丁

2.弜又匚父丁

本拓本又著錄爲遺珠六三四片，大原一〇片，總集三三六七二片。

父丁：按：此爲武乙時之辭；當即武乙稱其父康丁之辭。匚爲祭名。

一七六　甲　第五期

1.乙丑卜貞：王宓武乙歲征至于上甲卯亡尤

2.貞：王宓叙亡尤

本拓本又著錄爲北大一、八、三片，續一、二六、一片，總集三五四四〇片。

歲征：辭曰：「歲、征，至于上甲」。據世系：自武乙（含）上逆至大甲，則凡大甲（含）以下之先公六世，大乙以下之先王十四世，均概括之；則此歲祭，實際就是周禮所稱之大祫祭矣。

一七七加北大二、三、四。　甲　第五期

1.己丑［卜在上𩵋貞：王］今夕亡禍

2\.辛卯卜在上𨛭貞：王今夕亡猧

3\.癸巳卜在上𨛭貞：王今夕亡猧

4\.乙未卜在上𨛭貞：王今夕亡猧

5\.丁酉卜在上𨛭貞：王今夕亡猧

6\.己亥卜在上𨛭貞：王今夕亡猧

7\.庚子卜在上𨛭貞：王今夕亡猧

8\.壬寅卜在上𨛭貞：王今夕亡猧

9\.甲辰卜在上𨛭貞：王今夕亡猧

本綴合版已著錄爲新綴四六七版，總集三六八四九版。首片又著錄爲北大二、一、三片，續三、二〇、一片。

按：本綴合版爲腹甲之右下，彥堂先生予以綴合後，並據之譜爲帝辛二十祀夕譜。請參閱殷曆譜下篇第十卷夕譜三。此不迻錄。

一七八　甲　第五期

己卯卜貞：王賓中丁奭妣己　亡尤

本拓本又著錄爲北大一、一三、三片，續一、一二、五片，總集三六二三二片。

一七九　甲　第五期

戊辰卜貞：王宓大戊祭亡尤

本拓本又著錄爲北大一、一一、四片，續一、一一、一〇片，總集三五五九九片。

一八〇　甲　第一期

1. 翌甲辰酒卸堊十牡
2. 貞：
3. ☐𨈏☐沘☐途☐

本拓本又著錄爲北大一、三三、二片，續二、二三、九片，總集六〇三五片。

按：考釋未釋第二辭。

沘：栔文作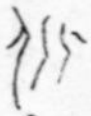，考釋迻錄爲、非是。增訂書栔考釋釋沘十頁。天考釋洮八頁。駢三从之六頁。殷栔辯疑釋北邩六頁。詳察栔文構形，諸家所釋雖各有所據，各理其理，然皆未當。字蓋从水从北，隸定之當作沘。沘在卜辭，多爲地名，則本辭亦當爲地名，或方國名。至其確實地望。則有俟古地理學家之考定。

一八一　甲　第一期

1. 己丑卜㝑貞：子雍其邻王于丁妻二妣己垔羊三𠕋羌十☐

2. ⿱聑冉

本拓本又著錄爲北大一、八、四片，續一、三九、三片，總集三三一片。

按：通考隸定第一辭並句讀爲：「丁丑卜，㝑貞：子雍其邻王于丁。敏二。妣己，垔羊三，用羌十。……」（二八〇頁）。審其所爲句讀，殊違卜辭之本義；至其誤隸諸字，頗失之草率。本辭正確之句讀、宜爲「子雍其邻王于（逗）、丁妻二妣己，垔羊三、𠕋羌十、☐」。蓋「丁」上缺書「且」字，致使辭義晦澀耶。

丁妻二妣己：考釋云：「祖乙之配曰妣己，祖丁之配亦曰妣己。此辭乃武丁時所卜，同日祭祖乙祖丁之配，故曰二妣己也」。審其所釋，頗有未當，蓋丁妻者，祖丁之妻也。二、爲數量之限制詞。己、乃死者之廟號也。丁妻二妣己者，義爲祖丁之二奭，其廟號皆曰己也。夫子曰：「昔商錫永氏作佚存考釋『云云』。如此考釋，不可謂非。然何以知其爲祖乙祖丁之配，則並無根據也。丁妻二妣己，應是祖丁之配有二妣己；非祖乙祖丁之配也」（見北大藏契考釋序）。

⿱聑冉：契文作☐，考釋逕錄爲☐，誤。字蓋从聑从冉，隸定之，當作⿱聑冉，字書所無。檢說文有聃字、曰：「耳曼也，从耳冄聲。耼、聑或从甘」。小篆作☐。構形與契文相類。疑篆之聃；从一耳與二耳同。惟以契文所見皆爲單字，若續存一三八〇及本片皆其例，無由推斷其究爲何義。

一八二　甲　第五期

1.癸丑卜貞：王𡧊伐亡尤

2.辛酉卜貞：王𡧊伐亡尤

本拓本又著錄爲北大二、一三、四片，續二、五、五片，總集三五三七六片。

按：本片爲腹甲之中甲，續編將其四週翦棄，已失原狀。又本片二辭之契刻，頗異於他片。其一、千里路右方之辭左行，而左方之辭右行。其二、右辭之卜字兆圻右向，左辭之卜字兆圻左向。以拓本經過一再番印，卜兆不能辨識，故不能推知其所以然也。若有緣觀察實物之灼鑿情形，當即悉知其所以然之由矣。

一八三　骨　第五期

1.于盂亡𢦏　吉

2.于宮亡𢦏　吉

3.不雨　弘吉

4.☐　吉

本拓本又著錄爲遺珠六七〇片，大原二四片，總集二九一二〇片。

按：考釋彙聚兆相術語爲第四辭，非是。

一八四　骨　第五期

1.戊辰卜貞：[王𨑳于]亯京往[來亡𡿧]　一

2.己巳卜貞：王𨑳于苷往來亡𡿧　一

3.[庚午]卜貞：王[𨑳于]亯京[往來]亡𡿧

本拓本又著錄爲北大二、一五、二片，續三、二三、四片，總集三六五六一片。

苷：契文作□、从□从甘、□與□同、草之本字；隸定之、當即苷。說文：「苷、甘草也；从艸甘聲」。字在本辭，當爲地名。

一八五　甲　第五期

1.庚辰卜貞：[王]𨑳于□往來亡[𡿧]

2.壬午卜貞：王𨑳于召[往]來亡𡿧

3.丁亥卜貞：王𨑳于麥[往]來亡[𡿧]

本拓本又著錄爲北大二、一二、二片，續三、二一、一片，總集三六六九六片。

考釋定第三辭爲：「丁丑……王伐于夫」。非是。

一八六　骨　第四期

1.弜寧風

2.叀今夕酒　丝用

3.戊辰貞：且乙歲　不冓雨

本拓本又著錄爲粹四五六片，總集三四一五二片。

按：第二辭之左，似有契辭；於泐文中隱約似見允字之痕跡，然以泐文滿布，無法察之矣。

一八七　骨　第四期

1.庚戌貞：叀▨

2.庚戌貞：叀服令rather

3.庚戌貞：叀王自正尸方

4.王弜正令

5.辛亥貞：王正尸方

6.王弜

本拓本又著錄爲粹一一八六片，京津四七八三片，總集三三〇三五片。

按：本拓本之實物已折裂爲二，其上半之拓本著錄於粹編，下半之拓本著錄於京津。又本片之辭與粹一一八四、一一八五兩片爲同文。粹考認定爲同骨之折碎者，非是。胡文五辭同文例，失錄粹一一八四片。

一八八 甲 第一期

王固曰：明雨

本拓本又著錄爲北大三、二七、一片，總集一二八〇七片。

按：本拓本乃腹甲右上甲右緣之背拓，各資料書皆未錄面拓，可能以其無栔辭之故也。

一八九 骨 第四期

1.己亥卜：辛雨

2.己亥卜：其□若

本拓本又著錄爲總集三四六八八片。

□：字不識。考釋寫作□。校編定爲待考字，列於附錄上，並與□（京都二三〇七）同列（三十二頁）。然檢京都該片並無此文，然則，本字僅見於本片歟？

一九〇　骨　第四期

庚申貞：方臾並受又

弗受又

本拓本又著錄爲粹一二八五片，總集三二八九三片。

按：考釋釋臾並釋爲「臾王並」，增王爲釋、非是。粹考釋方爲「祊」、祭也。並爲人名或國名。詳察卜辭並參稽他辭，方、臾、並、皆當爲氏族或方國之名。

一九一　甲　第一期

貞：方其圍丝邑

按：考釋析爲二辭，非是。又甲骨的世界，釋圍爲撥字，亦非。茲从釋圍說。

一九二　骨　第五期

1. 其

2. ☐祖☐妣☐尤

本拓本又著錄爲北大四、三三、二片，總集三五三六七片。

一九三　骨　第一期

貞：𠂤般其㞢囚

本拓本又著錄爲北大四、三一、四片，總四二三六片；寫本見於南師二、一四七片。

𠂤般：考釋云：「師般之名卜辭凡十餘見；董氏謂即武丁之師甘盤。其說近似」。甲骨文的世界謂：𠂤般是將軍，亦爲軍隊指揮官；且是獨立一方之氏族族長一三九頁。彥堂先生曰：「據分期整理的結果，武丁時代有師盤其人，我以爲就是甘盤」。說詳斷代例人物篇，此不贅錄。

七十六年十月三日廿時

第三次清繕於楓林

貳、何　遂氏藏絜

一九四　骨　第四期

1.甲午[卜]：㱿[兄]丁于[父]乙　一

2.甲午卜：又于子[戠]　一

3.甲午卜：又升于子戠十犬卯牛一　一

十犬又五犬卯牛一

本拓本又著錄爲通別一何七片，總集三二七七五片。

按：考釋定第二辭卜日爲「甲子」；並謂：「此辭未刻全」。均非。蓋此乃殘辭，不得以刻全與否論之。檢戩二七、五有辭曰：「㱿兄丁于父乙宗」；第一辭缺文即據彼補錄。第二辭缺文據第三辭補錄。再就其書體審量頗近武乙時期之方筆書風。然據子戠之稱，當爲文武丁時之辭無疑。

㱿：通考釋將：「將、義爲進酒。讀如詩文王：裸將于京，其作將裸之將」一二八頁。按：所釋未必爲當。說文：將、帥也；从寸牆省聲。又牆、从肉酉、酒以龢牆也，爿聲。然則、將，當即从肉从寸爿聲也。絜文作㱿，當从𠬞爿聲。聲雖同而所从則異，是釋將未必爲當也。其究當何釋，則有俟考定。

子戠：考釋云：「子戠、爲人名，亦略稱戠。又爲牲獸毛色」。按：子戠、爲文武丁時之諸子，此稱，僅見於此時，故可爲斷代研究之絕佳標準之一。

一九五　骨　第一期

1.辛丑卜□：又▨臬丙

2.翌

本拓本又著錄爲總集三三三八○片。

按：考釋定第一辭爲「辛亥卜□貞有獲在臬丙」。綜類定爲「辛亥卜□貞又隻在白木丙」（二○及四六五）。均不確。詳察拓本，其所謂「獲在」二文，均屬殘文；就其殘存之右緣推勘，必非「隻在」二文。至其究當何字，則有俟綴合。又第二辭考釋未釋。

一九六　骨　第三期

▨卜：王其戔从東　吉

本拓本又著錄爲總集二八七六六片。

按：考釋將兆相術語「吉」、定爲第二辭。非是。

一九七　骨　第三期

王其田亡戋

本拓本又著錄爲總集三七八〇三片。

按：亡戋、考釋作「亡災」。非是。

一九八　骨　第四期

1.丁卯卜：隹□𠬝㞢

2.☐

本拓本又著錄爲總集三三一八〇片。

按：考釋定拓本左下殘文爲「不」；非是。然其究爲何字之殘，無由推斷；茲姑以□出之，並暫定爲第二辭，以俟綴合後之證驗。

一九九　骨　第三期

1.其朿

2.其用𢦏羊

貳、何　遂氏藏契

3. 丙辰卜：翌丁巳先用三牢羌于父丁　用

本拓本又著錄爲總集三二一四八片。

按：考釋定第二辭爲「[illegible]羊其用」。第三辭爲「羌于酉用」；綜類从之三八九頁。詳審拓本之情形，所定之第二辭非是。第三辭于下用上，恰當泐文所漫，頗不易辨識；茲姑作「父丁」，以俟較清晰之拓本。

二〇〇　骨　第四期

1. 甲午□王从□

2. 在北

本拓本又著錄爲總集三三二〇七片。

按：考釋定第一辭爲「甲子王卜」。非是。

[illegible]：考釋謂：唐立厂先生釋涑。

[illegible]：考釋隸定爲西。無說。

二〇一　骨　第三期

1. 弜又羌

2.五人王受又　吉

3.十人王受又　大吉

4.十人又五人王受又

5.卯牢又一牛王受又　吉

本拓本又著錄爲通別一何十四片，總集二六九一五片。

按：考釋將兆相術語「大吉」定爲第一辭，非是。

考釋云：唐氏云：羌、羅氏以爲羊，郭氏以爲狗，並非也。案唐說是也。羌甲之羌作[illegible]、[illegible]、[illegible]、[illegible]，所以別于[illegible]字；郭釋殊奇，金文之[illegible]、[illegible]、[illegible]即敬之初字。敬者、恭也，謹也，故字作跽人形，與令命字同意。或增攴作[illegible]、[illegible]，乃由[illegible]、[illegible]所孳乳。郭謂金文多用苟爲敬字，蓋敬者，警也，自來用狗以警夜，故假狗之文以爲敬。就其物類而言，謂之狗，就其業務而言，謂之敬。敬字後起，其文从苟从攴，與牧同意；蓋謂敺狗以警夜也。說頗迂迴；不知苟小篆作[illegible]；狗作[illegible]，从犬从[illegible]；句，从口丩聲。是苟所从之句，與狗所「从」之句，今隸同而篆則不同。郭氏雖舉左襄十年傳：鄭人奪堵苟之妻；釋文：苟本作狗爲說，乃同聲叚借，或口授及傳寫之誤，不能據爲确證也。且商之世次，史記與三代世表每與卜辭有出入，不必困于成書而展轉傅會。

考釋又云：五人、郭釋五豕，非是。五人者，指又羌五人，後文十人、十人又五，亦謂又羌十人，又羌十五人也。卜辭習見又羌若干人之語，疑當時俘虜羌族最多，猶周彝每言錫鬲若干人也。按：羌五人、羌十人、羌十人又五人之辭，學者多認爲以羌族之人爲犧牲者，未必爲當。此羌之意蓋即樂舞也。

二〇二　骨　第三期

1. 二牛王受又
2. ☒受又

本拓本又著錄爲總集二九四四三片。

按：考釋定第二辭爲「王受又」，未當。據例，其上必有「三」或「五牛」之辭，下接「王受又」。

二〇三　骨　第三期

1. 其三馬
2. 叀不利馬
3. 叀利馬
4. 兄辛

本拓本又著錄爲通別一何八片，總集二七六三一片。

按：別釋謂：盤庚之後，帝乙之前，殷王之名辛者，爲小辛與廩辛。然小乙之祀小辛，康丁之祀廩辛，均得稱兄辛；此未辨其爲何人。此蓋康丁稱廩辛之辭。按兄辛之稱，僅見於康丁之世；此爲斷代絕佳之絕對標準。

利：考釋云：董氏云：[glyph]與[glyph]同爲黎之初文，卜辭利即从[glyph]。舊釋勿、非。[glyph]乃勿字，與弗不亡毋皆作否定辭用。作案：卜辭之[glyph][glyph]確爲勿字，乃物之省；物从此，乃牛色之專用字，與不之[glyph]有別。後世合[glyph][glyph]爲一，而以[glyph]爲物，以[glyph]爲勿矣。

利馬：別釋謂：[glyph]馬、與他辭言牛同例，謂用黑色之馬以爲牲也。用馬爲牲，即春秋時宋人猶有此習。左傳襄九年：宋災、祝宗用馬于西墉，祀盤庚于西門之外；即其證。考釋云：物馬、與物牛意同。按：利馬、爲第三期卜辭之習語。利、乃今字黎之本字，黎馬、疑即犁田之馬，後世以馬爲人之代步，遂美其名曰驪馬。考釋謂物爲牛色之專用字。物既爲牛色之專字，當不得用於馬，且彥堂先生即釋爲黎馬。是利馬即今謂之驪馬者是也。別釋謂以馬爲牲之說是也。

二〇四　骨　第三期

弗☒

本拓本又著錄爲總集三〇二七八片。

按：考釋隸定爲「弗☒甹☒」。未必爲是。惟以版面泐文太甚，拓製亦不夠清晰。詳察拓本，考釋所定第一字不誤，第二字決誤。就版面之情形推察，應爲四字，今僅第一字，「弗」可觀，餘三文無由猜測，存俟較清晰之拓本以對校，或釋之。

二〇五　骨　第三期

1.戊午卜貞：王其田亡𢦏

2.[壬]戌卜[貞]：王其[田亡]𢦏

本拓本又著錄爲總集三三四七四片。

二〇六加鄴一、三八、一〇。　骨　第四期

1.癸亥貞：旬亡𡆥

2.癸酉貞：旬亡𡆥

3.癸未貞：旬亡𡆥

4.癸巳貞：旬亡𡆥

5.癸卯貞：旬亡𡆥

本綴合版已著錄爲新綴五〇九版，總集三五〇八五版。

二〇七　骨　第四期

其三牛　二

本拓本又著錄爲總集二九四三五片。

按：綴合編以本片與二〇八片綴合爲一，審其所綴，應爲非是。蓋本片之辭曰：「其三牛」，彼片曰：「三牛」，兩者辭例不同，辭意重複。折痕不能密合，骨緣之斜度不合胛骨之生態，故不能綴合。

二〇八 骨 第三期

1. 三牛

2. 五牛 丝用

3. 三小牢

本拓本又著錄爲總集二九六四三片。

二〇九 骨 第四期

辛未貞：叀☐

本拓本又著錄爲總集三三七二七片。

按：考釋謂：「叀字下泐」，非是。此蓋殘字，其下半已折裂爲他片，若經綴合，當可還原。

二一〇　骨　第四期

1.己☐卯☐其☐　二

2.癸巳

3.癸巳貞：其又升伐于伊其既日☐　一

本拓本又著錄爲通別一何二片，總集三三二二八片。

伐：考釋據增訂書契考釋釋伐之說，駁斥吳氏人祭考釋伐之非。並謂：伐者、詞之省也。按：羅氏釋伐爲武舞：是也。蓋湯以武功得天下，故其後嗣以武舞旌其功。初或僅以武舞祭湯，延之既久，先公先王，遂一皆以武舞爲之也。

伊：別釋謂即伊尹也。是也。

二一一　骨　第四期

1.辛未卜：王令厚示亩

2.叀新[illegible]　用

3.[壬戌卜]：[又]歲[于]伊廿示又三　[丝用]

本拓本又著錄爲通別一何三片，總集三四一二四片。

按：本片各辭與京津四一〇二片為同文，本片闕文，即據彼補錄者。

厚：栔文作☐。考釋云：即厚字，金文趠鼎作☐，魯伯盤作☐，與此形近。

新：栔文作☐。考釋云：字亦見後編下九頁。又或作☐、☐，皆是一字。卜辭中从☐之字不少，如☐、☐、☐、☐、☐、☐、☐、☐、☐等是。而☐象矰繳之形，字則不識。按：字蓋从斤从辛，即今字新之初文。

☐：考釋云：非五。後上五、九有☐字，十讀甲讀七不能確定。金文商☐作父丁角蓋，與沈子它殷蓋之☐，亦以☐。按：非五之說甚是，然其字究當今之何字，則有俟論定。

廿祀又三：別考云：示又三上闕一字，當是十字。言歲于伊十示又三。與它辭言：癸酉卜又伊五示同例。蓋名臣以伊尹為元示；其後代代之重臣均列於祀典。書盤庚所謂：茲予大享于先王，爾祖其從與享之者也。按：別考定為十示又三，非。今據同文之辭知為廿示又三，亦即二十又三示之意。辭言伊廿示又三，蓋即自伊尹以下，歷朝之二十三位重臣，有功於國家者。惟此二十三位重臣，今所知者，為伊尹、𠂤般、咸巫、盡戊、黃尹等乃見於卜辭者，至其餘十數位之名氏，則有俟考證矣。

二二二　骨　第四期

1. ☐　三
2. 其牢　三

本拓本又著錄爲總集三三六七六片。

二二三 骨　第三期

1.壬王叀田亡𢦏　吉

2.其狩亡𢦏　大吉

本拓本又著錄爲總集二八六四〇片。

按：考釋彙集兆相術語爲第三辭，未當。又第一辭「壬」，考釋定爲午，未必爲是。詳察拓本情形，其字頗不類午，且卜辭亦無以地支紀日者，茲改定如右。

二二四 骨　第四期

1.癸[酉]：乙[亥]易[日]

不易日

2.癸酉：其告于父乙一牛

[其]告[于]且乙[一]牛

本拓本又著錄爲通別一何五片，總集三二七三四片。

按：別釋云：此辭蓋武丁時所卜；祖乙者，中丁之子祖乙；父乙者，武丁之父小乙也。察本片之辭乃文武丁時所卜者；父乙乃文武丁稱其父武乙之辭，別釋云云，除且乙之說不誤，餘皆非是。

二一五 骨 第四期

酒求 不雨

二一六 骨 第一期

本拓本又著錄爲總集三三九五一片。

賓

二一七 骨 第三期

1.甲☐

2.在弜

3.且丁勺王受又

4.新宗勺王受又

5.勺于止若

6.弜 去

貳、何 遂氏藏栔

本拓本又著錄爲通別一何四片，總集三〇三二五片。

按：本片與戩四五、五片，外六六片爲同文；右第六辭闕文即據彼補錄。又：胡文定本片與外片爲「三辭同文例」一六七頁。

寴宗：見一三三片新宗。

止若：或釋爲殷之先公名，即史記之昌若。

二八　骨　第三期

1.叀小牢　用

2.冊𠬝一人

3.冊𠬝二人

三人

4.卯叀

本拓本又著錄爲通別一何十一片，總集三二一七二片。

別釋云：此卜以人爲牲之數。𠬝即服字所从，義同俘。言用所俘者一人、或二人、或三人也。考釋云：曰三人而無冊𠬝者，文之省也。

二二九　骨　第三期

1.☒田又雨

2.龍

3.十人又五☒

本拓本又著錄爲總集二七〇二一片。

二三〇　骨　第四期

1.癸未卜：習一卜

　習二人

2.王其鄉　在宧

　弜鄉

本拓本又著錄爲通別一何十二片，總集三一六七二片。

考釋云：[illegible]、當非習字。別釋云：習一卜、習二卜、不識何義。書金縢：乃卜三龜，一習吉。史記魯世家作：乃即三王（崢按：大王王季文王也）而卜，卜人皆曰吉。論衡知實及死僞篇皆云：乃卜三龜、三龜皆吉。疑古人以三龜爲一習，每卜用三龜。洪範言：三人占。亦一證據。一卜不吉，則再用三龜；其用骨者當亦同然。言習一卜、習二卜者，疑前後共卜六骨也。通考謂：習、即襲、重也。習卜非吉：易蒙所謂：再三瀆、瀆則不吉。詩謂：我龜既厭、不我告猶。是也（六十六頁）。按：釋習、已是定論、勿庸辭費。檢書大禹謨：「卜不吉、習」。傳：「習、因也」。疏：「卜法、不得因前之吉更復卜也」。據此，則本片之辭蓋即一辭也。乃此前所卜得不吉之兆相，故習一卜，習二卜。習二卜而得「吉」兆，故不復卜，而直書其所占之事「王其鄉」，而得「弜鄉」決辭。惜胛骨殘佚太甚，無法得其兆相之眞確情形矣。

二三二　骨　第三期

1. 其
2. 叀犁□

本拓本又著錄爲總集二九四八六片。

按：考釋定第二辭爲「叀[甲骨文]方」。綜類逐作「[甲骨文]」（二一二及四五九頁）。檢傳世卜辭，無論[甲骨文]方、或[甲骨文]方，均未之見。故本校釋於犁下之字用□出之，以示存疑之意。蓋緣本片既殘小，恰又泐文滿佈，無法與他片之辭比勘，而尋得其眞確之情形也。然據他片之辭之情形推斷，叀犁，疑爲「叀犁牛」，其下疑爲「[甲骨文]」字，而因泐文所造成者，故類似[甲骨文]字。然否，未敢必。

[甲骨文]：考釋云：疑牝。按：所釋非是。釋犁，已是定論。犁、爲黑色牛之義。

二三二　骨　第四期

弜並酒

本拓本又著錄爲總集三四五五八片。

考釋云：[glyph]、疑與竝同。按：今楷或書作并。

二三三　甲　第四期

甲子囗以[glyph]囗田囗

本拓本又著錄爲總集二二四七三片。

[glyph]：考釋云：與前六、八、三之[glyph]爲一字。按：此字絜文習見，多爲地名。丁山釋㫃，讀偃。地當今之河南偃師（見殷商氏族方國志一五五頁）。按：字从[glyph]从[glyph]。从[glyph]即今字之㫃。說文：「旌旗之游㫃蹇之皃」。从[glyph]、象下垂之旗幅。疑即今字之旛。說文：「旛、旛胡也。謂旗幅之下垂者。从㫃番聲」。段注：「凡旗正幅謂之縿，亦謂之旛胡。廣韻云：旛者，旛旗之總名。古通謂凡旗正幅曰旛；是則凡旗皆曰旛胡也」。其地、究當今之何地，則有俟考定。

二三四　骨　第三期

〤鹿隻四鹿隻

本拓本又著錄爲總集二八三二四片。

〤：考釋云：即五字，以四字知之。遂隸其辭爲：五鹿獲四鹿獲。然〤之釋五當否，以辭殘骨碎，頗難肯定。惟卜辭中無「五鹿隻四鹿隻」之辭可資比勘，則有俟綴合後觀其全辭，或可定其然否也。

二三五　骨　第三期

1.弜

2.其冊十牢又羌

二十牢又羌

三十牢又羌

本拓本又著錄爲通別一何九片，總集二六九三六片。

二三六　骨　第四期

1.弜☐从☐其☐

2.☐北☐乎☐及☐

本拓本又著錄爲總集二八一九四片。

按：辭殘太甚，無由推察其義。

二三七 骨 第三期

1.庚午卜：辛未雨

2.庚午卜：壬申雨 允雨

3.辛未卜：帝風 不用 亦雨

本拓本又著錄爲通別二何十三片，總集三四一五〇片。

按：胡雜定第三辭爲「添字例」四一一頁。蓋緣其卜字契於「未」字右下也。詳察拓本之情形，所定未當。宜正爲「漏字補契」、或「補契漏字」之例。又中譯本甲骨文的世界定第二辭爲：「庚午卜。壬申雨？允雨，亦……」，第三辭爲：「辛未卜。帝鳳不用雨？」而釋之曰：大概是卜不帶雨的來風；風來時，一般總是隨伴著雨四十六頁。按：第二辭之「允雨」，爲驗辭；乃壬申之後所追紀者。帝風、爲燎柴祭風，乃正問之卜辭。不用、爲此卜之決辭，亦即辛未這天不必用燎柴之禮祭風。亦雨，與前辭之允雨同，爲事後追紀之驗辭。

帝風：考釋定爲「賁鳳」。非是。

二二八 骨 第四期

在□

本拓本又著錄爲總集二八一六五片。

二二九 骨 第四期

1.癸巳 三

2.祉觀 歲三牢

五牢

又羌

本拓本又著錄爲通別一何十片，總集三二一三八片。

二三〇 骨 第四期

1.丙戌卜：丁雨

不雨

2.戊子卜：己雨

不雨

3.其雨

不雨

本拓本又著錄爲總集三三八四五片。

一三一　骨　第五期

于來乙囗伐囗

一三二　骨　第三期

王其田盄罕亡𢦏

本拓本又著錄爲總集二九二七一片。

盄：考釋云：盄字之皿未刻全。綜類迻寫爲（二九一頁）。非是。

一三三　骨　第四期

1.戊戌

2.戊戌貞：告其壴彡于□□六牛

其九牛

3.庚子貞：其告豈于大乙六牛叀祝

本拓本又著錄爲通別一何一片，總集三二四一八片。

按：考釋定第二辭之九牛爲「旬牛」，第三辭之六牛爲「六羊」，均非。

豈：栔文作，考釋隸定爲壴、無說。審其構形，疑即今字豈之初文。說文：「豈、還師振旅樂也」。正韻：「豈與凱通」。是豈即凱之本字。辭曰「告其豈」及「其告豈」，兩辭意同。據其辭察其意，宜爲班師凱旋。說文樂也之解、乃其引申之意，即凱旋告廟之樂。豈、乃鼓樂、亦即軍樂，故辭曰「豈彡」，是本片二辭之意，乃勝利凱旋，告祭于先王某及大乙，並卜問其用牲之數與典禮之儀式也。

一三四　甲　第四期

1.乙未卜：乎元先人　昜日　三

2.乙未卜：乎人先今夕　三

3.辛丑卜：☐虎今夕　昜日　三

4.辛丑卜：方人　三

5.辛丑卜：朿瀘三宰　三

6.癸卯卜：丘令圍田□　三

本拓本又著錄爲通別一何十六片，總集二一〇九九片。

按：佚存等資料書所著錄之拓本，爲不同腹甲之三片殘甲所湊合者；可稱爲錯誤之綴合也。故其中縫及折痕不能密合，盾紋亦不能對稱；且三片之辭例各異。其最可證明爲非同腹甲之折裂者，厥爲左尾甲與右尾甲之比例殊異。商氏不察，而予著錄之、考釋之。卜辭通纂竟亦予輯錄之、考釋之，且不能正其錯誤。直至三十餘年後之再版、而予眉批曰：「左下部是另一斷片，誤綴于此」，仍未能正其非。又胡編甲骨文合集仍襲通纂與佚存所錄拓本，亦未能正其非，殊爲非是矣。茲援本校釋之前例，以剔餘之二殘片，分別賦予二三四、一，及二三四、二之號序，藉存佚存之舊，且亦正其誤。

再按：本拓本各辭，各學者所定各皆殊異，尤以第三辭爲最。察其所以然之由，蓋其辭之行款與通例異，爲跳兆契刻所致也。至各辭先後之序及辭數，亦各皆殊異。胡雜定第四辭爲「方國倒稱例」，釋其辭爲「𢀛逆方夷」，並釋之曰：「方夷、爲夷方之倒稱」四一七頁。定第六辭爲「添字例」四〇八頁。蓋以該辭之「卜」字契於卯字之左下者也。考釋定爲七辭，別釋同；綜類迻寫爲六辭，惟將第三辭迻作「□今夕易日」，而遺棄「虎□」二文三八八頁。茲檢付卜序示意，卜辭行款圖於後，藉便比勘與觀覽。

□：考釋云：唐氏謂爲□之變體，即盡字也。別釋云：字凡三見。象手執刷滌瓶之形。字不識。按：唐氏釋爲盡之變體，未必爲是。審其構形，其或从五从盡，然坊間所傳字書未見，說文亦無；其於契文，亦僅此見。無由比勘其辭例。推測其辭意，其究當釋何字，何意，則有俟考定。

虎：契文作[glyph]：考釋隸定爲龍、無說。校編疑爲𧆣附錄上一二〇。察其構形，頗不類契文之龍字，倒與契文之虎之構形相彷彿。若佚存二〇八片之虎，是其例也。茲緣泐文，而其上又適殘缺，拓印拙劣，亦乏辭例可徵，茲姑隸作虎，以俟尋究。

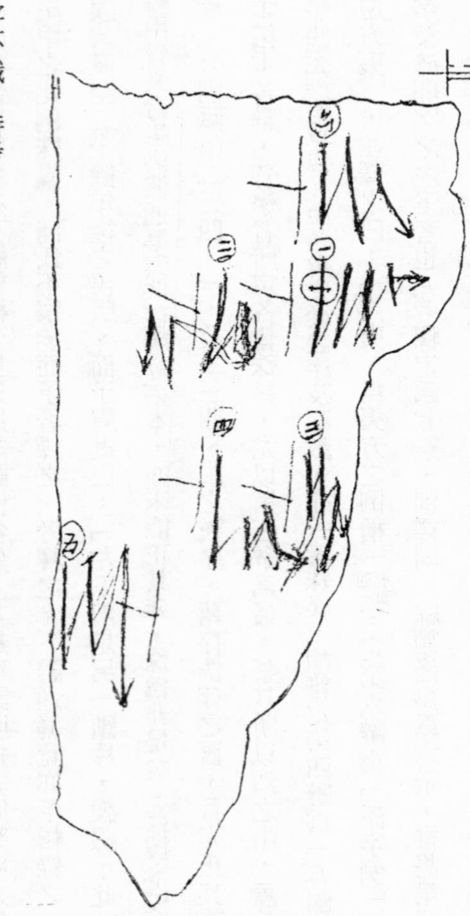

[glyph]：字不識，待考。

[glyph]：考釋云：即𨑒、亦即逆。逆从倒人，此从側人，其意同也。別釋隸作逆、無說。通考从之七七六及一一七七。審其構形，字从[glyph]从[glyph]，[glyph]爲側人形宜無可疑，而[glyph]、雖類[glyph]之下端，然是否同彳，未見字例；且側人與倒人兩形，是否同意，亦頗可疑。是釋𨑒或逆，然否，則有俟論證也。

𢦏：考釋隸定爲𢦏，無說。別釋則謂：字二見，不識。

一三四、一。　甲　第四期

𢦏　☐丙㞢☐今夕☐

按：就殘辭情形推測，或與前片爲同組卜甲歟？

一三四、二　甲　第四期

1.癸未卜：不雨　允不

2.☐令人☐不☐

一三五　骨　第四期

眔酒

本拓本又著錄爲總集三〇九〇五片。

一三六　甲　第一期

☐申☐帝☐才☐

本拓本又著錄爲總集一四二九七片。

才：考釋隸定爲方、無說。

一三七加綴二一、一六二　骨　第二期

1. 〼钟娸〼母己

2. 〼[钟]娸〼妣丙

本綴合版他書未著錄，首片又著錄爲總集一九九七六片。

母己：察武丁、廩辛、康丁、武乙四王之辭均有母己之偁語。見於栔辭者，小乙之爽曰庚，且甲之爽曰戊，康丁之爽曰壬。然就其書體、行款等徵侯推察，本片宜爲康丁時之辭。則此母己宜爲且庚之爽？或其兄弟等之爽，廩、康二王固當偁母也。

妣丙：武丁時有母丙之偁，則第三期之二王，自必偁妣。本片爲三期之辭，殆無疑可矣。

一三八　骨　第三期

1. 庚

2. 田〼每〼

一三九　骨　第四期

1. 癸卯貞：旬亡囚　三
2. 癸丑貞：旬亡囚　三
3. 癸亥貞：旬亡囚　三
4. 癸酉貞：旬亡囚　三
5. 癸巳貞：旬亡囚　三
6. 〼　三

本拓本又著錄爲總集三四九九九片。

一四〇　甲　第一期

1. 妣壬〼丘〼
2. 求禾　三

本拓本又著錄爲總集一〇一一八片。

一四一　骨　第四期

1.弜☐辛☐豐
2.叀𢆶豐 用
3.弜用 𢆶豐
4.隹𢆶豐用王受又
5.用豐

本拓本又著錄爲總集三〇七二五片。

豐：考釋云：乃酒醴之本字。說文訓爲行豊之器，乃引申之後，復孳乳爲豐滿之豐。

二四二 骨 第四期

汉☐在☐𢦏

本拓本又著錄爲總集二〇五六九片。

按：考釋定其辭爲：「戈□在汉」。未必爲是。

汉：考釋疑即洧字。

二四三 骨 第四期

1.乙未貞：又用十牛 一

2.貞：辛亥先未大牢丝用　一

本拓本又著錄爲總集三四四五〇片。

按：本拓本各辭綜類均未予鈔錄。非是。又各辭辭例均屬僅見。

先：考釋隸定爲人、無說。

二四四　骨　第四期

☐其田[glyph]于[glyph]

本拓本又著錄爲總集二九三八四片。

[glyph]：考釋迻寫爲[glyph]。綜類迻寫爲[glyph]一七六頁，[glyph]四〇、[glyph]二九八頁等形。緣骨版泐文甚多，而其字恰當泐文之處，無法研判其究爲何形或何字，茲姑如右作。

[glyph]：字不識，其構形頗爲殊異，亦僅此一見。或釋岳。未必爲當。

二四五　骨　第三期

☐其田旃☐

本拓本又著錄爲總集二九二一八片。

二四六　骨　第三期

☐田湄日亡㞢

本拓本又著錄爲總集二八七二七片。

按：右辭適當泐文之處，茲姑如右作。

二四七　骨　第三期

1.方朿叀庚酒又大雨

2.叀辛酒又大雨　大吉

3.翌日辛王其省田𣌭入不雨　兹用　吉

　王固曰

4.夕入不雨

5.☐日王省田湄日不雨

本拓本又著錄爲通別一何十五片，總集二八六二八片。

按：考釋隸定爲七辭；聚集兆相術語吉、大吉爲第一辭，併兹用、王固曰爲第二辭。非是。

兹用：考釋隸定爲兹田，非是。

[illegible]：考釋及別釋均隸定爲吉：非是，字蓋「王固曰」之苟簡，或稱之爲合書、合文。多見於第三期。

[illegible]：考釋隸定爲賁。非是。別釋書作炢，亦誤。或釋藝，尙無定論。

湄日：考釋隸定爲濇、無說。甲考云：湄日二字連文，卜辭習見；且常系於田獵之辭。詩小雅何人斯：居河之麋。知麋與湄通。周禮春官眡祲：七日彌。注云：故書彌作迷。又春官小祝：彌烖兵。注云：彌讀曰敉。麋、敉、迷俱從米聲，而湄、彌與之通；是湄與彌亦相通也。然則、湄日猶彌日，蓋謂終日也。

二四八　骨　第三期

癸酉卜：今日〼叀大牢

本拓本又著錄爲總集二九五五六片。

二四九　骨　第三期

叀[illegible]〼田湄日亡戋

本拓本又著錄爲總集二九三一三片。

亡戋：考釋迻寫[illegible]。非是。

一一五〇　骨　第四期

□卯貞：王令𠂤☐田☐京

本拓本又著錄爲總集三三三三〇片。

一一五一　骨　第三期

1. 妣庚𠂇牢又二牛
2. 受

本拓本又著錄爲通別一何六片，總集二七五二五片。

妣庚：本片爲第三期之辭，則此妣庚宜稱小乙之奭。

一一五二　骨　第四期

☐立中☐亥☐

本拓本又著錄爲總集三三〇九六片。

按：本片之辭似與懷特一六一一片之辭爲同文。若然，則本辭宜爲：「甲戌卜：立中昜日？乙亥允昜日」。惜本片殘碎，無法證實。有心人若能尋得殘佚之他片而施與綴合，當可知其然否矣。

立中：通考謂：立中之中有[illegible]及[illegible]兩形，知中即旗斿。立中、即建旗也三五二頁。按：其說非是，辭言「立中」，蓋即建立中軍，亦即參謀本部或大本營之謂。中、即中軍，為三軍統帥之指揮所，如左桓五年傳：「王以諸侯伐鄭，王為中軍」。又昭五年經：「春王正月、舍中軍」，注：「始立中軍」。卜辭有「王作三師、又、中、[illegible]」粹五九七。可證「立中」、乃建統帥之大本營也。非旗旒之意，而旗旒、亦僅為統帥指揮所所在地之標識而已。

二五三　骨　第三期

☐戌卜：又戠其加于☐王受又

本拓本又著錄為總集三一〇七八片。

二五四　骨　第三期

1.于☐亡𢦏
2.于桑亡𢦏
3.于盂亡𢦏

本拓本又著錄為總集二九〇五〇片。

叄、美國施氏藏栔

二五五加甲二八〇三 骨 第三期

1. 庚戌卜何貞：翌辛亥又于妣辛 一
2. 庚戌卜何貞：妣辛歲其馭鼇 二
3. 庚戌卜何貞：其于來辛酉 三
4. 庚申卜何貞：翌辛酉[illegible]其隻 一
5. 庚申卜何 二
6. 庚申卜何 三
7. 庚申卜何 四
8. 庚申卜何 五
9. 庚申卜何 六
10. 甲申 乙酉 丙戌 丁亥 戊子 己丑
11. 乙巳 丙午 丁未

本綴合版已著錄爲新綴一二八版，總集二六九七五版。首片又著錄爲美國甲骨錄（簡作美國）四一六片。

按：此及以下六十一片甲骨，爲美國人施密士氏於民國十八年得自我國者；去世後，贈予哥倫比亞大學。民國六十五年拓製、編輯成篇、出版於美國。次片爲民國十八年中央研究院第三次發掘殷虛所得者；已著錄於殷虛文字甲編（簡作甲）。

又按：第一辭闕文，乃據該辭殘存之干支日辰，並參酌第二辭之辭義，予以推勘補錄者。第九辭乃據五至八辭之情形而予推測補錄者；然否、未敢必。第四辭貞、辛、酉、其四文、及第十一辭之丁，均未契橫畫。

綜觀本綴合版之情形，十及十一兩辭爲斷續之干支日辰；或爲習契者所作。又五至八辭僅有序辭與兆序，其卜辭或與第四辭同，故省略未契、或否或忘契，均不得而知矣。然此適可證明卜辭之契刻、其序辭早於事前刻就，其爻辭則須卜問後再行契刻。

馭釐：考釋云：「前二、二八、三片曰：其延𠩺。作[illegible]。林二、一九、九片曰：延𠩺。作[illegible]。皆𠩺字也。𠩺、本从來得聲；來、麥也。从[illegible]、象禾有粒。小篆从未、即由[illegible]形寫誤。前六、十二、三片[illegible]延[illegible]，二片[illegible]𠩺，後上五、十二片[illegible]𠩺，八、五片：貞其[illegible]𠩺，下二三、八片[illegible]𠩺與此文同。𠩺上一字乃肄字也。金文克鼎作[illegible]，縣妃毁作[illegible]，戊辰毁作[illegible]，隹皆从巾；盂鼎作[illegible]、庶幾近之。案肄者、治肉也。禮記郊特牲：腥肆爓腍祭、注：治肉曰肆。祭字作[illegible]，从手持肉而有汁液，此作[illegible]、像手操刀割肉，是亦肉祭也。曰延嫠、與受祚意同。曰肄延嫠、則致福肉也。曰肄嫠、文之省而意固已備矣。

[illegible]：考釋云：「疑爲國族名」。通考隸定爲虢，亡說一八九〇。然就本辭察之，考釋定爲名詞未必爲當，或爲動詞，網羅、奪取之義歟？

二五六加甲二三八二（新綴二〇七）加總集三五二七七　骨　第三期

1. 己未卜：求上甲、大乙、大丁、大甲、大庚、大戊、中丁、且乙、且辛、且丁十示率牡
2. 庚申卜：求☐大乙、大丁、大甲、大戊、大庚、中丁、且乙、且辛、且丁率☐
3. ☐自上甲、大乙、大丁、大甲、大庚、大戊、中丁☐
4. 辛酉卜：舞
5. 从
6. ☐[illegible]雨
7. 自[illegible]
8. [illegible]
9. 辛未
10. [illegible]

本綴合版他書未著錄。首二片之綴合已著錄爲佚存九八六版，新綴一〇七版，總集三三三八五版。首片又著錄爲美國四一八片。

按：總集三五二七七片，徧檢其他甲骨資料書，未見著錄。其實物抑或拓本，未詳爲誰家所珍藏者。惟就綴合之情形推察，其或與中央研究院第三次殷虛發掘所得之甲骨同時出土者歟？

又按：考釋隸定前二片之辭爲五辭，甲考則隸定爲四辭，兩考所定各有臧否，今雖再予綴合，亦僅止於補足各辭之所缺而已。甲考將右列辭序之第九辭「辛」，釋爲「二告」，列爲第四辭。胡雜从考釋之說，將第七辭之自，濫入第一辭，定爲「添字例」，另將[illegible]迻寫爲[illegible]，定爲添字之記號一四〇頁。

考釋云：「此版刻辭，行款極其遄亂，又文多殘泐。大戊誤刻大庚上，祖乙又復右行，隆重典祀尚且如此；晚期卜人之忽于職責，可以概見」。今詳察拓本所現示之情形，此蓋習契者信手所契刻之習作，殊非「隆重典祀」之正式卜辭，故其「行款錯亂」。惟其所作，就前三辭觀察，可能取自範本者；此範本或爲世系表，抑或爲祀譜，於今已無由考知其實矣。至所以知其爲習契之作者：其一、版面無卜兆現示，亦無兆序及兆相之紀述。其二、若干字辭，契刻零亂，甚或有倒契者。而其刀法則頗呆滯，字體稚弱。其三、世系契刻錯亂，顯非愼重之作。其四、各辭雖有「干支卜」之序辭，然皆是單行直瀉而下之契刻，與正式卜辭之契刻行款殊異。故知其爲習契者之習作。

二五七加二六六加甲二七九九　骨　第三期

面：1.壬子卜何貞：翌癸丑其又妣癸　鄉

2.癸巳卜何貞：翌甲午𣪊于父甲　鄉　一

3.丁未卜何貞：卯于小乙奭妣庚其[illegible]　鄉　一

4.丁未卜何貞：其馭事　二

5.甲子卜何：其祝　止祝

6.癸酉卜何貞：翌甲午𣪊于父甲　鄉

7.甲戌卜宁：

8.戊寅卜貞：其祝

9.戊寅卜□貞：其〼十又〼

10.戊寅卜宁貞：王𡧊

11.甲辰卜王貞：翌日丙

12.丁未卜何貞：紁十人其止家

13.丁未卜何貞：莫其宰

14.庚戌卜何貞：其宰〼　鄉

參、美國施氏藏栔

15.庚戌卜何貞：翌辛亥其又毓妣辛　鄉
16.庚戌卜何貞：翌辛亥其又毓妣辛
17.貞：其即日☐
18.貞：其即日
19.貞：其示☐
20.貞：其示☐
背：1.☐宁貞：翌乙
2.貞：翌乙丑☐

本面背兩綴合版已著錄爲新綴十四片面、十五片背，總集二七四五六號。首二片之面背綴合又著錄爲北美所見甲骨選粹（簡作北美）四二號，美國四一四版面、四一五版背。

按：本綴合版北美考釋（簡作北考）認定綴合不當，故其所錄僅存佚存兩片之綴合。並說之曰：「予曾攜此照片按指佚存兩片至中研院仔細對勘，認爲所綴不合。越二年。再至中研究與屈萬里先生複勘一遍，屈氏云：所綴未安，故予撰甲編考釋不從其說。予曾目睹兩地實物，不能確定爲一版之折。除非將此片製成石膏模型，與屯甲試綴之外，無法臆斷之矣」。甲考則認爲：可能爲一版，惟不相連屬。今詳察此綴合版，無論其面拓或背拓，所顯示之各種徵侯，無不吻合；尤其背面之鑽鑿等痕跡，若合符節，確可證明綴合正確，不必傷財費力而又消毫時間去製造模型，再去綴合。北考雖舉證數十，努力證明綴合之非；然詳勘綴合後之正反兩拓情形，知北考此作之旨趣，乃在以筆墨爲消遣也。

面拓各辭，考釋定爲十五、北考定爲十六（均不含甲編拓本之四辭），兩者所定序次亦各殊異。

茲列表於後，藉資比較：

本文序	北美序	考釋序
1.		
2.		
3.		
4.		
5.	1.	1.
6.	2.	1.1
7.	3.	2.
8.	4.	10.
9.	5.	3.
10.	6.	4.
11.	7.	5.
12.	9.	7.
13.	8.	6.
14.	12.	14.
15.	10.	12.
16.	11.	13.
17.	13.	8.
18.	15.	
19.	14.	9.
20.	16.	11.

綜觀兩家序次，雖皆據干支日辰以甲子爲始，然考釋並未完全遵照干支序次，故其序次異於北考，亦異於本文。又考釋刊佈當時，佚存之兩拓本並未綴合，故於右表中以1及1.1示其未經綴合。

詳察各辭之位置、契辭之意義、書體之情形，並參稽背拓所現示之鑽鑿等，與正背兩拓本之其他情形，綜合推勘。僅面拓四辭（一、二、三、四）可認定爲正確之卜辭，其餘各辭皆爲習契者之仿製品。第十四、十五兩辭或可據背拓之鑽鑿認定爲卜辭，然其行款，書體等情形殊異於正式卜辭，亦爲仿製之作。第十三辭雖外刻方欄以表示某種意義，然據管見所及，此無他，宜爲習契者習契時，師保從傍輔導，而獎勵某習契者之作，隨手畫欄以便其餘習契者之觀摩而已，不置驚咤爲某種含意、或給予神密之外衣。惟就其書體所現示之情形觀察，本綴合版各辭之仿製者，似爲久歷磨練、或可獨立操觚者所作；而其操觚之際，正値心情爽朗，興之所至，刀筆隨之，故其辭不避重複，不究辭義，更無論辭序矣。

257

綴合版卜序

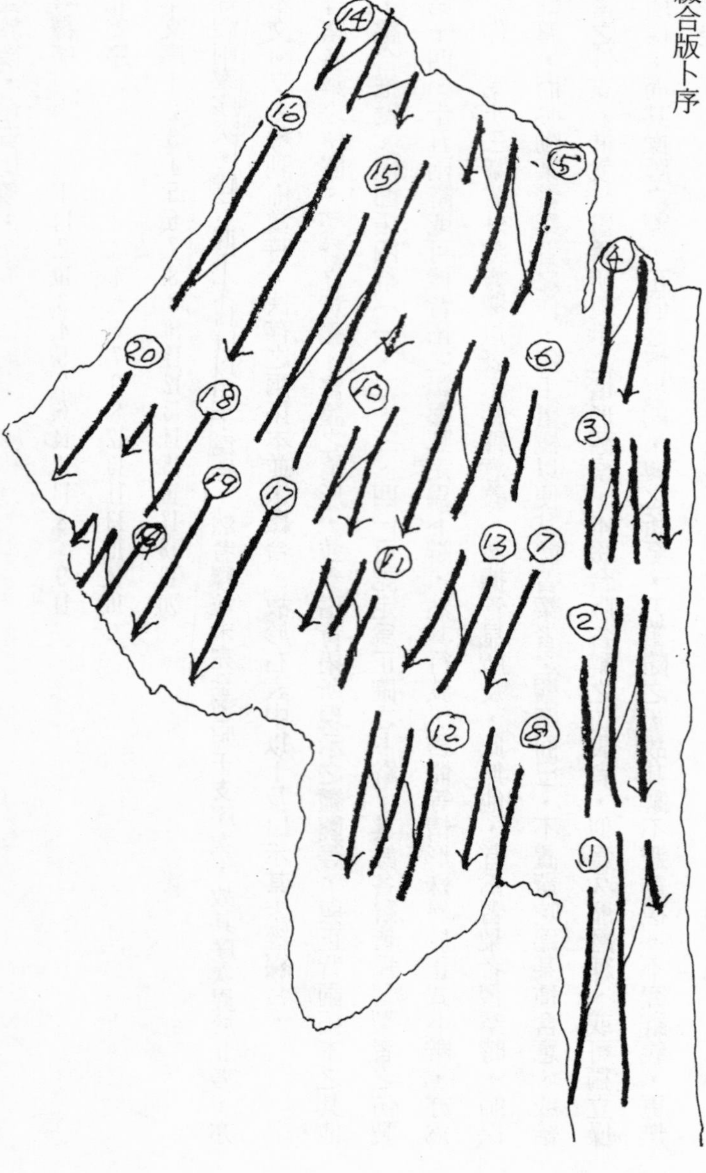

至第六辭癸酉與甲午之糾絞。北考曾以十數例證明其是。然據管窺，此蓋襲自第二辭者；既抄襲，且爲信手之刀筆，則癸巳或癸酉、自無討論價值；至左行、右行，無與論矣。背拓二辭，爲操觚者倒植胛骨，信手而契者，故行款零亂，書體歪刺而乏韻緻。知其操刀者，非爲歷練者之所爲。

□：甲考迻寫爲□形，並謂：「字未能識；綜述三八二頁隸定爲㝱，誤」。

□：考釋迻寫爲□形，並說之曰：「下似从午，疑即午字之緐變」。北考迻寫爲□形，無說。茲參酌北考所刊佈之照片，及各資料書之拓本，姑寫錄如上。然否、未敢必。

莫：契文作□。考釋迻錄爲□形，無說。北考迻寫爲□形，亦無說。詳察其構形，並參酌辭例，疑即□字之緐文。□、釋莫、已是定論。

□：考釋迻寫爲□形，校編从之附上九一。北考迻寫爲□形、隸定爲羗，無說。詳察拓本、照片、辭例等，北考所定可從。辭曰：「□十人」。檢第三期契辭習見「羌△人」之辭，知北考所定無誤；見於本版之構形爲習契者所爲，固不必論其構形之差異也。

□：考釋隸定爲魚、無說。北考从之，惟亦無說。釋魚、未必爲當，存疑可也。

二五八 甲 第三期

1. 叀黃牛
2. 其
3. 庚子 辛丑

本拓本又著錄爲美國四七二片，總集二九五〇七片。

按：二、三兩辭爲習契者橫契於本殘片之下端；第二辭僅存殘字之左半，是否爲其，未敢必，姑如斯作，以俟綴合。考釋謂第三辭極草率，並認定此爲骨版。草率則是，蓋出於習契者之手，不可嚴評。謂爲骨版，則殊爲非是矣。

二五九　骨　第四期

1.庚☐求☐

2.☐申貞：其[illegible]☐禾于高且☐

本拓本又著錄爲美國四五九片，總集三三三〇七片。

二六〇　甲　第三期

丙午卜貞：三且丁眔且丁酒王受又

本拓本又著錄爲美國四四五片，總集二七一八一片。

考釋云：此辭乃廩辛、康丁時所卜。祖丁、后祖丁、謂祖丁及武丁也。按：所釋殊誤，詳下。

三且丁：考釋隸定爲「肜祖丁」。蓋緣其不知三且丁爲如何意義也。考三且丁之辭、第三期以後之契辭習見，爲稱中丁之辭。蓋大丁爲一且丁、沃丁爲二且丁，中丁爲三且丁，祖丁爲四且丁也。

且丁：考釋謂爲武丁。非是。乃祖丁之稱，他辭亦稱四且丁、爲武丁之祖父。武丁、三期以下或稱武且丁。至第五期則直稱武丁矣。

二六一　骨　第三期

1.戊申卜何貞：翌己酉其又于父己亡尤

2.戊申卜何貞：其宰

本拓本又著錄爲美國四三三片，總集三〇四六九片。

二六二　甲　第三期

☐翌☐叀☐啓☐

本拓本又著錄爲美國四二〇片。

二六三　甲　第三期

☐卜狄貞：☐不☐

本拓本又著錄爲美國四三四片，總集二七六八〇片。

二六四　甲　第三期

☐𣏟[illegible]☐禽

本拓本又著錄爲美國四二一片，總集三一八〇〇片。

𣏟：契文作[illegible]。考釋隸定爲𣏟，粹考隸定爲臬九八五片，均無說。甲考隸定爲梵，謂即淮南子俶眞篇之𣏟六五三片。茲姑據其形隸作𣏟，以俟考定。

二六五　甲　第三期

1. 弗禽
2. 豕

本拓本又著錄爲美國四四〇片，總集二八三九六片。

二六六　已綴入二五七片

二六七　甲　第三期

1. 丁卯卜㣇貞：今夕亡囚
2. 己巳卜口貞：今夕亡囚

本拓本又著錄爲美國四三一片，總集三一六一二片。

㣇：契文作[illegible]。考釋云：「㣇、下从牛，疑即从[illegible]之㣇之刻誤」。胡雜謂：「貞人名之字，在他辭皆从丰作夆，不从牛作夆」四〇七頁。通考隸作夆、並說之曰：「夆即逢字。廣韻逄，逢分為二。顏氏家訓云：逢逄之別，豈可雷同。故韻書逢在三鍾，而逄在四江。考說文、玉篇無逄字。匡謬正俗八謂：逄姓、出于逄蒙之後，讀當如其字，不宜與逢遇字別，則與之推說異。今觀契文、逄與夆二形有別。逄字說文失載，非逄即逢字，則之推是而師古非也。後漢書逄萌傳劉攽校語、以逄當作逢。商諸侯有逄伯陵，見國語魯語及左昭二十年傳，今徵卜辭之降，當即逄伯陵矣」一〇四頁。茲據本辭契文之構形隸作夆。蓋其下从之Ψ形，非牛亦非夅，仍當以釋丰為是，故隸作夆。

二六八　甲　第三期

1. 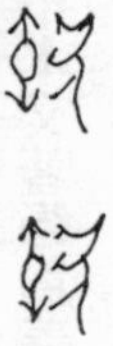

2. 嶬　宊

本拓本又著錄為美國四四四片，總集二六九七二片。

按：就拓本所現示之情形推察，宜為習契者所作，故辭義不可尋。

宊：考釋隸定為宗，非是。

二六九　骨　第三期

☐☐

本拓本又著錄爲美國四四八片，總集三五二三七片。

按：考釋定其辭爲「月□」；綜類从之四〇三頁。未必爲是。審其情形，書體稚弱歪刺，宜爲習契之作。

□：考釋云：「疑與□爲一字」。

二七〇　骨　第三期

羽

本拓本又著錄爲美國四五二片。

按：考釋隸定爲翌、無說。

二七一　加甲二五五四加甲二八二八　骨　第二期

1. 辛亥卜行貞：王其田亡巛　在二月
2. 辛亥卜行貞：今夕亡𡆥　在二月　一
3. 壬子卜行貞：王其田亡巛　在二月　一
4. 壬子卜行貞：今夕亡𡆥　在二月　在㝱　一
5. 癸丑卜行貞：王其步自㝱于㞢亡巛　一

6.癸丑卜行貞：今夕亡𡆥　在𡆥　一

7.甲寅卜行貞：王其田亡𢦔　在二月　在自𡆥　一

8.乙卯卜行貞：王其田亡𢦔　在囗　一

9.乙卯卜行貞：今夕亡𡆥　在二月　一

本綴合版已刊登於中國文字新三期拙作：「甲骨綴合小錄」；首片又著錄爲美國四二五片。

按：胡編甲骨文合集，雖輯錄四萬餘片甲骨拓本，但若干傳世之甲骨資料未能蒐集齊全。至其所著錄之綴合版，雖有若干新綴合之片，但絕大部份仍停滯在三十餘年前之綴合編所輯錄者。至本綴合之原始各片在其合集中，仍爲散亂之三片拓本；分別編號爲二四二四八片，二四三七七片，二四四七八片。不過，妙得是：甲考不僅不知可與佚存之拓本綴合，即便甲編所錄之兩拓本，亦茫然不知；且將甲二五五四片之「月」，與卜兆序數之「一」濫爲一辭，定爲「在月一」；而說之曰：「月一、當即一月」。此眞爲甲骨學千古之妙文也。

審本綴合版各辭，爲卜夕與卜田參互交錯之卜骨。若與他書所著錄同性質之辭比勘，即可發現本綴合版各辭，頗具研究價値，綜其要，約有如下之五事。

其一、朝卜田或步，晚卜夕。見於版面各辭，除甲寅日僅卜田一辭，餘皆每日二卜；而其辭則爲朝卜田或步，晚卜夕。如壬子卜夕「在㠯」，癸丑卜步「自㠯于𡆥」；而當日卜夕則「在𡆥」矣。此宜可證明凡卜田或步之辭必爲晨間，卜夕則在黃昏。

其二、卜夕、爲時王出警京城、駐蹕外埠時所卜者，其目的、蓋卜占當夜之安全措置也。此可證知栔文中凡卜夕者，時王必駐蹕於外埠；而其所以駐蹕外埠，蓋即田狩與戰爭二者。

其三、𡆥與𠂤𡆥同。本綴合版之辭即可證明。然何以冠𠂤。左隱十年傳：「取三師也」，注：「師者，軍旅之通名」。又周禮春官肆師：「凡師甸」，疏：「師，謂出師征伐」。此辭固非出師征伐，然其動用軍旅宜無疑義，故於地名上冠𠂤，以爲時王或軍隊駐蹕之特定標幟，可證栔文凡稱𠂤某之地名，與未冠𠂤之地同。其所以冠𠂤者，乃緣時王駐蹕其地也。

其四，夷考三代之時，以田狩爲練兵之手段，而其實施之時則爲農隙之際。本綴合版之辭亦可證明。蓋商之二月，約略與今之所謂陽曆者彷彿，此時，黄河下游兩岸，正當冬春交替之時、農隙之際，集結丁壯，施以進退坐作之戰鬥技能訓練，既不傷農時，亦得收練兵實質效益；既收焚田整地之效，亦得獵獲野獸，爲民除害之實。

其五，就本綴合本所現示情形觀察，此胛骨乃自骨之中央横截爲二者，本綴合本爲其上半，其用鋸截裁之跡，可自美國四二五片，所附錄之横斷拓本中知之。他如掇二、二四四，二六七，二六九等所附錄之側面拓本悉知之，至其何以横截骨版，其因爲何，則不得知之矣。另如文錄一七八片觀其下端之情形，似亦如之。再文錄七三之上端、文錄一七九之左端，就拓本觀察，皆非自然折裂之痕跡。惜文錄未能拓製各該片側面之拓本，不得其詳。然則，商時於鋸之使用已非常普及矣。惟此鋸之質料、構造形式、使用方法等，則有俟專家攷證。

[甲骨文字形]：考釋隸定爲臭，無說。就栔文構形審量，考釋所定不誤，然字書無之。字於本辭爲地名。茲從俗，隸其字作烺。餘則有俟考定。

[甲骨文字形]：通考隸定爲邦五十六頁，無說；繼又改定爲封一〇四三，謂與[甲骨文字形]爲一字。所定爲邦爲封皆未必爲當。審其構形，蓋从出从土，隸定之，當作圸，字書所無。檢集韵有⿰山盧字。亦作岀，與此形近。然則，岀或爲圸之傳寫譌誤歟？惟古文字从山或从土，義似相近；猶从𠂤與从阜之比。若然，則集韵之岀，宜爲傳寫之譌也。

茲更據彥堂先生所著殷曆譜，譜其辭於左：

祖甲元年：

二月小庚子朔

庚戌十一

辛亥十二

辛亥卜行貞：王其田亡𡿧

辛亥卜行貞：今夕亡𡆥　在二月

壬子十三

壬子卜行貞：王其田亡𡿧　在二月

壬子卜行貞：今夕亡𡆥　在二月在烺

癸丑十四

癸丑卜行貞：王其步自烺于圸亡𡿧

癸丑卜行貞：今夕亡𡆥　在圸

甲寅 望　　甲寅卜行貞：王其田亡巛　在二月在𠂤坩

乙卯 十六　　乙卯卜行貞：王其田亡巛　在二月

乙卯卜行貞：今夕亡囚　在二月

注：本綴合版各辭之月序與日辰，於祖甲在位之三十三年中，可適應之年次甚多；茲姑據祖甲元年之二月譜之，聊備一格；至其正確之卜用年，則有俟考定。

二七二　甲　第三期

癸巳卜徉貞：旬亡囚

本拓本又著錄為美國四三一片，總集三一四八八片。

二七三　甲　第三期

1. □☐征☐

2. 王隹往𣪘□

3. 其□

本拓本又著錄為美國四二一片，總集二九三五六片。

□：考釋云：「即甗字。全文秦父甗作□，與此近似。□，即鼎省。甗，本作甗、或甗。从虎从鼎，或从虎从鬲。後求其便于結構，將虍移于鼎或鬲之上，而以虎字之下體寫爲犬形，遂成獻與獻矣。以傳世古甗證之，三足之股皆作虎目，即此字之取義。復以字形言：从鼎者，取器之上象；从鬲者，取器之下形也。鬳即獻字本體，復寫誤作獻，乃用爲進獻字，復別稱甗爲器名，非其朔矣」。若然，則其辭宜作「王隹往躲獻」。躲獻，辭義窒塞，是釋獻未必爲是。至其究當今之何字何義，則有俟論定。

二七四　甲　第三期

1.庚午卜貞：今夕亡囚

2.甲戌卜貞：今夕亡囚

3.[戊]寅卜教[貞：今夕]亡囚

本拓本又著錄爲美國四一七片，總集三一六二三片。

二七五　甲　第三期

〼于宗〼古王〼受又又

本拓本又著錄爲美國四四一片，總集三〇三〇七片。

按：考釋隸定右辭爲：〼于〼𢆶王受祐。非是。

二七六　骨　第四期

1.壬戌卜：雨？今日小采允大雨　征　眻日隹啓

2.癸亥卜：王令⊠　方　⊠

本拓本又著錄爲美國四一九片，總集二〇三九七片。

小采：考釋云：「卜辭云大采雨，書契小箋曰：國語魯語：是故天子大采朝日，又少采夕月。韋注：禮天子以春分朝日，示有尊也。卜辭所言大采，當爲朝日之禮。案魯語之少采，即卜辭之小采。古文小少相通，盂鼎少學作小學，叔弓鎛小心、小子、小百皆作少，可證卜辭之大采雨、小采雨，當爲祭雨之禮。至周則有所更變矣」。詳察辭義，考釋所云非是。此蓋所紀之驗辭也；故曰：小采允大雨。

：考釋未釋。或釋妣戊合文，勘於本辭，所釋非是。然其究宜何釋，則有俟考定。

眻日：考釋云：「　，疑即眻，通暘。玉篇：眉間曰眻。此曰眻日，當爲某日之稱，如金文之初吉，生霸、死霸、既望也」。按：眻，似宜釋祥，辭曰眻日隹啓，猶祥日隹啓。

：考釋云：「爲國族名。子丑之子亦如此作」。察其構形，與子丑之子殊異，文武丁與第五期時子字雖有作　甲二九〇八片、　前三、一〇、二片等者，然其中決無作㊀形者，且其上从皆爲三豎或更多；釋子殊非。至其究爲何釋，有俟考定。

□：字不識，或隸作虩者，未必爲當。

二七七　甲　第三期

1.貞：王☐自麥☐犬亡巛

2.辛丑卜彭貞：翌日壬王異其田曾湄日亡巛

本拓本又著錄爲美國四二七片，總集二九三九五片。

異：栔文作□。考釋从其師增訂書栔考釋之說，隸定爲異。文編卷三頁四、校編卷三頁八、續編卷三頁十、集釋八〇三頁、丙編考釋四二八頁等，皆從其說。甲考雖隸定爲異，則謂：「然於此則未詳何義」六十二頁。通考定爲人名。釋異是也。惟夷考諸家所論，率多與栔文之□，丁山更與金文之□定爲同文，而甲骨文的世界則更認定：不僅與金文之□同文，且認定爲多子族之特定身份之圖徵。茲據栔文辭例之推勘，確知□與□爲二字；□當不得釋異。字於本辭，疑爲動詞：分也，與也之義。說文：「異，分也。从畀、畀、予也」。

曾：栔文作□。通考隸定爲⿱镸目釋⿰目犮云：「⿱镸目，从古文老子拔之⿱镸目，益目旁；隸定可作⿰目犮。⿱镸目當是人名。此卜王與⿱镸目、異二人共往田：以他辭例之，蓋在文法上省去連續詞之與、眔者」九〇二頁。按：所云未必爲當。就本辭言，似宜解爲地名較當。

二七八加甲二四四二　骨　第三期

1. 癸［亥卜狄］貞：［旬亡𡆥］
2. 癸酉卜狄貞：旬亡𡆥
3. 癸未卜彭貞：旬亡𡆥
4. 癸巳［卜］彭貞：旬亡𡆥
5. 癸卯卜彭貞：旬亡𡆥

本綴合版已著錄爲新綴三一八版，總集三一四〇六版。首版又著錄爲美國四四二片，總集三一三六六片。

按：考釋定第四辭卜日爲癸卯。非是。又通考謂此版爲卜人狄與何同見三二，亦非。

二七九加甲一六六〇　甲　第三期

1. 貞：叀其酒
2. 貞：叀大食☐

本綴合版他書本著錄。首片又著錄爲美國四三八片，總集三〇八三六片。

大食：甲考曰：「大食，即朝食。朝食之時，約當今之上午九至十時。殷人因以大食、小食等表示時刻」二九一頁。彥堂先生曰：「古者，每日兩餐，早餐曰朝食，曰饔，曰早食，曰食時；即卜辭中之大食。大食，約當今之上午九、十時」全集乙三三頁。按：殷人計時之法，見於契辭者，有朝、莫（暮）、大采、小采、日中等。甲考謂以大食等表示時刻，其說非是。

二八〇　甲　第三期

王☐不☐

本拓本又著錄爲美國四六六片，總集三一九〇五片。

二八一　甲　第三期

1.乙亥卜狄貞：

2.辛巳卜狄貞：王其田往來亡災

本拓本又著錄爲美國四五四片，總集二八四七一片。

考釋云：「來亡災三字、忽隔行躍至左，此例僅見」。又胡雜定第二辭爲「一辭左右兼行例」二四八頁。按：所論均未當；此蓋跳兆契刻卜辭，各期皆有之。

二八二　加新綴一一九　骨　第三期

1.癸亥卜何貞：旬亡囚　一月
2.癸酉卜何貞：旬亡囚
3.癸未卜何貞：旬亡囚　二月
4.癸巳卜何貞：旬亡囚
5.癸卯卜何貞：旬亡囚
6.貞

本綴合版他書未著錄。首片又著錄爲美國四三〇片，總集三一三五六片。

按：第四辭之「旬」、第五辭之「亡」二文，甲考均未釋，而以□示之。或緣拓本拓印不清也。

又按：此爲密接之五卜旬辭，其第一及三兩辭並記所卜之月序；何。爲第三期貞人，持與殷曆譜比勘，廩辛二、三兩年，及康丁七、八兩年之正月，均爲丑、亥、酉三旬。茲姑據廩辛三年譜之，藉備一格。若有心人再尋得其所殘之他片，而施予綴合，則此所譜之年代，或有所更異，調正。又曆譜於此期稱「正月」，絜辭則紀爲一月，此爲兩者之異。

廩辛三年　西元前一二三九

正月大丁未朔

癸丑初七

癸亥十七　癸亥卜何貞：旬亡囚？　一月

癸酉廿七　癸酉卜何貞：旬亡𡆥？

二月小丁丑朔

癸未初七　癸未卜何貞：旬亡𡆥？　二月

癸巳十七　癸巳卜何貞：旬亡𡆥？

癸卯廿七　癸卯卜何貞：旬亡𡆥？

三月大丙午朔

癸丑初八

癸亥十八

癸酉廿八

二八三加二八七加甲一六六三加甲二〇六七　甲　第三期

1. 癸亥卜口貞：旬亡𡆥　二
2. [癸]未卜口[貞]：旬亡𡆥
3. 癸卯卜口貞：旬亡𡆥　二
4. 癸未卜口貞：旬亡𡆥　二
5. 癸□卜口貞：旬亡𡆥

6.癸卯卜口貞：旬亡囚　二
7.癸亥卜口貞：旬亡囚　二
8.癸巳卜口貞：旬亡囚
9.癸酉卜口貞：旬亡囚

本綴合版他書未著錄。首二片綴合已著錄爲新綴四八一版，總集三一四三八及三一四五二版。首片又著錄爲美國四五〇片，次片又著錄爲美國四二三、四四三、四六一片。

按：佚存之兩片腹甲，爲民國十八年出土於殷虛所謂軒大坑者。二八七片在美國甲骨錄中已折裂爲三小片；然其編者卻不知其在佚存書中爲一片，可證該書之編者並未寓目佚存之書；亦不知其可以綴合。

又按：綴合編三四六版，以佚存二八六片遙綴於佚存兩片綴合版之右，相當於右甲橋之部位。核其所遙綴者非是。蓋兩甲橋之比例不合，即佚存二八六片之腹甲較本綴合版爲大；其次，契辭行款不合，本綴合版之契辭呈二縱行之型式，彼則爲二橫行。緣斯，知其非爲同腹甲之折裂，故未予採錄。

二八四　骨　第三期

1.癸巳卜何貞：旬亡囚
2.癸卯卜何貞：旬亡囚

本拓本又著錄爲美國四二八片，總集三一三三五片。

二八五　甲　第三期

貞：弜䠶

本拓本又著錄爲美國四六二片，總集二八〇八一片。

二八六　甲　第三期

1. ［癸］［卜口］貞：［旬亡𡆥］
2. 癸未卜口貞：旬亡𡆥
3. 癸亥卜口貞：旬亡𡆥

本拓本又著錄爲美國四三五片，總集三一四三七片。

二八七　已綴入二八三片

二八八　甲　第三期

1. 辛亥卜狄貞：王田盂往來亡𡿧

2.乙丑卜貞：王其田往來亡𡿧

本拓本又著錄爲美國四二六片，總集二九〇八八片。

二八九　甲　第三期

1.▨日甲▨盂▨田▨

2.𢎪▨大▨

本拓本又著錄爲美國四七四片，總集二九一一四片。

二九〇　甲　第一期

1.貞

2.貞：▨衜▨

3.▨[古文字]來▨丁呂▨

本拓本又著錄爲美國四七〇片，總集三二〇三片，一五三八六片。

[古文字]：考釋隸定爲衜，無說。察其構形，字蓋从行从止，隸定之，當作衜；字書所無，其究當今之何字，何義，則有俟考定。

[古文字]：字不識。

二九一　甲　第三期

☐田亡巛

本拓本又著錄爲美國四七七片，總集三一二四二片。

二九二　甲　第三期

今☐昏☐

丙寅卜狄貞：盂田其[illegible]彬朝又雨

本拓本又著錄爲美國四二四片，總集二九〇九二片。

按：考釋疑第一辭爲「今昏」二字，其下無缺文。察拓本之情形，所述非是，茲如右作。

[illegible]：考釋釋徉云：「當即彷徉之徉」。非是。

二九三　甲　第三期

叀翌☐秋☐

本拓本又著錄爲美國四六四片，總集二九七六七片，三一二〇〇片。

二九四　甲　第三期

1.貞：翌丁[巳]王其田[湄]日亡𢦔。

2.[戊]午卜狄[貞]：王其田☐犬

本拓本又著錄爲美國四二九片，總集二八四九三片。

按：右二辭缺文，蓋就二辭殘存之干支字，互爲比勘推察，補錄如左。

二九五　甲　第三期

1.☐王往☐田省☐

2.☐宮田不雨

本拓本又著錄爲美國四五八片，總集二九一七九片。

二九六　甲　第一期

1.貞：☐[illegible]☐

2.☐酒☐方☐牛

本拓本又著錄爲美國四六八片，總集八七一一片，一五七五六片。

二九七　甲　第三期

1. 丁丑卜狄貞：王叀[illegible][illegible][illegible]亡𢦔

2. ☐狄☐雨

本拓本又著錄爲美國四七五片，總集二九四一一片。

按：考釋定第二辭爲：「☐狄☐日大雨」

[illegible]：考釋云：「當作[illegible]，即宰字也。二九二版徉字上羊作[illegible]可證」。察其構形、字非从宀从羊，釋宰，非是。且二九二片之[illegible]亦非羊字，取證亦非。字不識，其構形亦不易說解。

[illegible]：下半殘，無證可資，無由推勘。

[illegible]：字不識。校編入附錄上四十一頁

二九八　甲　第三期

鳳[illegible]

本拓本又著錄爲美國四五七片，總集三二七六六片，三五七二一片。

二九九　甲　第三期

1. 癸□卜壴貞：旬亡𡆥
2. 癸未卜壴貞：旬亡𡆥

本拓本又著錄爲美國四三九片，總集三一四〇九片。

三〇〇加甲二八七八面 骨 第四期

1. 亥
2. 癸亥令□
3. 辰自
4. 壬戌 癸亥 甲子 乙丑 丙寅 丁卯 戊辰 己巳 □
5. 壬戌 癸亥 甲子 乙丑 丙寅 丁卯 戊辰 己巳 □
6.

三〇〇加甲二八七九背

甲寅卜：今夕

右面背兩綴合版他書未著錄。首片又著錄爲美國四五三片，總集二〇七九四片。

按：就本殘骨背拓所顯示之徵候觀察，本綴合版乃爲左胛骨右邊緣部份之殘餘者。正面各辭皆爲習契者倒植胛骨（即骨臼向下）所契刻者，除兩行干支表外，餘皆爲興之所至之零散契刻，既無行款，亦無字義可尋。而兩行干支表之「寅」字，又皆爲事後之補契。

又按：甲考定本殘骨爲第一期武丁時之遺。面拓第一辭未釋。第二辭「令」下殘存契文之左半，未予說明。茲予訂正，並分別說明於左。

□：據第三辭自，契文作「□」形推勘，宜爲自字，其殘畫正當裂殘之緣，若能予綴合，則可證知之。

□：甲考隸定爲于，無說（三七一頁）。

□：佚存考釋謂：與歔鼎之□爲同文（五十六頁）。甲考無說。校編列於附錄（上一七頁）。續編釋足，無說（二、三四）。集釋从續編之釋而說之曰：「上象腓腸，下象其趾，或倒書（按指鐵前等之□文），當釋爲疋。古文疋、足當是一字」（六四〇至六四一頁）。通考釋⿱止凵、即苗，謂爲□之倒文，並定爲武丁時之貞人。說之曰：「⿱止凵，舊無釋。其爲人名者見佚存三九二片，甲二八七八甲子表刻一⿱止凵字，亦人名。說文曲、古文作□。此字从止从□，隸定之，應作苗。即曲之本字。康熙字典有蛐字，謂俗拜字。蛐，當是⿱止凵之後起字。楊樹達釋踵，以字形揣之，殊無據」（六五五至六五六頁）。今按：就契文之構形審量，釋足釋踵之說，或有其可取者，然尚有一間未達，且認定爲□之倒書，則爲非是。通考釋苗，爲曲之本字，並定爲第一期之貞人，認定□爲□之倒書，則無是處。蓋不僅武丁時迄未見有此貞人，且其字並非倒書。即歷二三四期，以至乙辛之第五期，亦未見有貞人名苗者。是其所云，無乃是矇己矇人者也。又考：其釋曲之說，乃衍申於契文舉例下二六頁者。不僅不明言其所云之源，竟謂「舊無說」，其著作態度誠不骰光明，是其所釋，殊爲「殊無據」也。

檢：𡩋鼎之[glyph]字，與契文構形同，擱古錄金文一、三、三八，釋爲「足跡形」，綴遺齋彝器考釋三、七，釋爲「足象形」。韡華閣集古錄金文跋尾乙上一、一〇，从羅振玉說釋它，曰：「古它字从止作[glyph]，見卜辭。此字正象以足踐蛇之形」。就金文此字之構形審量，殊非「以足踐蛇之形」，亦無「以足踐蛇之」義，質諸人事，亦無「以足踐蛇之」事；然若此「蛇」已死，或有「以足踐蛇之」事？是韡華閣之釋，既不合金文之構形，亦不合人世之事理，說無可取。

然則，將何以釋此契文耶？詳察其構形，乃象人體下肢自膝至踵與趾之形，疑即今字脛之初文。說文：「脛，胻也；从肉巠聲」。又壬下云：「脛，任體也」。段氏注曰：「膝下、踝上曰脛。脛之言，莖也；如莖之載物也」。釋名釋形體：「脛，莖也；直而長，似物莖也」。契文正象膝以下，趾與踵以上之脛之形。是釋脛，於字形脗合，於字義通達，宜無可疑。而𡩋鼎之文，就其結體察之，宜爲契文之簡者。惜其字、無論金文、甲文，至爲罕見，且契文中太半爲殘辭，小半又爲習契者所作之孤文，致不能確知其辭義與文法成份。

[glyph]：甲考隸定爲午，無說。就其構形審量，遍檢一至五期之干支字，未有如此結體者，可證釋午爲非是。就其構形詳爲比勘，釋寅，最爲合理；茲釋寅。

[glyph]：甲考釋爲「又雨二文之訛」二三七二頁。

三〇一　骨　第三期

辛丑☐貞：王☐習☐

本拓本又著錄為美國四四七片，總集二九三九六片。

按：就本片殘辭之情形推察，或與佚存二七七片第二辭為同文？然否、有俟綴合之證驗。

三〇二　骨　第一期

1.癸丑〔卜𡧊〕貞：旬〔亡𡆥〕　一

2.癸丑卜𡧊貞：旬亡𡆥　一月

本拓本又著錄為美國四四六片，總集一六六四三片。

三〇三　甲　第三期

戊☐貞：☐彖☐

本拓本又著錄為美國四六七片，總集三九四四九片。

彖：請參閱第二十一片。

三〇四　甲　第三期

1. 癸亥卜[壴]貞：今夕亡𡆥

2. [丁]卯卜壴貞今夕亡𡆥

本拓本又著錄爲美國四三六片，總集三一五六五片。

按：考釋定第二辭之卜日爲「癸卯」，未必爲當。審卯上可配之天干、除癸外，尚有乙、丁、己、辛四字；且拓本並無任何可資肯定爲癸之徵候。再者，此爲卜夕辭，乃逐日而卜，不可據卜旬辭之例臆之。檢癸亥之後，最鄰近卯者莫若丁，僅爲五日之間距；若爲癸卯，則爲四十一日之間距，不合卜夕辭腹甲卜法之通例。或謂：卯亥之間距僅爲二十一日，定爲癸卯未必爲非。然本殘片爲腹甲右前甲近甲橋之殘片，據其情形推勘，此腹甲並不碩大，依腹甲卜法不可能爲二十一日、或四十一日之間距。故以五日之間距丁卯補入，然否，有俟綴合另一殘片之證驗矣。

三〇五　甲　第三期

莫[歲]五人[王]受又

本拓本又著錄爲美國四七二片，總集二七〇三二片。

三〇六　甲　第三期

1.弜

2.貞：馬其每

本拓本又著錄爲美國四四九片，總集二七九五六片。

按：考釋定爲一辭。非是。

三〇七　甲　第三期

弜田☐禽

本拓本又著錄爲美國四七六片，總集二八八三四片。

三〇八　骨　第三期

1.庚寅卜貞：其大宰　一

2.貞：ナ𢍱

本拓本又著錄爲美國四五六片，總集三〇五一九片。

按：胡雜定第一辭爲「錯字例」四〇七頁，蓋「大宰」之宰从羊作也。考釋亦謂：「从羊者，筆誤也」。

𠂇：考釋隸定爲有、非。ナ，乃今字佐之本字。

三〇九　甲　第三期

今歲不受年

本拓本又著錄爲美國四五一片，總集三六九七九片。

三一〇　甲　第三期

1.貞：牢□王受又　吉

2.弜牛

本拓本又著錄爲美國四六九片，總集二九四九六片。

三一一　甲　第二期

貞：物

本拓本又著錄爲美國四六〇片，總集二四五三八片，二九四七五片。

三一二　甲　第三期

壬☐貞：☐羌

本拓本美國未錄。

三一三　甲　第三期

狄

本拓本美國亦未錄。

三一四　甲　第三期

1.于☐酒

2.癸亥卜狄貞：叀☐至王受又

本拓本又著錄爲美國四五五片。

按：第二辭「至」下，挖掘之痕跡至爲明顯，蓋緣契刻而致；故「王受又」呈向右下耶之契刻。

三一五　甲　第三期

☐☐卜貞：王其☐翌日酒王受又　二

本拓本又著錄爲美國四六五片，總集三〇八五〇片。

翌日酒：考釋定爲「翌日酒二」。非是。蓋以卜兆序數「二」濫入栔辭也。

三一六 甲 第三期

1.癸[巳卜]貞：[旬亡]

2.[癸]卯卜巳貞：旬亡

本拓本又著錄爲美國四二七片，總集三一四七七片。

按：考釋定第二辭卜日爲「癸未」。審其殘存字痕爲二豎筆，而豎畫之右恰有腹甲之凹痕，二者間距，與未之下半相仿，考釋遂有癸未之定。茲姑定爲卯，以俟綴合後之證驗。

肆、王富晉藏契

三一七　甲　第一期

1.庚子☐勿☐

2.貞：弗其得

本拓本又著錄爲存一、一一五七片，總集八九二四片。

按：本片實物泐文成塊，致第一辭完全被泐。

得：字在栔文爲从手从貝，依六書、宜爲會意；爲从手握貝。貝，爲原始交易之媒介，猶今之黃金白銀鈔票然；爲任人均願多有之物。握之愈多，愈具權威。惟辭曰「弗其得」，蓋反問之辭。據栔文構形，宜隸作㝵，今字作得，乃傳寫與書寫取姿之衍變。

三一八　甲　第二期

1.癸酉卜㠯貞：旬亡囚　甲戌酒祭干上甲　在☐

2.在㠯高

本拓本又著錄爲總集二四二八〇片。

鬲：栔文作𠕋。考釋迻寫爲𠕋，無說。通考釋鬲云：「鬲，即子鬲封地。左襄十四年傳：有鬲氏，在今山東。漢志鬲縣屬平原郡」一〇二。鬲爲地名則是，是否爲子鬲之封地，通考未舉證，難予採信。且所云子鬲，亦未說明採自何處，無由復勘其然否。𠂤鬲，與鬲同。請參閱前二七一綴合版。

三一九　甲　第三期

壬辰卜喜貞：今夕亡𡆥

三二〇　骨　第一期

1. 乙卯卜貞：𠂤𢎸衣𠬝　十三月　三
2. 丙辰卜貞：[illegible]□

本拓本又著錄爲總集七三九九片。

按：此爲近骨臼處之殘餘。

衣：考釋迻寫爲[illegible]。無說。

[illegible]：或釋𢾊，字書所無。

三二一　骨　第一期

1.癸卯卜☐多帚☐　二

2.癸☐　二

本拓本又著錄爲總集二八二六片。

多帚：即多婦。宜爲諸婦或衆婦。據胡氏殷代婚姻家族宗法生育制度考（簡作胡制）：殷時之婦名共得六十四位。又丁龍驤先生帚名考，列八十位。謂爲多婦，宜矣。惟胡制認定諸帚皆爲武丁之婦，即妻。則未爲是。私意、多婦，可能爲某婦之氏族，而效力於殷王室者。揣情度理，任何荒淫之皇帝，不可能有七八十個妻；況武丁並非爲荒淫之王。

三二二　骨　第二期

1.癸未卜大貞：旬亡囚

2.癸巳卜大貞：旬亡囚

3.癸亥卜出貞：旬亡囚　四月

本拓本又著錄爲總集二六五五二片。

按：本殘骨爲右胛骨左緣之中央部份；據胛骨卜法通例：其辭序宜爲自上而下，右辭即據此序列者。據其書體及其他徵候綜合推勘，宜為祖庚時之卜旬殘骨；惜僅賸三辭，一辭附記月序。就殘存三辭推察，其卜用時日須歷五旬而徧；此五旬之配置，可能需兩個，亦可能為三個月，故可有三種不同之配置。其一、癸未為二月之末旬。其二、癸未為三月之首旬。其三、為三月之中旬。故欲考求本殘骨之眞確卜用年次，頗為不易；蓋緣其可游移之時間頗為寬泛也。茲姑設癸未為二月之末旬，持與祖庚年曆譜相勘，僅適於祖庚四年。謹譜之於後，以俟綴合之證驗。

祖庚四年

一月小甲午朔

癸卯初十

癸丑二十

二月大癸亥朔

癸酉十一

癸未二一　　癸未卜大貞：旬亡𡆥

三月小癸巳朔

癸卯十一　　癸巳卜大貞：旬亡𡆥

癸丑二一

四月大壬戌朔

癸亥初二　癸亥卜出貞：旬亡囚四月

癸酉十二

癸未二三

五月小壬辰朔

癸巳初三

癸卯十二

癸丑二三

六月大辛酉朔

癸亥初三

癸酉十三

癸未二三

三三一　骨　第一期

1. 囗正下危受㞢又
2. 囗爭貞：王曰田　其幸
3. 貞：勿曰[illegible][illegible]田弗其幸

肆、王富晉藏絜

本拓本又著錄爲總集六五二八片。

□：或釋象、或釋兔，尚無定論。惟就構形三者互勘，釋象似有未當；釋兔其構形雖近似，然亦稍有差異，而其構形恰與精一之□之上从相類。

□：或釋鳥，然「鳥田」似嫌不辭，且鳥爲鳥類之總名、而絜文中象鳥類之字甚多，不能概以鳥字爲釋，宜自不同之鳥察其形釋其字，故本字或有釋爲啄木鳥之形者。然此爲單音字，啄木爲複音，亦爲此鳥之特性。是以啄木鳥爲釋，尚有窒礙。其究當何釋，有俟論定。

□：僅見：檢鐵八八、一有□字、乙七七四六有□字，構形相仿，所屬時期亦同。不識是否爲一字。校編則定爲同字附上一一〇頁。

三四　骨　第一期

己未卜㱿貞：王登三千人乎伐□方戈

本拓又著錄爲總集六六四三片。

按：本骨版與總集六六三九、六六四〇、六六四一、六六四二（存二、三〇〇）爲成組卜骨。六六四一之兆序爲四，六六四二爲八。本片及他二片之兆序殘佚；然就兆序八之數推斷，同組之卜骨至少尚有三片不知何之。本片闕文、即據餘四片之辭予以補錄。

通考「貞卜人物事輯」二、㱿下十三、「卜征伐與方國」節，未錄伐□方之辭與事；僅於附錄

「征伐有關殘辭」段、「言登人者」鈔錄本片之辭爲：「□未卜，㱿☐王登于☐升伐☐𢦏」。殊誤。

又綜類一三七頁僅鈔錄存二之辭，其他均未鈔錄。

又按：考釋定本辭卜日爲「丁未」；蓋緣「己」上殘佚，僅據其存留之下半，故有此誤。

[illegible]：字不識。或釋姝，未必爲當。

三五　甲　三期

癸未卜宁貞：王宾示癸𣌾亡尤

本拓本又著錄爲總集二七〇八六片。

三六　甲　第二期

戊戌卜旅貞：王宾妣戊歲亡尤

本拓本又著錄爲總集二三三三九片。

三七　骨　第一期

1.貞：☐其☐

2.戊午：雨[illegible]

3.貞：不隹　三月

4.午

本拓本又著錄爲總集二四九〇一片。

按：考釋將一、二兩辭濫爲一辭，定爲「貞不其雨」。三、四兩辭亦濫爲一辭，定爲「□午貞不□隹四月」。非是。玆訂正如右。

三八　骨　第一期

面：1.貞：乎[字形]不左

2.貞：𠮷方其𢦏不

背：□每□

本面背兩拓本著錄爲總集六三六三號。

按：佚存失錄背面拓，玆據總集補錄之，並今譯其辭如右。

又：考釋定第一辭爲：「貞乎𠮷方不受祐」，第二辭爲：「貞乎𠮷方其𢦏不」。均非。

[字形]：考釋隸定爲方，亡說。丙編考釋謂：「象戈頭斬人頸形，與方字有別。當是動詞，意義與征、伐等字相似」(十五)。粹編考釋初釋方即訪(四十一頁)，繼又釋伐，謂爲字未刻全(一四七頁)。就其構形察之，字从一置於人肩，从[字形]，[字形]釋人，宜無疑義。从一，未識其義，綜察之，或爲負擔之義歟？丙考謂象戈

頭斬人頭，意當指所从之一爲戈頭，然從何知一爲戈頭？是釋一爲戈頭，乃出之臆說也，故仍以征伐爲釋。就本辭言，若釋爲名詞，爲不之鄰國，或氏族名，或人名，辭義通達矣。蓋此辭乃蒙他辭者，若本片能予綴合而觀其全，本字之說解，或可通達而正確。

不：即丕，爲古國名，即今字邳。據考知：其地望約今江蘇省之邳縣。

[illegible]：今字佐之初文，動詞，助也。

𢦏不：考釋云。「即不𢦏；如不雨之曰雨不也」。卜辭瑣記八云：「𢦏不、乃𢦏不𢦏之省略，不與否同。商說非」。按：楊說亦非。不、爲殷之方國名。契辭有「弗其𢦏不」粹佚九〇，又有「子不」之辭；若「子不其㞢疾」續四、三二、二片皆其例。子不，當即不之首長而爲子爵者。綜觀二辭之義，當爲：乎不佐伐𢀛方，因之，又卜𢀛方是否爲禍於不。辭順義達，用知二氏之說非是矣。

三二九　甲　第一期

面：□□卜亘貞：☐絜☐王☐　一

背：示

本面背兩拓本又著錄爲總集一九〇四三號。

按：考釋隸定面拓絜上之「[illegible]」形爲于。茲緣辭殘太甚：不能肯定其然否，故併其上之文用☐識之。

□：通考釋氏，「氏、讀如天問：昭后成遊，南土爰底之底」四七二頁。茲从釋挈說。

三三〇　甲　第一期

面：1.癸卯卜㱿貞：今夕亡囚

2.夕

背：自

本面背兩拓本又著錄爲總集三八七七號。

按：考釋未釋第二辭。

三三一　甲　第一期

面：勿乎伐　𢀛方□　一

背：□□卜㱿

本面背兩拓本又著錄爲總集八五四三號。

按：右面背二辭，據例，宜爲「背、面相承」者。胡作武丁時五種紀事刻辭考，將背辭錄作「□□十。㱿」，定爲甲橋刻辭，殊誤。茲訂如右。

三三二一 甲 第三期

1.貞：☐ 二

2.丁丑卜巴貞：今夕亡𡆥 二

按：考釋未釋第一辭。

三三三三 骨 第一期

面：1.☐王往☐

2.☐貞：𡿧犁牛☐

3.☐☐卜㱿貞：王往去☐

背：☐去往☐

本面背兩拓本又著錄爲總集一一一八二號。

按：考釋未釋面拓第一辭。

𡿧：通考釋首云：「[illegible]、即說文首字之[illegible]所自出。知[illegible]乃首字。廣雅釋詁首與令、長、將、正具訓君。檀弓：毋爲我首，謂魁帥也。多首、猶言多君、多正、多帥。首用爲動詞，有率領之意，猶將之訓帥，衛之訓將」一六八頁。茲據栔文構形，姑隸作𡿧，以俟考定。

三三四　甲　第二期

己卯卜　□貞：翌庚辰　㞢　于大庚□九　在☐

本拓本又著錄爲總集二三八〇二片。

三三五　甲　第一期

面：1.貞：王☐勿☐　六

2.☐王于☐　小告

背：㝑

本面背兩拓本又著錄爲總集三七〇一，一七八三六片。

按：考釋以第二辭「小告」爲卜辭，非是。檢小告、爲紀述兆相之術語，其通例：皆紀於卜兆之下，約略呈順兆左或右行之勢。並非卜辭。又背辭胡作五種紀事刻辭定爲「入賓」，亦非。

三三六　骨　第一期

面、1.貞：若

2.貞：朿

3.貞：㞢觵

背：王固曰：

本面背兩拓本又著錄爲總集一五五四三號。

：考釋隸定爲酒。鮑鼎鐵雲藏龜釋文釋酉。粹編考釋釋于(七十八頁)。均無說。金祥恆先生據林二・二六・七片「丁酉卜」之酉作釋酉。即酒(見中國文字十四期)。文編據鐵一七一・三之釋酉(卷十四頁二六)。集釋从之(四三九一)，繼又列爲待考字(四七六三)。續編列附錄二，定爲待考字(四十四)。疑即今字觵即觥之初文。說文：「觵、兕牛角可以飲者也。从角黃聲。其狀觵觵。故謂之觵。觥、俗觵、从光」。段注：「據許、是以兕角爲之。凡觵、觶、觴、觚字皆从角，許不言其義，惟觵，連兕言。許云兕牛角可以飲，其他不以角爲而字从角者，蓋上古食鳥獸之肉，取其角以飲之也」。按：三禮圖著錄器圖（圖一），西清續鑑甲編十二卷刊錄周兕觥（圖二）及唐兕觥（圖三）金索卷三亦有周兕觥（圖四）各一器，其造形與契文之類似，尤以周兕觥最爲形肖；且與說文「兕牛角」之說合。則契文此字釋觵，即觥，宜無可疑。惟坊間傳流之各種彝器圖，其所著錄之觥之造形，不僅與此字構形異，且與三禮圖、續鑑等所稱之觥之造形異。其器之整體造形似獸而作圈足、與器形獸之匜相類似；且更有全肖獸形而爲四足者，若后母辛四足觥(見殷墟婦好墓圖版二五)。故容庚在其所著之商周彝器通考(四二三頁)中，即不認爲傳世此類之器爲觥。由此觀之、縱使此類器爲殷周時期所鑄所用、當時是否稱之爲觥，不無可疑。詩經雖曾一再說到「兕觥」，但其形、其質，是否與今之圖錄中所稱之觥一致，亦頗可疑。設殷周時期及詩經所稱之觥，與圖錄中所稱

觥（三組圖）

周兕觥

周兕觥 齊河蔣伯生明府藏

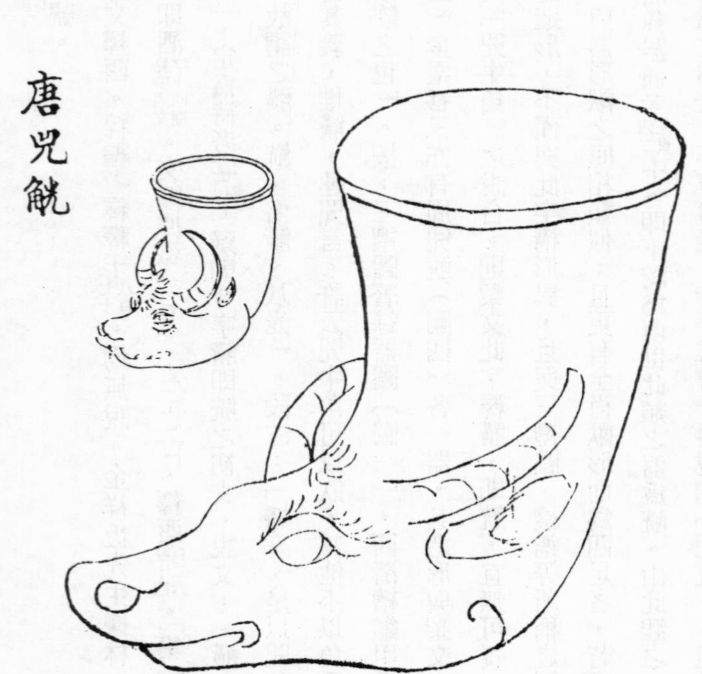

唐兕觥

者無異，則其形其質已因時間之遷化，已遠離原初以兕角爲觥之事實；況乎詩經稱之爲「兕觥」，惟其形制今則不得其詳矣。故據圖錄中所稱之觥之形制，不足爲否定栔文□爲觥之初形，及三禮圖與續鑑所稱之兕觥。然則，栔文之□、乃原始時代人類隨身攜帶之飲器之象形也。其質，宜如說文所述者，其形、則如三禮圖、續鑑所著錄者。至其攜帶之法，據圖鑑及栔文所示情形推勘，蓋以繩索繫於腰間，而其所盛之飲料、固未必皆爲酒；故說文僅謂：「可以飲者也」。又說文云：「其狀觵觵，故謂之觵」。其意非如段注「橫橫、壯皃、猶橫橫也」。察說文所云，乃倒裝句，當爲「狀其觵觵，故謂之觵」。若以今語書之，宜爲洸洸、或滉滉，蓋狀其器繫之於腰，搖洸不定也。

三三七　骨　第一期

1.辛卯卜：朿于□

2.辛卯卜：朿于□

本拓本文著錄爲總集第一四七七一片。

□：字不識。葉玉森謂：「此爲殷先祖名，乃象形字」殷虛書契前編集釋四、十二。卜辭綜述从其說第十章第四節。

□：按：此字說者紛云，幾乎人各有說；然迄今仍無定論。摘其要者有釋兕、釋兒、兒即倪。及釋頁，釋兇等；衆說紛陳，莫可糾結。而其說義，亦各皆有殊；釋字雖同，然有主先公名者，有主神名者。其究當何字何義，則有俟考證，以定一尊。

三三八　甲　第三期

[卜]彭[貞]：[一]亡𡆥

三三九加燕九四三八加續四、四〇、三加陳一〇四加存一、九二四加總集一六七七〇　甲　第一期

1. ☐　二
2. 癸[卜吏]貞：[旬]亡[𡆥]　二
3. 癸卯卜吏貞：旬亡𡆥　十二月　二
4. 癸亥卜吏貞：旬亡𡆥　十二月　二
5. 癸酉卜吏貞：旬亡𡆥　十三月　二
6. 癸巳卜吏貞：旬亡𡆥　十三月　二
7. 癸卯卜吏[貞]：旬[亡𡆥]　二
8. 癸丑卜吏貞：旬亡𡆥　一月　二
9. [癸]卜吏[貞]：旬亡[𡆥]
10. 癸□卜吏[貞]：[旬亡]𡆥　二月

本綴合版他書未著錄。首片又著錄爲總集一六七七七片。

按：各辭或系月序，且自十二月至翌年二月；理宜可求得其卜用年代。持與彥堂先生所著武丁年曆相勘，於武丁在位之五十九年各閏年中，適應右辭者僅爲四及十五年之閏年。茲參酌貞人之年代及其他條件，定爲武丁十五年與十六年之旬譜，茲譜之如左。

武丁十五年（西元前一三三五年）：

十月小戊戌朔

癸卯 初六

癸丑 十六

癸亥 二十六

十一月大丁卯朔

癸酉 初七　□

癸未 十七

癸巳 二十七　癸□卜吏貞：旬亡𡆥

十二月大丁酉朔

癸卯 初七　癸卯卜吏貞：旬亡𡆥　十二月

癸丑 十七

肆、王富晉藏栔

癸亥 二十七　癸亥卜吏貞：旬亡囚　十二月

十三月小丁卯朔

癸酉 初七　癸酉卜吏貞：旬亡囚　十三月

癸未 十七

癸巳 二十七　癸巳卜吏貞：旬亡囚　十三月

武丁十六年（西元前一三三四年）

一月大丙申朔

癸卯 初八　癸卯卜吏貞：旬亡囚

癸丑 十八　癸丑卜吏貞：旬亡囚　一月

癸亥 二十八

二月小丙寅朔

癸酉 初八　癸□卜吏貞：旬亡囚

癸未十八

癸巳二十八　癸□卜吏貞：旬亡囚　二月

三月大乙未朔

癸卯 初九

癸丑 十九
癸亥 二十九

三四〇　甲　第一期

面：己未卜貞：翌庚申告亞其入于丁祊牛
背：𠂤　亞十
本面背兩拓本又著錄爲總集五六八五號。

三四一　甲　第一期

1. 貞：弗其𢦏　十一月
2. 黃☐止
按：考釋未釋第二辭。

三四二　骨　第四期

1. 酒
2. ☐☐卜貞：高且☐

3.不

本拓本又著錄爲存一、一七九〇片，總集三二三九〇片。

按：就拓本所現示之情形觀察，此宜爲背拓，面拓則不知所之矣。又考釋併一二兩辭爲一辭。似有未當。又考釋未釋第三辭。

三四三　甲　第一期

貞：不其隻又

本拓本又著錄爲總集一六四三四片。

伍、陳邦懷藏契

三四四　甲　第一期

1.癸巳□穷貞：□先□[字形]□

2.□□卜穷貞：□[字形]□辟

本拓本又著錄爲陳一三九片，總集一七四六四片。

[字形]：續文編釋紹、十三·一二。或釋刺。均未必爲當。蓋字从[字形]、[字形]、象絲絞之繩紋，从[字形]、[字形]，今釋刀。準之六書，宜爲會意；以刀斷索，豈爲今字絕之初文歟？未敢必，存疑可也。

[字形]：通考隸作虒，即庀，之初文。墨子經說下唐寫本食療本草俱有虒字，與契文同二六七頁。

辟：宜爲今字薛、孽之初文，蓋字从㠯从[字形]。漢書五行志有：龜孽、蟲孽、鱗蟲之孽等。契辭習見天神人鬼爲孽於時王。惜此爲殘辭，不能肯定其辭意爲何。

三四五　甲　第五期

1.辛卯卜貞：王迖于□往來亡災

2.乙未卜貞：王戋于往來亡巛

3.己亥卜貞：王戋于召往來亡巛

4.癸卯卜貞：王戋于召往來亡巛

本拓本又著錄爲陳八四片，總集三六六六九片。

按：考釋定一、二兩辭之「于□」爲于召，未必爲是。又三、四兩辭之卜日，則據腹甲卜法通例，並參酌前二辭卜日之間距推斷予以擬補。然否，有俟綴合之證驗。

三四六　甲　第三期

1.戊子卜卯貞：今日雨

2.☐　三月

本拓本又著錄爲陳一〇片，總集一二五二七片。

按：考釋定爲一辭；詳察拓本情形，所定未必爲是。茲析爲二辭，以俟綴合之證驗。

三四七　甲　第三期

☐今夕☐　五月

本拓本又著錄爲陳一〇五片。

考釋云：「此版以月爲夕，以夕爲月。董彥堂先生謂：由武丁至文丁時刻辭，屬之前期；由帝乙至帝辛，則以[字形]爲月，以[字形]爲夕，屬之後期。唐氏謂：甲骨文[字形]爲月之專字，後變爲[字形]與[字形]異；[字形]則夕之專字。其間有作[字形]者，則因字小而省；且月夕亦未可通也」。按：唐說乃出之臆說，不足爲訓。

三四八　甲　第四期

1. 壬

2. 癸巳卜王貞：囗于中商乎卯方

本拓本又著錄爲陳一二一，存二、三一二片，總集二〇四五二片。

按：綴合編一四八版，以本片與前八、一〇、三片綴合，詳審所綴，應爲非是。蓋前片爲卜年之辭，本片則異於斯，察其綴合之由，乃緣二者皆有「中商」之地名與界欄，並誤認前片上端之「乎」爲界欄，遂以本片之界欄兌接之。然其所綴合，不僅絜辭不能句讀，其折痕亦不能密合。知非同骨之折，不能綴合。

考釋云：「中爲地名，商讀賞」。按：所釋殊非。蓋商爲地名，中爲謂語。中商之地名，絜辭習見；其地望前修曾有考論，且已論定，此不贅錄。

三四九　骨　第一期

貞：生二月不其多雨

本拓本又著錄爲陳五片，總集一二五〇一片。

三五〇　甲　第五期

1.☐丝卬隻冢十又二

2.☐辰卜貞：王戋于☐往來亡巛　一

3.巛

本拓本又著錄爲陳八五片，總集三七三七六片。

按：考釋未釋第三辭。

三五一　甲　第一期

面：1.在

2.㞢羌

背：丁未乞自☐

本拓本又著錄爲陳一五三號，總集五三〇號。

按：面拓各辭與戩三四、六片，冬飲廬藏甲骨文字（簡作冬）五七片等爲同文。

[glyph]：考釋隸定爲羔、無說。審其構形，从屮从山。屮，即今字[glyph]即兮；隸定之，當作岮或岭，字書所無。檢字彙補有岺字，謂爲北岳之名，又作峘，爾雅釋山：「小山岌、大山峘」，疏：「小山與大山相並，而小山高過於大山者名峘」。然則，北岳恆山，其恆字蓋即峘之誤書矣。

气：考釋云：「三字，在此讀下上若，文義極順適，以此例它辭亦當如是邪？然終不能決之」。

按；所釋非是。釋乞，已是定論。

自：考釋隸定爲若，非是。

三五二　甲　第四期

叀庚圍

本拓本又著錄爲陳一四三片，總集二〇五六〇片。

三五三　甲　第五期

1. 甲寅卜貞：王宦且辛夾妣甲亡尤
2. 貞：王宦叙亡尤

伍、陳邦懷藏栔

本拓本又著錄為陳三二片，總集三六二五三片。

按：考釋隸定第一辭闕文為「彤」。非是。審祖辛之奭有三：曰甲、曰庚、曰壬；此卜日為甲，據祀譜，則王所宆者，當為「甲」，其闕文當為「妣甲」也。

三五四　甲　第一期

□卯卜㱿貞：☐基方☐不☐其☐

本拓本又著錄為陳一一九片，總集八四四四片。

按：通考定本辭為：「丁卯卜㱿貞其方不其戎」一七七頁。詳勘拓本，所定非是。蓋基上不下皆有殘文痕跡，惟不能肯定其為何字之殘。且卯上所缺者，不可比附拾遺之辭曲解本辭。通考作者最喜愛強姦卜辭，此其一例也。又其字之上下皆已殘佚，其下所缺不能遽定為戎。

基方：疑書洪範：「王訪于箕子」之箕。馬注：「箕為國名」，子為封爵；當即殷時之方國無疑。檢契文有基無箕；箕，宜為後起字。殷本紀謂：箕子為紂之諸父。當即文武丁之諸子，襲封於箕者矣。考殷基之戰，時當武丁之世，基方，當因此一戰役而敗亡。至文武丁時使其子襲封於箕，號曰箕子。其地望當在殷之西北，左僖三十三年傳：「白狄伐晉，及箕；八月戊子、晉侯敗狄于箕」。今山西省榆杜縣東南三十里有箕城者，當即殷時基方之地，亦即箕子之封地也。

三五五　甲　第四期

乙巳卜余：乎☐𢓊☐

本拓本又著錄為陳一一二片，總集一八六九六片。

𢓊：字不識。僅見於此；有俟考定。

三五六　甲　第五期

1.己丑卜貞：王今夕亡禍

2.辛卯卜貞：王今夕亡禍

3.乙未卜貞：王今夕亡禍

4.貞：王室叙亡尤

本拓本又著錄為陳七六片，總集三八七九六片。

按：考釋定第三辭卜日為「甲申」。非是。茲據殘文未，並參酌一、二兩辭之卜日間距，推補如右。

三五七　甲　第二期

1.庚辰[卜出]貞：[翌癸]未☐[illegible]☐

2.[壬午]卜[出貞]：翌[乙]酉[illegible]□

本拓本又著錄爲陳一四一片，總集二六七八二片。

按：佚存七四八、七五九、七六〇、八二六等片，新綴六九八片，皆與此辭義類同，且均爲腹甲之殘碎；惜皆殘裂太甚，失卻連繫。他如懷特氏等收藏甲骨文集（簡作懷特）一二六七、一二六八等片，亦皆爲辭義類同者，惟此爲胛骨而已。又各辭缺文，乃據本版各辭殘存之日辰，互爲比勘推補者，然否，有俟綴合之證驗。

三五八　甲　第一期

1.辛☐卜☐

2.亞

本拓本又著錄爲陳一四四片。

三五九　骨　第一期

[illegible]：羊㞢啄

本拓本又著錄爲天壤閣所藏甲骨文字（簡作天）三四片，陳五三片，總集一四六五〇片。

啄：考釋云：「余曩釋吠，非是。當是豚字」。按：釋豚亦爲未當。字乃从口、非从肉，茲隸定如右。

三六〇 重見一〇三片 **刪**

三六一 重見一〇三片 **刪**

三六二 **甲** **第一期**

□卜骨貞：王定夕福亡𡆥

本拓本又著錄爲陳六四片，總集二五四九二片。

三六三 重見一〇三片 **刪**

三六四 重見一四八片 **刪**

三六五 **甲** **第一期**

二告

本拓本又著錄爲陳一四八片。

按：考釋以「二告」定爲第二辭，然二告實非卜辭，不得以卜辭定之。詳察拓本之情形，此蓋本辭之兆相紀述，故如右作。

[illegible]：考釋云：「象埋死骨于土中；疑即葬字。篆文从茻从死，此从U从[illegible]，其義實同。前六、四一、二亦有此字，惜皆殘泐，文義不可尋矣」。

三六六　甲　第一期

勿往敵京

本拓本又著錄爲陳一二三片。

三六七　甲　第一期

☐方貞：雷不隹囚

本拓本又著錄爲陳一片，總集一三四一五片。

雷：絜文作[illegible]，考釋云：「葉氏釋雹，是也」。所釋非是。釋雷已是定論，勿庸贅述。

三六八　甲　第一期

亦☐告☐

本拓本又著錄爲陳一五一片。

[字形]：考釋迻寫爲[字形]，而釋之曰：「疑與前五、四一、八之[字形]，前六、一九、五之[字形]爲一字。皆曰子[字形]，乃人名也。或即汰字。唐氏謂：[字形]亦亦字，中豎誤垂耳」。釋亦，無可置疑。惟緣辭殘有間，不能遽定爲人名，亦不可比附前編二片之太。

三六九　甲　第三期

癸巳卜何貞：王[⿱宀⿱丂止]上甲杋叡[不]菁雨

本拓本又著錄爲陳一九片，總集二七〇六四片。

按：考釋隸定本辭爲：「王賔福上甲菁雨」。非是。

三七〇　甲　第一期

面：1.☐卜爭☐伐☐

2.貞：今己亥不其雨

背：自入百

本面背兩拓本又著錄爲陳八號，總集一二一〇二號。

按：背拓刻辭考釋隸定爲「☐六百」。胡考隸定爲「畫入百」。通考定爲骨臼刻辭（八〇四頁）。均非。

三七一 甲 第一期

𦛗

本拓本又著錄爲陳一五〇片，總集一八五一五片。

三七二 甲 第一期

1.貞：从☐侯☐

2.貞：不其若

本拓本又著錄爲天九六片，陳一三四片，總集三三七九片。

三七三 甲 第一期

1.王☐疾☐彡告☐若

2.小臣

本拓本又著錄爲陳七九片，總集五五八三片；寫本見於存二、三八三片。

按：考釋定爲一辭。非是。

陸、于省吾藏契

三七四 骨 第四期

1.癸酉貞：其三小宰
2.癸酉貞：于上甲
于南丁
于正亭北
3.癸酉貞：日夕又食隹若
4.癸酉貞：日夕又食非若
5.乙亥貞：又伊尹
6.乙亥貞：其又伊尹二牛
7.己卯貞：王往出

本拓本初著錄為雙劍誃古器物圖錄下冊三十四頁；頁前為照相，頁後為拓本。又著錄為文集四一、一片，總集三三六九四片。

按：新綴四四一版與此爲同組之兩卜骨，彼之兆序爲一，此則爲二；可以互足其辭。胡辭定第二辭之二、三兩辭爲：「左行文橫行」例（四二四頁）。胡文又定爲「八辭同文例」（一七〇頁）。此日食，經彥堂先生考定，爲文武丁六年六月一日之日偏食。請參閱殷曆譜日食譜，此不贅錄。

考釋云：「唐立厂先生據本版，以後上二六、一五，後下三、一六，簠天一，簠人一綴合爲一骨（即新綴四四一版）。首闕三字，末多出癸酉貞禘五玉其三百牢十字一段，其餘文皆與此同。徵文一書，人多疑其文眞字僞，非是。實將原物用石印紙墨拓印，紙浮墨重，筆畫浸蝕，上石後由工人任意描塡，字形惡劣，譌誤百出，安能不令人致疑也。又其一版數段之刻辭，王氏每割裂爲二、三版，就其分類入之；削足納履，斯爲大謬」。

三七五　骨　第一期

1. 貞：勿隹沚戠从
2. 貞：叀沚戠从
3. 貞：勿隹矦虎从
4. 貞：叀矦虎从
5. 貞：求年于岳
　于河求年

勿求

本拓本又著錄爲鄴一、三五、二片，文集二七、四片，總集一〇〇八〇片。

按：第三辭「从」字未刻全。胡雜定爲「獸骨相間刻辭例」四三八頁。

又按：據前四辭，蓋出兵征伐前廟算，命將之卜，故辭曰：「沚戠从」，「矦虎从」。就現時甲骨資料之顯示，沚戠爲征伐　方之主將，前四辭，宜爲廟算之卜。

虎：考釋云：栔文「形似豹而實虎。矦虎之名卜辭恆見，故知之。其身或有文、或加圈點，乃當時任意刻畫，讀之者，須求其文義，不能以形定也」。

三七六　骨　第四期

1. 己卯貞：求于☐
2. 癸未貞：求禾于栔
3. 癸未貞：求禾于河

本拓本又著錄爲鄴一、三五、三片，京津三八九一片，總集三三三七五片。

按：本片各辭，與總集三三二七四片爲同文。

栔：甲骨文的世界隸定爲夒一五七頁。非是。

年：考釋云：「卜辭每省作禾」。按：所云似是實非。禾，實非年之省。統觀殷虛五期之辭，凡求年之辭，自第三期以下皆作求禾。至第五期兩者皆見於卜辭；惟目前尚難分辨帝乙時用年或禾，帝辛時期用禾或年。或兩者各皆有其獨立之義。

三七七加京都二四三一　骨　第四期

1. 癸酉貞：旬亡𡆥
2. 癸未貞：旬亡𡆥
3. 癸巳貞：旬亡𡆥
4. 癸卯貞：旬亡𡆥
5. 癸丑貞：旬亡𡆥
6. 癸亥貞：旬亡𡆥
7. 癸未貞：旬亡𡆥
8. 癸巳貞：旬亡𡆥
9. 癸卯貞：旬亡𡆥
10. 癸丑貞：旬亡𡆥
11. 癸亥貞：旬亡𡆥

本綴合版見中國文字新一期。首片又著錄爲鄴一、三五、四片，總集三四七五七片。

三七八　骨　第一期

面：1.〼　二

2.〼　一　告　〼　小告

3.癸巳卜㱿貞：𢀛〼　一　小告　二

4.癸巳卜㱿貞：㞢〼　〼　小告　〼　二告

5.甲午卜亘貞：𠬝馬乎襲〼　一　二　二告

背：丙申〼㞢〼

右面背兩拓本著錄爲總集七三五〇號。面拓又著錄爲鄴一、二八、一片。

按：佚存未錄背拓，茲據總集補錄並今譯其辭如右。

襲：考釋隸定爲伐、亡說。茲從釋襲說。

𠬝馬：徵諸契辭𠬝人之例，則𠬝馬之義，疑即檢閱馬匹，以爲戰爭之用。

三七九加遺珠七〇七　骨　第一期

面：1.己卯卜爭貞：王命勹𢀛方　八月　一　二告

2.貞：勹𢀛方　三

陸、于省吾藏契

3. 貞：𠣞𢀛方　三

4. 壬午卜☒　一　二告

5. ☒　一不午蛛　二　不午蛛

6. 貞：朿于西邑　二

7. 貞：㞢于且乙五宰　三

8. 貞：于岳　三

9. ☒　三

10. ☒　三

臼：戊寅帚汝示二屯𠃊　㱿

本綴合版及臼拓已著錄爲新綴五三六版，總集六一五六號。首片又著錄爲鄴一、二八、二片。

按：考釋認定第四辭「未刻全，乃右行。王字遺刻末筆」。是也。惟第四辭或已書未栔，故不見於拓本。亦或此卜根本未用，故無辭可栔。其序辭，依例已先行栔刻者。然此二者皆需自實物之觀察始得其確。

𠃊：考釋云：「當爲㇏之省，董氏謂爲人名，或國族名」。古代銘刻彙攷續編，骨臼刻辭攷釋乙讀移九頁。殷栔駢枝釋及即㠯三十頁。甲骨文字集釋以駢枝之釋未當，初列爲存疑字四四七四，繼又改爲待考字四四七三。丁山氏云：「二㇏，當即二夕㞢一名的省文」氏族及其制度七頁。按：㇏與𠃊二文，考釋及丁氏等之說，均有未當，拙另有專文（說□與□）論述之，釋□為屯，叚為梱（捆），以一牛之兩胛骨梱為一梱，以示為一全牛之意。）釋骨，為肩胛骨之專字專義。惟本片之文作□，二文平列，與他辭異，不詳何故。

三八〇　骨　第一期

面：1.貞：弗其受吉方又

2.貞：受吉方又

3.☐㱿貞：我受吉方又

背：☐□其隹庚我受㞢又其隹☐

本面背兩拓本又著錄為鄴一、二五、一及二片，總集八五〇一號。

□：于省吾釋桅（駢枝二三）。通考認與□為一字，並比付為山海經之陸危，即陸郈之山（一八四頁）。按：字从□从奴；其所从之□在未考定之前，殊難定其為何義，何地，以及其地望。本校釋於□之說解，姑从于氏釋危之說，至本字仍姑從于氏之說。以俟考定。

陸、于省吾藏栔

柒、黃　濬藏拓本

三八一　骨　第一期

本面背兩拓本又著錄爲鄴一、二六、一片。

按：本片總集未錄。詳審拓本，此蓋爲後世之仿刻，而商氏卻不之識；不僅著錄其拓本，且就其仿刻之形式定爲二辭，然皆不能句讀成辭而達義。最可證明其爲仿刻者，闕爲早期之囚，與晚期之猧同見本片。

三八二　骨　第一期

1.去

2.貞：𦣻犁牛

3.王往循从西

4.王往出循

5.王去

6.王往循

本拓本又著錄爲鄴一、二六、二片，總集一一八一片。

[glyph]：考釋謂爲地名。通考隸作[glyph]，云：「與[glyph]同。以文義推之，殆矢字。爾雅釋詁：矢，陳也」一〇八頁。

犁牛：考釋隸定爲物牛。

三八三　骨　第四期

面：1.壬辰卜：㞢母癸膚豕

2.癸已卜：㞢母甲膚豕

3.甲午

4.甲午卜：㞢母乙膚豕

5.乙未卜：㞢母[丙]膚豕

6.膚

7.鹿

背：1.辛未：王令弜伐先咸戊

2.壬寅卜：王令圍伐☒于衛

3.壬寅：[illegible]☒[illegible]我衛

4.壬寅：[illegible]圍伐☒衛

本面背兩拓本又著錄為鄴一、二六、四及三片，總集一九九五七號。

按：佚存於此面背兩拓本顛倒著錄；即以背為面，以面為背，與同書其他面背拓本之著錄序次異。因之，所作釋文亦以背為面，以面為背而倒植。總集亦從其面背倒植之誤。今正。又背拓四辭皆為倒執胛骨，亦即骨臼向下契刻。詳察面背兩拓本之情形，所契各辭皆為習契者或據範本、或緣興之所至信手契之，或為生難字詞之書契練習，故面拓之辭一系，僅干支日辰及稱謂語之變化而已。而背拓之辭則破亂零碎，無辭義可尋。且皆書體板滯而乏韵緻。凡此，皆可說明其為習契者所為。然其最可證明者，闕為面拓無卜兆及兆序、兆相等，背拓無鑽鑿灼等之痕跡。至其面背各辭皆為直瀉而下，乃其餘事；然亦有違卜辭之契刻行款。其為習契者所為，無可置疑也。

又按：面背各辭之☒，緣其為泐文所漫漶，無法推勘其書體，故以☒號示之。

再按：考釋謂第二辭「甲午」，當時以為誤記甲子，剷去後實不誤，故復于其下另刻之。察拓本情形，所說非是。午字拓印清晰，其左上乃刀痕或鋸痕，殊非剷去原字之痕。亦或所契之記識者。又第五辭「母□」，考釋謂母下有脫字。據前三辭例推勘，應為「母」字之右側有缺文；茲據前三辭推測，宜為漏契「丙」字。

[illegible]：從甲骨文字釋林之說卷上三〇，隸定為膚。

弜：考釋云：「郭氏謂：弜乃國名，金文亦見此字。其說是也。王命弜代祭，而先祭咸戊」。

三八四　骨　第四期

壬子卜貞：日戠于甲寅▨

本拓本又著錄爲鄴一、二六、五片，總集三三七〇三片。

三八五　骨　第二期

1. 癸[未卜]王貞：[旬亡]𡆥在[一月]
2. 癸巳卜王貞：旬亡𡆥在一月
3. 癸卯卜王貞：旬亡𡆥在二月
4. 癸丑卜王貞：旬亡𡆥在二月
5. 癸亥卜王貞：旬亡𡆥在二月
6. 癸酉卜王貞：旬亡𡆥吉告在三月

本拓本又著錄爲鄴一、二四、一片，總集二六四八二片。

按：此爲第二期祖甲時之卜旬骨，附記三個月序，持與祖甲年曆譜比勘，恰當祖甲元年。檢祖甲改曆事，其最明確者，月序系在字，一月稱正月。而此版卜旬各辭，月序上固已系在字，但仍稱一月。證之新綴三三一版，彥堂先生考定為祖甲二年十二月，及三年正月之卜旬骨，而於正月之中旬始有「在正月」之紀事，可證祖甲改曆之事為漸進，而非突變。由此推斷，祖甲時代之天文曆術知識，必已相當發達；其曆日亦必力求合天，遂有改曆之事。茲譜之於左，藉資觀覽。

祖甲元年

正月大庚午朔

癸酉初四

癸未十四　癸未卜王貞：旬亡𡆥　在一月

癸巳二十四　癸巳卜王貞：旬亡𡆥　在一月

二月小庚子朔

癸卯初四　癸卯卜王貞：旬亡𡆥　在二月

癸丑十四　癸丑卜王貞：旬亡𡆥　在二月

癸亥二十四　癸亥卜王貞：旬亡𡆥　在二月

三月大己巳朔

癸酉初五　癸酉卜王貞：旬亡𡆥　吉　告　在三月

癸未十五

癸巳二十五

柒、黃濬藏拓本

三八六　骨　第一期

面：1.癸未卜㱿貞：旬亡𡆥　三月　三

2.癸卯卜㱿貞：旬亡𡆥　王固曰：㞢祟□驟風止夕☒羌五☒　三

3.癸丑卜㱿貞：旬亡𡆥

4.貞：其㞢來嬉　四

5.[illegible]

6.王固[曰]

7.[王固]曰

背：1.五日戊☒昔☒

2.王固曰：㞢☒

3.王固曰：㞢祟其㞢來嬉乞至☒

4.☒乃兹㞢祟其㞢來嬉

5.王固曰

本面背兩拓本又著錄為鄴一、二四、二及三片，總集三六七號。

按：面背各辭之祟，考釋皆釋求。面拓第七辭未釋。均非。又胡雜定面拓各辭為「多辭左右錯行例」四二六頁，及「一辭左右兼行例」四一八頁。胡文定第二辭爲「與續五、三二、一之左辭，精三癸卯之卜旬辭，爲同時所卜，雖微異而大同；乃同文異史之例也」。又謂：「此卜旬之辭、甲辰以後，乃紀旬內發生之事故」一四七頁。

驟：考釋云：「葉氏釋雷，謂像兩手執斧形」。通考謂：「于省吾釋驟。此蓋卜有驟風，用五羌以禳之，蓋殺羌人以磔祭」八十五頁。按：所釋未當，蓋卜旬後占辭，預測本旬有否驟風。其下乃紀錄祭祀先祖之紀事辭，亦如現時所謂預訂之行事曆然。

[illegible]：考釋疑爲龍字。未必爲是。存疑可也。

昔：有二義。一爲時間之辭，一爲祭名，即書顧命之酢。「盥以異同，秉璋以酢」，孔傳：「報祭曰酢」。字於本辭，以辭殘無由推勘矣。

三八七　骨　第四期

1. 丁未☐王☐　三
2. 丁未貞：王令卯[illegible]方
3. 乙卯貞：又升伊伐卯一牛
4. 貞：☐令☐衛☐

本拓本又著錄爲鄴一、二四、四片，粹一九六片，總集三三二一九片。

柒、黃　濬藏拓本

按：此與佚存九一三片爲同文，或爲同組卜骨之兩殘片？抑未可知。胡文定爲「二辭同文例」六一頁五，未必爲是。

[glyph]：粹考隸定爲疋，並釋之曰：「卯，殆人名。疋，疑正字之異，讀爲征」。說者率與契文[glyph]同釋。非是。究宜何釋，闕疑可也。

[glyph]：考釋逕寫爲[glyph]，誤。茲據九一三片正之。並从于省吾釋危說。

三八八　甲　第四期

1. ☐大風☐自北☐日☐

2. 癸未卜貞：翌甲申☐又雨大☐雨不☐庚寅大啓辛卯大風自北

本拓本又著錄爲鄴一、二四、五片，京津一五一九片，總集二一〇一〇片。

按：第二辭所闕各干支日辰，乃據本辭「翌甲申」之日辰，推知「寅」上所闕之天干宜爲庚。「卯」上所殘存者宜爲辛。由是，推定卜日爲「癸未」，故與考釋所隸定者頗多差異。

大攴：考釋隸定爲大啓，並說之曰：「戶、啓之省」。按：本字契文雖作[glyph]，據辭例固當爲啓，但非省，宜爲漏契[glyph]所致者。攴、據契文隸定，與啓字同。

三八九　甲　第一期

按：本片拙已有專文論述，此不贅錄，請參閱附錄一。

三九〇　骨　第二期

庚辰卜王貞：翌辛巳又戠于且辛牝一其征上甲亡巛

本拓本又著錄爲鄴一、三六、二片，粹二五二片，總集二三〇〇六片。

牝：粹考隸定爲犳犁，非是。

上甲：絜文作田。粹考隸定爲田。按：絜文此字若以田爲釋，辭意窒塞，應爲上甲之誤絜。粹考兩次考論未能訂正，亦未說明爲誤絜，其草率可知。

三九一　骨

丁酉☐日貞：☐

本拓本又著錄爲佚存四〇三片，鄴一、三四、二及三六、四片，總集二六八六八片。

按：考釋隸定爲「丁酉卜日貞☐菁☐」。通考從之，並定爲「卜日貞例」五十三頁。詳勘拓本所現示之情形，疑爲後世仿刻之贋品。如酉作　、殷虛所有之絜辭，無如此作者，又　字，考釋定爲菁，核諸殷虛五期之卜辭，菁字無如此作者。且書體板滯稚弱，頗乏神韻。

三九一　骨　第四期

1.鹿[字]弜
2.癸酉卜：[字]于葉
3.癸酉
4.癸[字]升比弜
5.庚午㞢妣母甲𤉲家

本拓本又著錄為鄴一、三六、四片，總集一九九五六片。

按：本拓本各辭，本校釋雖列序為五，僅欲便於觀覽而已。詳察其情形，實為習契之作；從而可窺師徒相向習契之神情。甚堪表達此情形者，為前四辭與後一辭之比較。第五辭不僅倒執而契，其書體且較他辭稚弱而零亂；必為習契未久者所作。而前四辭之作者，或已能獨立操觚，故書體較為遒勁，指導他人習契。

[字]：考釋云：「金文㱃鼎有[字]字，疑與此同」。通考定為[字]之倒文，並定為武丁時之貞人。釋之曰：「說文曲作」，此字从止从」，隸定應作㽞，即曲之本字。楊樹達釋𧾷𠙴，以形揣之，殊無據」六五五頁。就其構形察之，象足脛腿之形，楊樹達釋𧾷𠙴雖「殊無據」，然其義尚未離形遠去。較之釋曲高明一等。則釋曲之說，宜為殊「殊無據」矣。

[oracle-bone graph]：考釋云：「即果。象木上果實纍纍」。按：釋果非是，當即今字葉之初文；絜文枽作[oracle-bone graph]，其下从正與此同。釋葉，殆無疑也。

[oracle-bone graph]：考釋云：「[oracle-bone graph]之乚與界行之乚不同，始住筆皆裹曲；故知應作[oracle-bone graph]也。[oracle-bone graph]，爲地名」。按：字不識，於本辭亦非地名。

[oracle-bone graph]：考釋隸定爲[率]，無說。按：字不識，待考。

妣母甲：設確爲鈔襲自正確之栔辭者，應爲妣甲母甲之合書，甲二四二六片，丙四一三片即其例。

三九三 骨 第四期

1. 丙戌[卜]：丁亥不雨

其雨

2. 丙戌卜：叀大雨 用

本拓本又著錄爲鄴一、三六、五片，總集三三七八八片。

三九四 骨 第三期

☑𢀛其征羌甲王受又

本拓本又著錄爲鄴一、三六、六片，粹二五六片，總集二七二六二片。

柒、黃 濬藏拓本

按：本片與甲一五九九片爲同文；惟彼爲甲此爲骨。

圈：粹考隸定爲吏。非是。

三九五加京津三三一六　骨　第一期

1.丙午[卜行]貞：王室[　]歲二牛　在二月

2.丙午卜行貞：王室叙亡尤　在𠂤寮

3.丁未卜行貞：王[室]伐十人亡尤

4.丁未卜行貞：王室歲亡尤　在𠂤寮

5.[丁未卜行貞：王室]父丁[　]亡尤　在[二月]　在𠂤寮

6.丁未卜行貞：王室叙亡尤　在𠂤寮卜

本綴合版他書未著錄。首片又著錄爲鄴一、三六、七片，粹一二二二片，總集二四二七二片。

按：考釋及粹考均定第五辭爲重「在」字。粹考並於寮下增「卜」字。胡雜定爲「衍字例」，並謂「衍一在字」四〇頁。據同期同類辭例推勘，上在字宜爲「在某月」之殘，下在字則如所定。知三家之說均非。

三九六　骨　第一期

1. 丙寅卜爭貞：告凡𡆥眾□

2. □𡌥□于□若

3. 叀

本拓本又著錄爲鄴一、三六、八片，元嘉造象室所藏甲骨文字（簡作元嘉）一五〇片，存一、八四五片，總集一七四六六片。

按：本片第一辭與前六、九、六之辭爲同文；缺文即據彼補錄者，考釋併二、三兩辭爲一，並認定第三辭「叀」爲衍文。非是。

三九七　骨　第二期

面：1. 貞：亡尤 一

2. 戊戌卜𣎆貞：王賓兄己彡亡𡆥 一

3. 貞：亡尤 二

4. 戊戌卜卜貞：王賓父丁彡𠦪亡𡆥 一

5. 庚戌卜旅貞：王賓枫福亡𡆥

6. 庚戌卜旅貞：王賓枫福亡𡆥

7. 庚戌卜旅貞：王賓枫福亡𡆥

柒、黃　濬藏拓本

8.庚戌卜旅貞：王宓叙亡𡆥

9.庚戌卜旅貞：王宓杋福[亡𡆥]

10.庚戌[卜旅]貞：王宓杋福亡[𡆥]

11.庚戌[卜旅]貞：王〼

12.庚戌[卜旅貞]：王宓[杋]福[亡𡆥]

背：1.彭

2.宰

3.貞：亡尤

4.甲子卜旅貞：王宓杋福亡𡆥

5.亡尤

6.乙丑卜旅貞：王宓福亡𡆥

7.貞：亡丑

8.乙丑卜旅貞：王宓福亡𡆥

9.貞：亡丑

右面背兩拓本著錄爲總集二三三四一號。正面拓本又著錄爲鄴一、二七、片。

按：佚存未錄背面拓本，茲據總集補錄並今譯其辭如右。面拓考釋定爲十三辭，蓋衍「旬亡」一辭。考釋於第五辭謂：「此段有外欄作⺄形，似當時遺漏一節，補刻後沾注于左旁上下兩段文字之間，故欄外加一標記志之」。詳察拓本情形，所論殊非。蓋自第四辭（含）以下各辭，皆爲習契者所作。惟第五辭之書體較爲秀勁，刀法亦較圓熟，宜爲指道習契者，爲習契者所作之範本；故自此以下各辭辭例一致。以其爲範本，故以界欄圍之，以資醒目。至其左側之橫欄，宜爲上下各辭之界欄耳。考釋又云：「此版行款遣縱，極爲零亂，晚期物也」。審其說亦非。蓋不能因行款錯亂，定其爲晚期之物。且晚期之說亦嫌攏統。殷虛共得二七三年，若以早中晚三期分之，每期得九一年；此物第二期物，至晚不能於越於祖甲三十三年，再加祖庚七年，再加武丁五十九年，共得九十九年，僅及於中期之始，焉得稱爲「晚期」？若以早晚二期劃分，其產生之時代尚在早期。是考釋此說，全屬臆斷，不足爲訓。蓋本面背兩拓本之各辭，除面拓前三辭外，餘皆習契者所作。第四辭之背拓雖有鑽鑿，但其行款、書體、辭義等，尤以戊戌宄父丁，破綻最爲明確，必爲習契所作無疑。茲檢附面背兩拓本各辭示意於左，藉備觀覽。

佚三九七片卜序示意

A：

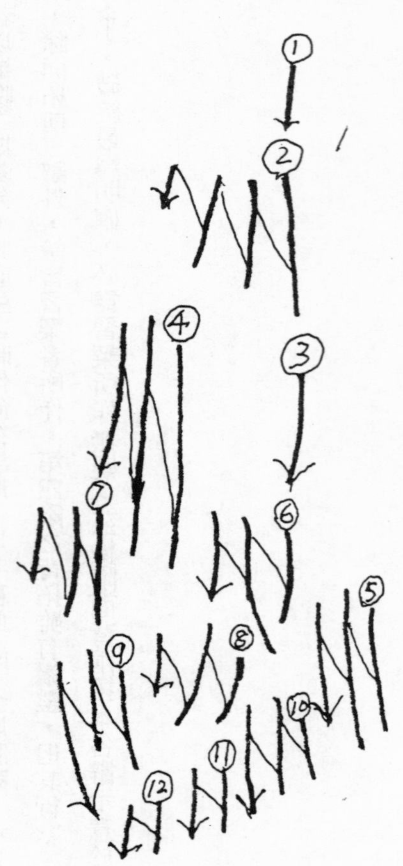

B：

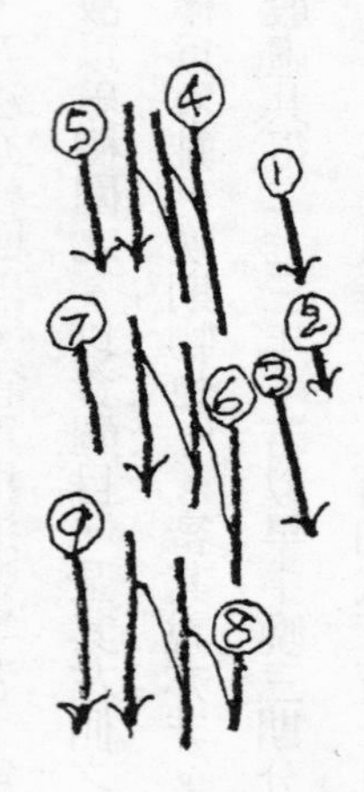

又按：通考以貞人卜及旅同見於本片，遂定貞人旅下及廩康時期九二頁。又謂：二及四辭「既非于祭日卜，又非先一日卜，而于同日卜祭父丁（武丁）及兄己，此爲但書卜日而不書祭日之例。不然，則爲不依干支日名致祭。在祖甲以後卜辭較爲罕見」一〇九。其說亦非。檢兄己之辭曰：「戊戌卜」，當爲先一日卜，至第四辭乃習絜之作，不能據之爲例，通考之作者不能審辨其情形，一意逞其筆鋒之快，殊爲非是。

□：考釋云：「余曩釋炬、玐，皆誤」。

□：考釋云：「郭釋龠，是也」。按：或釋戳，或釋龢，尚無定論。

三九八加總集一六八三〇　甲　第一期

1. 癸□卜貞：旬亡囚
2. 癸□卜貞：旬亡囚　一
3. 癸□卜貞：旬亡囚
4. 癸□卜□：旬亡囚　一
5. 癸□卜貞：旬亡囚
6. □　一
7. 癸未卜貞：旬卜囚　一

柒、黃　濬藏拓本

8.癸卯卜貞：旬亡𡆥　一
9.癸丑卜貞：旬亡[𡆥]　一
10.[　　　　]𡆥
11.[癸]亥[卜]貞：[旬]亡𡆥　二告
12.[癸]酉[卜]貞：[旬]亡𡆥　二告
13.[癸]丑[卜]貞：旬亡𡆥

本綴合版他書未著錄。首片又著錄爲鄴一、二七、二片，總集一六八二七片。

按：考釋未釋第六、七兩辭。核諸兆序及殘文，當有其辭，蓋緣已殘佚矣。又以殘佚太甚，前三辭之卜日已無由推勘，欲知其確，有俟綴合矣。

三九九　骨　第二期

1.癸未卜祝貞：旬亡𡆥　六月
2.癸丑卜大貞：旬亡𡆥　六月
3.癸亥卜大貞：旬亡𡆥　六月
4.癸酉卜大貞：旨亡𡆥
5.癸巳卜祝貞：旬亡𡆥

6.癸卯卜貞：旬亡囚

7.癸丑卜出貞：旬亡囚　七月

8.癸巳卜祝貞：旬亡囚

本拓本又著錄爲鄴一、二七、三片，總集二六六四三片。

按：本拓本各辭，就其書體、貞人、月序上未系「在」字等徵候推勘，宜爲祖庚時之卜旬殘骨。持與祖庚年曆譜比勘，恰當祖庚元年六月，及二年六七八三個月；外此，無可游移之年代。尤有進者，元年六月三旬之當值貞人爲大，二年六月之當值貞人爲祝，八月亦爲祝，而七月則爲貞人出當值。如此整齊吻合，眞乃其眞確之卜用時日矣。茲譜之於左，以證其眞確。

祖庚元年 西元前一二八〇年——據八月乙酉月食考訂正

四月大己酉 朔

癸丑 初五

癸亥 望

癸酉 二十五　　卜序示意：

五月大己卯 朔

癸未 初五

癸巳 望

柒、黃　濬藏拓本

癸卯 二十五

六月小己酉 朔

癸丑 初五　　癸丑卜大貞：旬亡𡆥　六月

癸亥 望　　癸卜大貞：旬亡𡆥　六月

癸酉 二十五　　癸酉卜大貞：旬亡𡆥

祖庚二年 西元前一二七九年

六月大壬申 朔

癸酉 初二

癸未 十二　　癸未卜祝貞：旬亡𡆥　六月

癸巳 二十二　　癸巳卜祝貞：旬亡𡆥

七月小壬寅 朔

癸卯 初二　　癸卯卜貞：旬亡𡆥

癸丑 十二　　癸丑卜出貞：旬亡𡆥　七月

癸亥 二十二

八月大辛未 朔

癸酉 初三

癸未 十三

癸己 二十三　癸巳卜祝貞：旬亡囚

四〇〇　骨　第一期

1. 貞：我不其受黍年
2. 貞：我受黍年
3. 貞：我不其受稻年
4. 貞：我受稻年
5. 貞：勿令倉矦歸
6. 貞：令倉矦歸
7. 貞：勿令倉矦歸
8. 㞢于妣庚
9. 㞢于妣丁

本拓本又著錄爲鄴一、二七、四片，元嘉五〇片，存一、一八〇片，總集一〇〇四三片。

按：胡雜定本片各辭爲「獸骨相間刻辭例」四三七頁。

稻：考釋釋酓，云：「說文：酓、繹酒也。此曰受酓年，不受酓年，殆卜所埶釀酒之黍，豐年不

柒、黃　濬藏拓本

豐年也」。通考釋穤：云：「穤、唐蘭釋稻。說文：穤、穈和也。義無涉。惟从米與从禾同意。疑穤即穤。集韻：穤穇，穀名」九十三頁。按：唐氏釋稻說，見殷虛文字記，茲不贅錄。從其說。

妣庚：考釋無說。按：此爲武丁時期之辭。檢武丁上世諸先王之奭，其廟號曰庚者，依序爲小乙、祖丁、羌甲、祖辛及示壬五王，除小乙之奭不得偁妣，據例，餘王之奭皆得偁妣。惟見於卜辭者，羌甲之奭必與之同時偁之，絕無單偁妣庚者。祖辛奭之廟號雖曰庚，亦得偁妣，但與武丁已出三世，相間七王之遙，未必偁是。而示壬之奭見於卜辭者，必曰「高妣」。然則，此妣庚爲武丁偁其祖母，祖丁之奭矣。

妣丁：考釋亦無說。按：此偁初見於前一、三三、四片，爲四期文武丁時之辭。吳其昌氏曰：「殷代帝室之母系中，適無妣丁其人，卜辭亦絕未見此名。羅氏于後編一、六、六契有□字之下一片，編入栔有□字之片按：此二文栔於同片，即後上六、六吳氏說非，羅蓋誤認□爲妣乙合文，又誤認□爲妣丁合文之故也。不知□爲保字之殘文，非妣丁也。故無可考」解詁三五三頁。檢妣丁之偁，多見於文武丁時之辭，若乙二一〇六，四〇六四，五四一〇，八七七五，八八一五，八八九四，八八九七，八九四五，八九四九，與一一七四加一四四六加一四四九綴合版，庫方一九八八等十一片。拙作殷虛第十五次發掘所得甲骨校釋，於乙八七七二綴合版說解中，曾疑其爲康丁之奭。惟本片爲第一期武丁時之辭，所偁之實體，宜與四期者異。又菁九、二綜類誤作一〇、二片亦有此偁，爲二期之辭，所偁之實體宜與本片同。考武丁上世諸王之奭廟號曰丁者，前賢殊少考訂。然見於卜辭者，武丁時期確有「妣丁」之偁，若前八、一

三、三（綜類誤作一〇、三）有辭曰：「⧄卜宂貞：⧄妣丁羌⧄」（吳氏失檢遂有絕無重見之說）。乙八七〇片有辭曰：「⧄永⧄勿祥⧄帚好卸⧄妣丁小宰」。然則，此妣丁爲何王之奭歟？就同片妣庚之例推察，疑其爲中宗祖乙之奭。然無證據確證之，存疑可也。

四〇一　骨　第二期

1.庚子卜行曰貞：翌辛丑其又升歲于且辛？

2.貞：毋又？　在正月

3.貞：翌辛丑其又且辛宰？

4.貞：二宰？

5.翌辛丑且辛歲犁牛？

6.貞：弜犁[牛]？

7.己巳卜行貞：王宂杋福亡囚？

8.貞：亡尤？　在十一月

9.庚午卜行貞：王宂杋福亡囚？

10.貞：亡尤？　在十一月

本拓本又著錄爲鄴一、二七、五片，總集二三〇〇二片。

柒、黃　濬藏拓本

按：第一辭「行日貞」，辭例僅見；宜爲卜辭之珍例也。通考「卜某日貞例」[一五]，亦僅列本辭。詳勘本片各辭，前六辭爲一事，餘四辭又爲一事。始卜於正月庚子，止於十一月庚午；曆三百三十一日。設此中一個月，單月爲三十日，得一八〇日；雙月爲二十九日，得一四五日；共計三二五日，少於卜辭之日數六日；亦即此十一個月日數之總和，不能容納卜辭之日數，則其間必有閏月也。其或爲賡續二年所卜者，未始爲非，若然，則始卜於十一月己巳，止於翌年庚午；曆九十二日而畢；然此日數，即使三個連大月，亦僅止爲九十天；是亦必有閏月也。持與祖甲年曆譜比勘，於三個月內有閏月者爲十一、二十、三十等三個年代；然皆與本拓本之各辭不合，當非其所卜用之年代。若據同年所卜用者勘之，亦爲三個年次，即九、二十二、三十三等年，恰與卜辭之卜日干支合，亦與胛骨卜法通例合，是此三個年次中，必有其一爲本殘骨之眞確之卜用時日。檢彥堂先生殷曆譜，據本殘骨之辭製爲閏譜四（祖甲九年），茲據之將其辭譜之於左。

祖甲九年　西元前一二六五年

正月大甲申朔

己亥十六

庚子十七　庚子卜行日貞：翌辛丑其又升歲于且辛

貞：毋又　在正月

貞：翌辛丑其又且辛

貞：二宰

貞：翌辛丑且辛歲犁牛

貞：㚸犁牛

辛丑十八　〔辛丑：且辛歲犁牛〕

辛亥二十八

壬子二十九

癸丑三十

二月小甲寅朔

三月大癸未朔

閏三月小癸丑朔

四月大壬午朔

五月小壬子朔

六月大辛巳朔

七月小辛亥朔

八月八庚辰朔

九月小庚戌朔

柒、黃濬藏拓本

十月大己卯朔

十一月小己酉朔

戊辰二十

己巳二十一　己巳卜行貞：王宊枂福亡𡆥

貞：亡尤　在十一月

庚午二十二　庚午卜行貞：王宊枂福亡𡆥

貞：亡尤　在十一月

辛未二十三

壬申二十四

癸酉二十五

甲戌二十六

乙亥二十七

丙子二十八

丁丑二十九

四〇一　甲　第二期

1\. 癸丑卜骨貞：今夕亡[囚]　一
　貞：今夕不雨　二
　貞：其雨　在四月　三

2\. 丙辰卜骨貞：今夕亡[囚]　一
　貞：今夕不雨　二
　貞：其雨　在四月　三

3\. 己未卜骨貞：今夕亡[囚]　一
　貞：今夕不雨　二
　貞：其雨　在[囗]　三

4\. 壬戌卜骨貞：今夕亡[囚]　一
　貞：今夕不雨　二
　貞：其雨　在四月　三

5\. 乙丑卜骨貞：今夕亡[囚]　一
　貞：今夕不雨　二
　貞：其雨　三

6\. 戊辰卜骨貞：今夕亡[囚]　一

柒、黃　濬藏拓本

貞：今夕不雨　在五月　二

貞：其雨　三

7.辛未卜骨貞：今夕亡囚　一

貞：今夕不雨　在五月　二

貞：其雨　三

本拓本又著錄爲鄴一、三四、一片，總集二四八三片。

按：考釋定第一辭第三卜爲「在㠯□」；第二辭第三卜爲「在㠯四月」；第四辭第二卜未釋；並卜兆序數均未釋。非是。又：第三辭第三卜「在㠯」，據例：㠯下當有地名字。茲據例以「□」示之。

察拓本情形，此蓋左背甲之殘；就其殘存之版面情形推測，此背甲頗爲碩大，由頂至尾可能在十二吋以上，宜稱爲大龜矣。據殘存之六、七兩辭，及卜兆序數推勘，其餘殘辭之情形當亦如之。茲並參酌佚存四〇六綴合版之情形，擬補一至五辭如右，而用□識之。又；四月之紀月辭系於第三卜，五月之紀月辭則系於第二卜；是紀月辭系於何處，並無定準之成例，悉任史官之便也。惜四月之卜用日辰盡皆殘佚，無由稽考其卜用時日矣。

四〇三　重見三九一片　刪

四〇四　甲　第一期

癸酉卜爭貞：翌甲戌夕十羊，乙亥酒十□十𤉲牛　丝用　二

本拓本又著錄爲鄴一、三四、三片，元嘉六九片，存一、三六八片，總集一六二六五片。

四〇五　甲　第一期

1.貞：〼从〼不隹〼　六月

2.貞：王〼䎽其〼隹齒　五

本拓本又著錄爲鄴一、三四、四片，總集一七二九五片。

按：第二辭卜兆序數「五」，考釋濫爲卜辭，非是。

四〇六加鄴一、二九、一加甲三三九九加甲三四〇三　甲　第三期

1.戊戌卜買貞：今夕亡𡆥　一

貞：今夕不其雨　二

貞：今夕其雨　三

2.己亥卜何貞：今夕亡𡆥　一

柒、黃　濬藏拓本

貞：今夕𢼄　二

[貞：今夕其不𢼄]　三

3.庚[子]卜何貞：[今夕]亡𡆥　[一]

貞：今夕𢼄　不雨　二

貞：今夕其不𢼄　雨　三

4.辛丑卜買貞：今夕亡𡆥　[一]

貞：今夕𢼄　二

貞：今夕不其𢼄　三

5.壬寅卜買貞：今夕亡𡆥　一

貞：今夕𢼄　不雨　二

[貞]：今夕[不]其𢼄　不雨　[三]

6.癸卯卜買貞：今夕亡𡆥　[一]

貞：今夕其雨　[二]

貞：今夕不其雨　[三]

7.癸卯卜何貞：今夕亡𡆥　一

貞：今夕不征𢼄　二

三

8.丙午卜貫貞：今夕亡囚　一

貞：今夕不雨　二

[貞]：今夕[其]雨　三

9.壬子卜貫貞：今夕亡囚　一

貞：今夕𢼄　二

貞：今夕不其𢼄　三

10.戊辰卜貞：今夕亡囚

貞：今夕其雨

貞：今夕取岳　雨

本綴合版已著錄爲書譜三四、一片，新綴六六版總集三四六〇頁。首片又著錄爲鄴一、三四、五片。

按：考釋未釋第三辭第一卜殘留之「庚貞」，及第五辭第二、三兩卜「不雨」之不。

又：胡編合集不知此數片可以綴合，分別編錄爲三一五四七、三一五四八、三一五八二等，故仍爲散亂之四殘片，殊爲可惜，雖胡氏自詡合集中綴合之甲骨數千片，前此之綴合無出其右者，然而，卻將此大好之綴合素材失之交臂，豈非可惜哉？

再：本拓本爲背甲，雖歷經綴合，但仍欠完正。茲就綴合之版面情形，循其干支日辰推尋其卜序，約略始於甲面之下端，上行至頂，折而左下，緣甲邊上行，至頂，右轉而下行，呈右旋式之卜序。據此，可推知四〇二片之卜序爲：自右緣上行，至頂左轉下行。茲檢附本綴合版卜序示意圖，藉便觀覽。

四〇六卜序

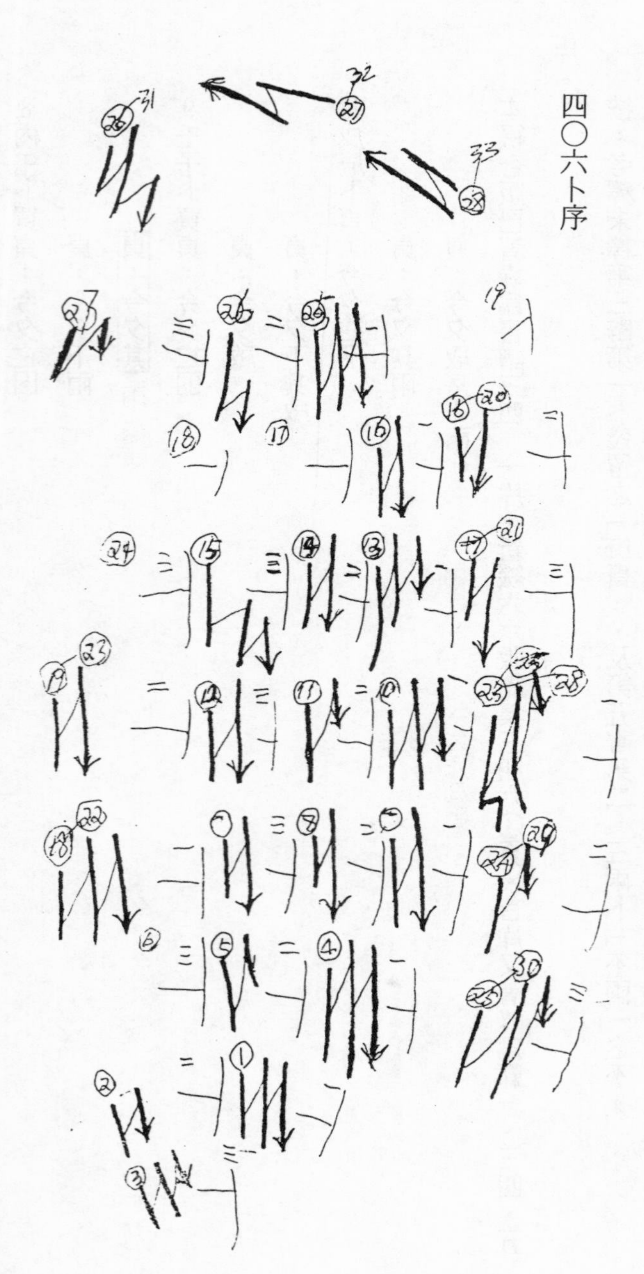

□：考釋釋爲「甲辰」，甲考迻寫原文，定爲第三期貞人二四三頁。綜述隸定爲名，並認定爲武丁時期，方組貞人之附屬貞人五二〇頁。通考釋合，並斥綜述釋名爲非一〇九八。殷虛卜辭研究迻寫爲□，定爲第三期貞人十九及三三頁。詳察栔文構形，字从□从□，从□，即今字網之初文、釋名、釋合、或寫作□均非，茲从釋買說，並定爲第三期貞人。惟貞人買之名，栔辭罕見。本綴合版竟有其六辭之署名，至爲珍貴。

四〇七加粹六八　骨　第四期

1. 丁巳貞：求于□二小宰俎大牢
2. 丁巳貞：酒升歲于伊尹
3. 丁巳卜：又出日
4. 丁巳卜：又入日
5. 己未貞：庚申酒求于□二小宰俎大牢　雨
6. 弜酒聂

本綴合版已著錄爲新綴五四三版。首片又著錄爲書譜四〇、四片，頌齋所藏甲骨文字第二片，鄴一、三四、六片，存一、一八三〇片，總集三四一六三片。

按：合集未錄本綴合版。審此綴合，至爲正確，然合集竟不予采錄；不悉原因。審其所錄之綴合

柒、黃　濬藏拓本

版，若二七八二〇、三三〇〇六等版，雖綴合錯誤，則硬是入錄，不悉胡氏編輯合集之準據爲何。

有李圃者，不悉其何須人也。曾選輯甲骨六三五片，署名曰甲骨文選讀。審其所輯，百之八十取材於新綴，而於其所列分類之氣象類中，竟遺棄本綴合版及佚存之八六片，而選輯懷特一九六九片，可慨也邪。又其所謂其他類中選輯鐵一六七、四片，而說之曰：「例如；亥卜癸貞旬亡𡆥，當爲：癸亥卜，出貞：旬亡𡆥之倒刻」一三四頁。此貞是開倒車，將甲文之說解退回於孫詒讓作契文舉例之時代。此眞是不懂甲骨卜辭之尤者也。

胡雜定第五辭爲「一辭左右兼行例」，而釋之曰：「酒賁于毌十小宰」四三〇頁。非是。茲據第一辭正之如右。

頌齋，爲容庚希白氏（一八九五—一九八三）書齋之稱，容氏收藏甲骨鐘鼎以及書畫等約兩千餘件；自一九五〇至一九七〇之二十年間，已分批捐獻殆盡；其藏書亦捐給廣州中山大學矣。

出日：考釋隸定爲「廿日」；入日：隸定爲「六日」。均非。餘請參閱八六片之說解。

四〇八　甲　第三期

王巽

本拓本又著錄爲鄴一、三四、七片，總集三一九〇三片。

四〇九　骨　第四期

不冓雨

本拓本又著錄爲鄴一、三四、八片，總集三三九二七片。

四一〇　甲　第二期

☐[illegible]新☐且乙☐王受又　二

本拓本又著錄爲鄴一、三四、九片，京津四〇〇八片，總集二七二一六片。

按：[illegible]新，考釋隸定爲「毖妣辛」。詳審拓本，書體板滯，行款拘謹；尤以[illegible]及受字，殊乏契文應有之韻緻，不類殷史所契者。且辭不能句讀，不能達意，文理窒塞。緣斯，疑其爲後世仿造之贗品。

四一一　骨　第一期

于　勿　用

本拓本又著錄爲鄴一、三四、一〇片。

按：考釋定本拓本之辭爲「勿嬪」。詳審拓本，實無卜辭可尋；蓋僅止於拓本上下右三邊緣處，各有殘文一，無由推察其各爲何字之殘，亦無相屬成辭之由。茲姑自下而右而上，定其殘文如右；然否，未敢必。至其各皆爲何字之殘，其辭爲何，則有俟於綴合矣。

四二二加合集三三九七九　骨　第四期

1. 于大示告方
2. 多尹在[glyph]
3. 癸巳卜：福告自般
4. 叀牛☐告

本綴合版已著錄爲總集三三九七九版；首片又著錄爲鄴一、三〇、一片。

按：本綴合版與鄴三、四〇、八片爲同文；惟鄴三已殘佚第二辭以下各辭。

四二三　骨　第一期

1. ☐巳易日　十月
2. ☐㞢匕于丁于南室酒
3. ☐其[glyph][glyph]于丁㞢百羌卯十[牢]

本拓本又著錄爲鄴一、三〇、二片，北大一、二六、二片，續二、一九、三片，總集二三五四三片。

□：字不識。

□：考釋隸定爲召，亡說。通考隸定爲曾，亡說八六二頁。字不識。

四一四　已綴合於五八片，請參閱。

四一五　骨　第四期

1.癸丑貞：多宁其祉又升歲于父丁　其三牢

2.癸丑貞：王又歲于且乙　于父丁又歲

3.甲寅貞：自且乙至毓　丁巳小雨　不祉

本拓本又著錄爲鄴一、三〇、四片，元嘉二三九片，存一、一八〇四片，總集三二五一七片。

按：本片與佚一四〇片爲同文，或爲同組之卜骨。請參閱該片之說明，此不贅述。

考釋定第三辭「毓」爲母辛，第四辭「不祉」爲不行，均非。毓，蓋即毓且乙之略。

四一六　甲　第一期

勿[illegible]

本拓本又著錄爲鄴一、三〇、五片，總集一八五三四片。

[illegible]：字不識，就其構形審量，字从止从皿，字書未見。

[illegible]：考釋釋𠟭：「即俎。象操刀于俎旁。前一、四二、一片之[illegible]同字同義」。按：所釋非是。字蓋从皀从入，[illegible]，盛食物之器，與食字所从同，爲扱食之具，究當今之何字何義，有俟考定。

四一七　骨　第三期

1.上甲

2.大乙先酒王受又

本拓本又著錄爲鄴一、三〇、六片。總集二七〇五五片。

按：考釋定爲一辭。「囗大乙先上甲酘王受又」。並釋之曰：「卜辭每有先某某之文，蓋雖合祭，必先祀某某，故明記之也」。所論未當，此蓋二辭。茲訂正如右。

四一八　骨臼　第一期

帚杞示二屯又一骨　⿱宀方

本拓本又著錄為鄴一、三〇、七片，總集二七五二六片。

按：或謂：本骨臼與後下三三、一〇片，為同對胛骨之兩骨臼。茲予詳為比勘，知其非是。請參閱本校釋三七九片校釋。

杞：考釋云：「字从木从巳，唐寫本說文解字木部有𣏌字，莫友芝箋異云：集韻止部，象齒切，相、梩、杞、耜、杞、枱同字，引說文同。小徐疑其所見本有杞重文，唐本與二徐各失其一。詳里、象齒，即今讀相如杞之音。杞則杞之俗；耜、枱，亦杞之俗也。自唐人經典相承用耜，五經文字遂無相字，僅存二徐說文；廣韻又收杞失杞，而杞，相異，正字無有能識之者矣。今以杏字觀之，說文一書，為後世傳抄譌脫之字不知凡幾，而由甲骨文中可增補校正之者，固在在皆是也。後下三十三、一〇片文與此同。杏、地名」。按：所釋尚可采信，惟隸定為杏，釋為地名，則非。

十屯：考釋隸定為「七矛」，非是。

四一九　骨　第四期

〼在四且丁宗

柒、黃　濬藏拓本

本拓本又著錄爲鄴一、三〇、八片，總集三八二二六片。

考釋云：「丁上之四乃紀數字，非正文。以字體觀之，字非晚期。而四祖丁于殷世亦無其人」。

按：所釋非是。此乃四期文武丁時之辭，四且丁，爲文武丁稱其高祖武丁之辭者。此前有大丁、中丁、且丁，故於武丁依次爲四，又或稱爲毓且丁者，亦同。

四二〇　骨　第三期

辛丑卜：翌日壬王其田狩亡戋　大吉

本拓本又著錄爲鄴一、四七、一片，總集二八七七五片。

四二一　甲　第四期

1. ☐亡取☐
2. ☐專興☐

本拓本又著錄爲鄴一、四七、三片，總集二一七四六片。

考釋云：「□，昔釋與，誤；乃興字。字象四手各執盤之一角而興起之。金文父辛爵作□，與此同。又或增口作□，□（鬲叔盨及興鼎），則舉重物邪許之聲也。說文以爲从同，同力也。非是」。按：所釋未當。从□、非盤。且盤之爲物，無論古今，固毋庸四手各舉一角之盤。字蓋取車身及前後輈之形，而以衆手或人，推挽或肩輿之意。蓋即今字輿之初文，自輿用爲車輿，遂衍爲輦字，輦，以今語況之，乃人力車也。

四二二　甲　第三期

丙寅卜貞：叀游☐湄日亡𡿧

本拓本又著錄爲鄴一、四七、三片。總集二九二三二片。

按：湄日、考釋隸定爲「瞢」，並說之曰：「瞢、即濳之省」。非是。

四二三　骨　第三期

☐王室杋福亡尤　六月

本拓本又著錄爲鄴一、四七、四片。

按：月序「六」，考釋認定爲紀數字，非是。

四二四　甲　第二期

在自濮卜

本拓本又著錄爲鄴一、四七、五片，京津三六四七片，總集二四三二八片。

四二五　甲　第四期

1.在☐

2.妣癸☐ ☐

3.☐卜：子丁辛☐

本拓本又著錄爲鄴一、四七、六片，總集二二三一六片。

按：考釋定爲三辭，未必爲是。

四二六　骨柶　第四期

按：本骨柶與佚存五一八號爲同文，拙曾作專文論述之，刊於中國文字新十期，請見附錄二。

四二七　骨柶　第四期

辛巳王（目刂）武丁☐菉隻白豙，丁酉☐

本骨柶反正兩照片又著錄爲鄴一、四七、八及九片，衡齋金石識小錄四十五頁，書譜五十六頁。

按：本骨柶合集未錄。迄今僅此照片傳流而已；其實物今落誰家，則不之知也。正面彫鏤饕餮紋等，背面刻紀事辭。經考定，爲文武丁六祀之遺物。

考釋云：「[illegible]，疑丁酉合文。辛巳獲白冢，丁酉用之，相隔十六日。字中嵌松石。疑此即冢骨，治以爲柶，以旌田功；非用具也」。

刞：通考釋宜（六三九頁）。茲從釋刞說。

四二八 骨 第五期

面 1.癸酉王卜貞：旬亡猧？王𠧞曰：吉。在十月一。甲戌昱日大甲。

2.癸未王卜貞：旬亡猧？王𠧞曰：吉。在十月一。甲申昱日小甲。

3.癸巳王卜貞：旬亡猧？王𠧞曰：吉。在十月一。

4.癸卯王卜貞：旬亡猧？王𠧞曰：吉。在十月又二。甲辰昱日戔甲。

5.癸丑王卜貞：旬亡猧？王𠧞曰：吉。在十月又二。甲寅昱日羌甲。

背：昱日小甲

右面背兩拓本又著錄爲鄴一、四三、一及三片，總集三五六四六號。

按：考釋定第一辭爲「在□月翌日甲戌」，說之曰：「以下辭例之，當如是」。定第三辭爲「在十月」。第五辭爲「翌日小甲」。均非。茲訂正如右。

考釋於第四辭謂：「癸卯之翌日爲甲辰，此曰甲辰翌日，即翌日甲辰祭戔甲也」。按：考釋此說，乃似是而非。蓋緣其不知「昱」爲祭名，故以翌日釋之也。

柒、黃 濬藏拓本

考釋又於背拓之辭云：「唐氏云：此文乃承正文在十一月甲申言之，與下文在十月又二甲辰翌日戔甲正同。蓋正面已刻滿，不得不續刻于背面也。此在卜辭中尤為罕見之例」。按：唐說是也。惟面背相承之例，無論甲或骨之卜辭，其例並不算罕見。

戔甲：考釋云：「[甲骨文]甲、董氏疑為開甲，即河亶甲。未能信。唐氏謂：[甲骨文]甲，當釋為戔甲，卜辭祭戔甲，必次于小甲，則董君以為即河亶甲殆是。案[甲骨文]，郭氏亦讀戔，皆未當」。按：唐說是也。

本片面背各辭，彥堂先生考定為帝辛四十二祀所卜契者，並以之製為帝辛祀譜，請參閱，茲不贅錄。

四二九　甲　第四期

1.丙辰卜：亞☐[甲骨文]一月至☐　一

2.☐　二

本拓本又著錄為鄴一、四三、二片，京津三〇四二片，總集二二三〇三片。

[甲骨文]：考釋云：「[甲骨文]乃行與[甲骨文]為一字」。按：所釋苦澀窒塞，審其構形，从彳从大，隸定之，當作𢓊。說文未見，不識其音義。

四三〇　骨　第二期

1.戊午卜　貞：王其☒[自入]于☒亡巛

2.☒王其步☒于析☒　在正月

本拓本又著錄爲鄴一、三八、一〇、及四三、四片，京津三四七七片，總集二四二六三片。

按：就其殘辭之情形推察，似爲祖甲時期卜步，或卜往來之辭。惜辭殘太甚，無由推勘其確矣。

[自入]：考釋隸定爲自入，未必爲當。

四三一　骨　第四期

□未卜：雚☒又歲三牢

本拓本又著錄爲鄴一、四三、五片，總集三四三一九片。

按：本辭卜日之天干字，就版面之空間判斷，似宜未佚。然緣恰當泐文稠密處，無法辨認，姑以□識之，以俟同辭例之比勘，或綴合之證驗。

四三二　甲　第四期

1.☒左雍王☒受又又

柒、黃　濬藏拓本

2.☐知☐征

本拓本又著錄爲鄴一、四三、六片，總集三一二一〇片。

按：第二辭考釋未釋。

左雍王：考釋隸定爲「又環于」，無說。審契文𠂇，釋左已是定論，勿庸贅述。至殘文干，就其刀筆之取勢推察，疑爲王字之殘。

又又：契文作𠂇二。考釋隸定爲祐，而說之曰：「郭氏讀作有又，非是」。按：郭說音是字非。

四三三　甲　第三期

貞：王宓福亡〔巛〕

本拓本又著錄爲鄴一、四三、七片，總集三八四六〇片。

四三四　骨　第五期

1.丁亥〔王卜貞〕：田〔　〕〔往來〕亡巛？

2.戊子王卜貞：田桑往來亡巛？王冎曰：弘吉。丝知隻狼一。

3.辛卯王卜貞：田宮往來亡巛？王冎曰：吉。

4.壬辰王卜貞：田[雨疐]往來亡巛？王冎曰：吉。

5. 癸巳王卜貞：田𢓊往來亡災？王𡆥曰：吉。

本拓本又著錄爲鄴一、四三、八片，京津五三八四片，書譜四九、三片，總集三七四九七片。

按：考釋定第一辭爲「田疆」。未必爲是。茲緣拓本殘佚，無由定其爲何地，故以□示之。

四三五　甲　第五期

戊子卜貞：王其田，不雨？　吉

本拓本又著錄爲鄴一、四三、九片，總集二八五五〇片。

四三六　甲　第三期

☐田𤎩☐亡𢦏

本拓本又著錄爲鄴一、四三、一〇片，總集二九三〇五片。

四三七　甲　第三期

貞：□[illegible]□不雨

本拓本又著錄爲鄴一、四三、一一片。

[illegible]：字不識。考釋隸定爲兌，無說。

柒、黃濬藏拓本

四三八　甲　第一期

六千

本拓本又著錄爲鄴一、四三、一二片，總集一七九一三片。

考釋云：「六千之數，僅此一見」。

四三九　甲　第四期

☐午卜[illegible]：☐丙戌☐步

本拓本又著錄爲鄴一、四三、一三片。

丙戌：通考定爲武丁時之人名（六六一頁），又列爲備考，定爲未能肯定之卜人（八〇一）。姑存其說，聊備一格。

四四〇　甲　第三期

1. 已酉☐貞：祒☐妣又正
2. ☐卜☐貞：☐其祝

本拓本又著錄爲鄴一、四三、一四片，京津四二五五片，總集三二〇八五片。

按：考釋定第一辭爲「乙酉卜貞祒夷有征」。第二辭爲「☐卜貞七其祝」。均未必爲是。

丨：考釋云：「丨字縱筆過長，疑非甲字」。詳察拓本情形，考釋寫誤，實作／形。就其筆勢及卜辭之辭例推測，釋七、釋甲。均非。疑其爲王字漏契橫筆，縱筆亦未全契，適又當盾紋之處，辭亦殘缺不全，致有不同之推測。若能綴合還原，並有辭例可徵，當可定其究爲何字矣。茲緣未由肯定，故以□識之，以俟訂正。

捌、馮汝玠藏拓本

八六二　骨　第一期

1.癸[卯卜㱿]貞：☐王☐

2.丁未卜㱿貞：勿令卓伐𢀛方弗其受[㞢又]　一

3.戊申卜㱿貞：勿隹王往　一

本拓本又著錄爲總集六二九四片。

按：此與林二、二四、五片爲同組之卜骨，本片卜序爲一，林片爲二。胡文定爲「二辭同文例」（一〇六頁）。察第二辭與佚存十七片之辭，除貞人，餘亦同文。缺文、即據二片補錄。胡文有所謂：有同文異史例者（一〇六頁），亦即此也。

考釋定第一辭爲「王貞」。據例，應爲非是。

八六三　甲　第一期

1.壬☐貞：我☐[illegible]☐

2.貞

本拓本又著錄爲總集一七九五七片。

□：考釋隸定爲「僃」。無說。

八六四　甲　第三期

1.庚午卜何貞：王往于日不冓雨□叀吉

2.王往于日

本拓本又著錄爲總集二七八六七片。

日：考釋云：「日，爲地名」。通考云：「于日者，于日中爲祭」一〇八也。按：二說未必爲當，存疑可也。

□：考釋隸定爲燕，當否俟考。

八六五　骨　第四期

1.弗執召

2.丝用

本拓本又著錄爲總集三三〇三一片。

八六六　骨　第一期

面：己卯卜□貞：父乙壱王？

臼：丙寅邑示十屯　㱿

本面臼兩拓本又著錄爲總集二三二五號；臼拓又著錄爲簠典四四片。

按：考釋定臼拓「十屯」爲七耂，非是。

考釋謂：面拓之辭「王下仍當有辭，未刻全」。按：所釋非是。「壱王」之詞，屢見於栔文，證明本辭已經成辭，不得以「未刻全」論之。

八六七　骨　第一期

癸酉卜㞢貞：勿衛年〼

本拓本又著錄爲總集九六二四片。

八六八　甲　第一期

□□卜㱿貞：〼涉河〼我〼　一二

本拓本又著錄爲總集八二三二片。

掤、馮汝玠藏拓本

八六九　骨　第一期

1.☒勿夕☒[illegible]☒

2.王

本拓本又著錄爲總集一五五〇一片。

按：第一辭「[illegible]」下有向右上斜之橫粗劃，或釋爲辭與辭之界欄者。詳察其形，未必爲是。

九一五　甲　第五期

1.庚戌卜貞：王今夕亡猧

2.壬子卜貞：王今夕亡猧

3.在賓龔☒弘昜反☒乙丑寧

4.☒亥卜☒且乙[illegible]日　在八月

本拓本又著錄爲簠帝五五（僅第四辭）片，續三、三一、一片，總集三五六七三片。

按：考釋亦定爲四辭，雖前二辭所定不殊，然於後二辭則頗殊異。詳審拓本，就其書體、行款、辭義、契辭位置等，頗疑其爲實物出土後，於其空隙較大處，作僞仿造。故其辭不能達義，書體亦不成形，若[illegible]字者是其例。至前二辭宜爲卜夕辭。

玖、柯昌泗藏拓

九八七 甲 第五期

1. 丁未卜貞：王迖往來亡巛
2. 丁巳卜貞：王迖往來亡巛
3. 辛巳卜貞：王迖往來亡巛
4. 丁卯卜貞：王迖往來亡巛
5. 丁亥卜貞：王迖往來亡巛
6. 丁酉卜貞：王迖往來亡巛
7. 壬寅卜貞：王迖于□往來亡巛
8. 己酉卜貞：王迖往來亡巛
9. 戊辰卜貞：王迖于□往來亡巛
10. 丁亥卜貞：王迖于害往來亡巛
11. 丁酉卜貞：王迖于害往來亡巛

12. 丁未卜貞：王戋于[illegible]往來亡𡿧
13. 己未卜貞：王戋往來亡𡿧
14. 庚寅卜貞：王戋[illegible]往來亡𡿧
15. 戊午卜貞：王戋于[illegible]往來亡𡿧
16. 辛巳卜貞：王戋于[illegible]往來亡𡿧
17. 丁亥卜貞：王戋于□往來亡𡿧
18. 丁酉卜貞：王戋于書往來亡𡿧
19. 丁巳卜貞：王戋于宮往來亡𡿧
20. 辛酉卜貞：王戋往來亡𡿧
21. 乙丑卜貞：王戋書往來亡𡿧
22. 丙寅卜貞：王戋于[illegible]往來亡𡿧
23. 丁卯卜貞：王戋往來亡𡿧
24. 丁巳卜貞：王戋往來亡𡿧
25. 壬寅卜貞：王田往來亡𡿧
26. 丁未卜在[illegible]貞：王其入大邑商亡𢓊
27. 己酉卜貞：王戋往來亡𡿧

28.辛丑卜貞：王䢅往來亡𡿧

29.戊辰卜貞：王田往來亡𡿧

30.壬申卜貞：王田往來亡𡿧

31.戊寅卜貞：王䢅往來亡𡿧

32.壬午[卜貞]：王田[往]來[亡𡿧]

33.丁亥卜貞：王䢅往來亡𡿧

本拓本又著錄爲通別二、二片，續三、二四、一片，總集三六六三九片。

按：佚存所著錄者爲實物拓本（附圖一），通別二所著錄爲實物照相，號稱岩間大龜（附圖二）。兩者雖爲同一腹甲，但緣係以殘片所綴合，故兩者頗有差異。商氏考釋，認柯氏所藏拓本綴合未當，而予訂正，並附訂正之寫本於考釋之後（約略與岩間彷彿）；但緣訂正未當，故所作釋文與柯氏藏拓無大差異。至別釋，始附錄較爲正確之照片與楷定寫本。茲據重印本殷虛書契續編所錄訂正之拓本，續編研究所錄正確之寫本，定爲三十三辭，並據腹甲卜法通例，定其辭序如右列。剔餘之三小片，則援本校釋之前例，分別賦予九八七之一至三之序號，藉爲識別。另再檢附本校釋卜序示意圖，藉資校核，而利研究。

九八七

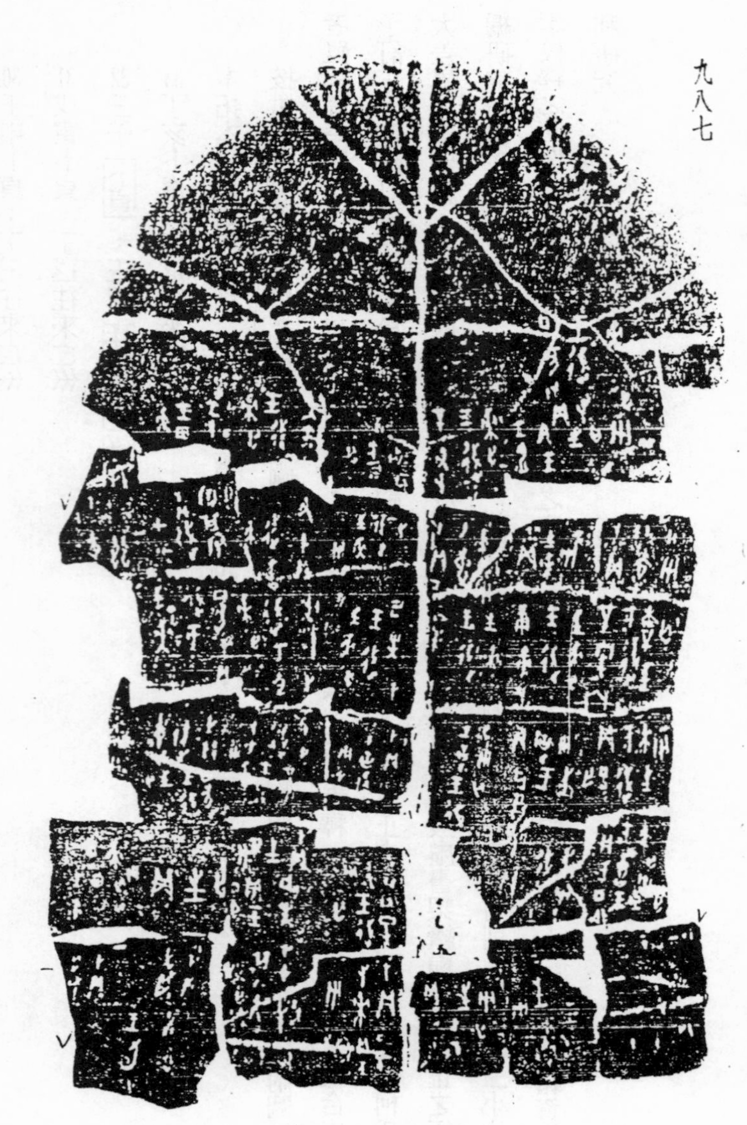

綴3.24.1.

玖、柯昌泗藏拓

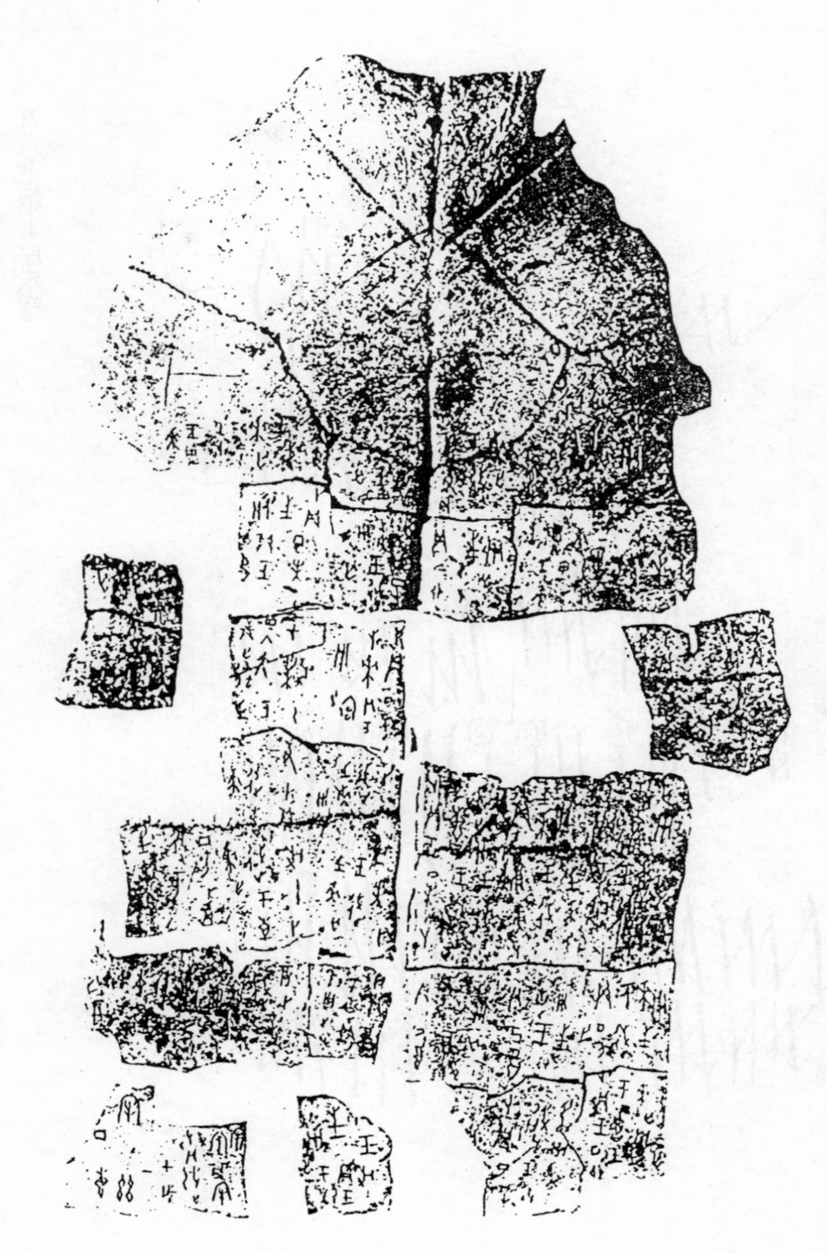

九八七版卜序示意

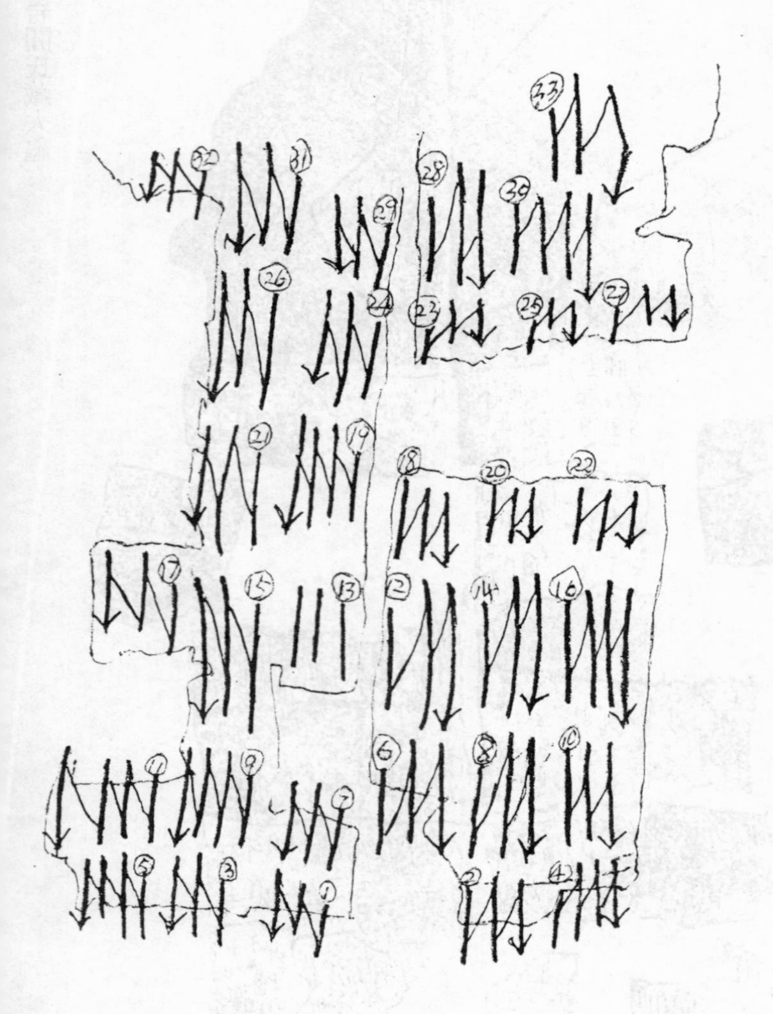
33
32
31
28
30
29
26
24
23
25
27
21
19
18
20
22
17
15
13
12
14
16
11
9
7
6
8
10
5
3
1
2
4

右辭殘佚卜日者五辭，干與支者各一辭。首辭僅存天干「丁」；次辭之卜日爲丁巳。檢干支表，最挨近丁巳之丁日爲丁未，且拓本中亦有之，故定其所缺爲未，補錄爲丁未。第十八辭僅存地支「酉」。審其前辭之卜日爲丁亥，後辭之卜日爲丁巳。其間之酉日有二，爲己酉及丁酉，茲補錄爲丁酉，緣拓本中有之，且近於丁亥也。設首辭卜日補錄不誤，其殘佚卜日之五辭，可據甲子周期及卜日之間距推勘補錄。蓋自首辭丁未，至末辭丁亥，需歷甲子七周，緣此周序，並斟酌辭間，逐辭擬補如右。至其正確與否，未敢必，姑備參考而已。

考釋云：「右爲龜腹甲，出土即殘碎，復集合成之，約得全龜三分之二。內中有誤以別版拼入者，右半一版，左半戌：亥、甲一版，辰、巳、午一版是也。又戊、己、庚一版乃右半中之一，因無與他版相連之跡可尋，故不知應在何處」。按：考釋定爲四十二辭，其所列辭序約略爲：先右半甲，再左半甲；均爲自下而上。然亦有不循此序者，遂成左右上下交叉之狀。使讀者頗有雜亂無章、條序不清之感。至其所云：「右半一版」，約當於本校釋剔餘之一。「戌亥甲一版」，約當於剔餘之三，「辰巳午一版」，約當於剔餘之二。「戊己庚」一版，約當本校釋之二七、二五、三十辭之下段。審其所定各辭是者固多，然其非者亦並見之。若本校釋之二十八、三十兩辭，考釋各皆析裂爲二，分列爲丙、辰及己、庚二。至各辭之編號，雖以甲乙分之，但周而再始，一仍其前；頗嫌不夠清晰醒目，而有一塌糊塗之感。

別釋云：「大龜所紀，全是畋遊之卜；其日辰由乙丑至己未，亙五十五日；均未紀月份，不知其起訖。唯略有線索可稽者，爲戊辰卜往，丁未卜歸，相隔四十日。可知全龜所紀，乃兩月中之行事也」。

按：所論殊非。姑不論其他情形，就其所錄寫本楷定之契辭，其卜日之日辰即有三「丁亥」日，需歷干支日程三週，爲一八〇日。苟就其終始皆爲丁亥言：亦需一二一日。況乎見於契辭者實爲四丁亥。而遍歷四丁亥日，最短亦需一八一日。若其整腹甲所需時日，當在一年左近。別釋所云，其乃矇人之說也。其始乙丑終己未，戊辰卜往、丁未卜歸之說，乃無根據之臆說。至其辭序，乃就原拓楷定其辭，無序可言；仍爲斷亂朝報之流亞，故有始乙丑終己未，干支一週之誤說也。

據訂正後之拓本審量，本腹甲頗爲碩大，可媲美於本校釋所錄三八九號之綴合版。就其存辭推測，整腹甲所契之辭數，可能近於七八十辭。若以每辭平均十字計，可能近於七八百字；宜爲出土腹甲契辭之最多者。

第五辭卜日別釋定爲丁丑，非是。

第七、十二、十四各辭之地名，別釋隸定爲⿱宀⿺辶叀，未必爲是。至其究宜何釋，有俟考定。

第十六、二十二辭之地名，別釋隸定爲𠦝。第十七辭之地名定爲車。皆未必爲是。審三字之契文構形相同，宜爲同字。至其究爲何字，有俟考定。

第二十六辭「王其入」，別釋定爲「王于丁入」。非是。茲正如辭。

胡雜定第六辭「亡巛」，爲「成語倒添例」四一七頁。

九八七、一　甲　第五期

1.甲戌卜貞：武乙宗枋其牢

叀牢㳄用　一

2.丙子卜貞：文武丁宗枋其牢

叀牢㳄用

按：此爲腹甲右後甲之殘餘。據第一辭之情形推勘，第二辭宜如所擬補。然否，有俟綴合之證驗。增訂別釋云：「丙片乃下錄河井大龜之碎片，可含接」。所云非是。按：本殘片爲右後甲之中央部份，就殘片推勘此腹甲較河井爲大，兩者比例不合。其次，兩者辭例不合，此云某某宗，叀牢。彼云某某、叀羊。再次：據修訂本通纂所附綴合之寫本，本殘片之右半已越出河井龜右後甲之右邊緣；且本殘片左半殘辭之書體，與河井之書體不合。基以上之比勘。知其所綴不合；此僅就其寫本所知者，惜河井之龜迄今只見寫本與照片，若能以拓本或實物比勘，必可證明不能綴合。

九八七、二　甲　第五期

甲子卜貞：王賓歲亡尤

寫本見於存二、八九〇片。

玖、柯昌泗藏拓

按：此爲背甲右肋甲之殘餘。據續存此背甲殘片藏於安陽小屯保管所。

九八七、三　甲　第五期

1. 癸酉卜〔貞〕：王旬亡〔猧〕

2. 〔癸〕卜貞：〔王旬〕亡猧

3. 〔癸〕卜貞：〔王旬〕亡猧

按：此爲左肋甲左半之殘餘。二、三兩辭之卜日，以辭殘太甚，無由推勘，有俟於綴合矣。

九八八　骨　第四期

1. 壬辰貞：王往田亡𢦔　一
不雨

2. 戊申貞：王往田亡𢦔　一
不雨
其雨

3. 辛酉貞：王往田亡𢦔　一
不雨

4.☒　一

本拓本又著錄爲京津三八一四片，總集三三四一七片。

按：第二辭雨字未刻橫畫。

九八九　骨　第一期

1.丁亥卜：今日㞢于☒三豕　一　三

2.丁亥卜：今日㞢于河二牢　三　三

二牛　三

3.☒　三

本拓本又著錄爲天三五片，續一、三六、二片，甲骨集成（簡作集成）二〇〇、一片，總集一四五〇九片。

按：佚存及續編所錄拓本，均殘佚第一辭卜日「丁亥」二文，茲據天片今譯如右。

九九〇　甲　第一期

☒申之日王往于☒田从融京☒允獲麋二雉十七　十月

本拓本又著錄爲天七六片，續三、四三、六片，集成一一一八、二片，總集一〇九二一片。

玖、柯昌泗藏拓

按：天片已殘佚右上角。又：「雉十七」，考釋定爲雉十十。非是。

九九一　骨　第一期

戊戌卜㱿貞：六來萑三　一

本拓本又著錄爲總集九一八五片。寫本見於存二、四四片。

按：本片與甲三三五三片爲同文，同爲右胛骨，契辭亦同部位，彼之兆序爲三，此則爲一；宜爲同組之兩卜骨。通考定本版爲「甲尾」三十八頁，意即腹甲之尾甲，非是。蓋緣不識拓本也。

□：甲考隸定爲今，無說。通考釋六，爲地名同前。

□：甲考从唐蘭說釋萑、即穐、即秋。通考隸定爲龜同前，無說。

甲考釋其辭爲：「今來萑，三囚」。通考釋其辭爲：「六來龜三」；說之曰：「六，爲地名。」春秋文五年：楚人滅六。今安徽六安地，正在殷之南土，證之禹貢：九江納錫大龜。魯頌泮水：憬彼淮夷、來獻其琛，元龜象齒，大賂南金。元龜，象齒，俱淮夷所獻。武丁卜辭言來龜、致龜外，又言：來齒、氏齒，入齒，可與詩經互證」三十九頁。按：通考所釋，文理尚屬通順，惟釋萑爲龜，尚乏確證，存疑可也。至甲考所釋卜辭句讀，顯違原辭。其从唐氏說所定今來秋，文理難達，不足採信。

九九二加前二一、一〇、七加粹一四五七　骨　第五期

1.癸巳卜在反貞：王旬亡猧
2.癸卯卜在霖貞：王旬亡猧
3.癸丑卜在𩂊貞：王旬亡猧
4.癸亥卜在臼貞：王旬亡猧
5.癸酉卜在上𩁹貞：王旬亡猧
6.癸未卜在爵貞：王旬亡猧

本綴合版已著錄為新綴三一九版，總集三六九一七版。首片又著錄為天理六九二片。

按：本綴合版各辭，彥堂先生經已考定為帝辛二十祀，五、六、七三個月之卜旬辭。詳見董作賓先生全集六二六頁。右辭，即據其所隸定者迻錄。

九九三　骨　第一期

1.□□卜亘貞：[甲骨文]☐羌　二　二告　三　不午蛛　二告
2.☐　一　二

本拓本又著錄為北大二、三一、二片，續三、四六、二片，總集二二四片。

[甲骨文]：考釋隸定為𤰈。綜類迻寫為[甲骨文]四十。就其構形察之，字从倒豕从畢；義為以畢畢豕，或豕入畢；故豕呈倒形。至其為用，以辭殘有間，無由推勘矣。

玖、柯昌泗藏拓

羌：就本殘辭推察，宜即羌羊、爲牲品。

九九四 骨 第一期

面：癸未☐㞢☐

背：1.在𠭯

2.四日丙申☐㑇☐

右面背兩拓本又著錄爲北大四、四、一及二片，總集八〇八八號。寫本見於南師二、一六〇及一片。

按：佚存未錄面拓，茲據前列三書補錄，並今譯其辭如右。

拾、一・商承祚藏契

四四一　甲　第四期

☒令☒

本拓本文著錄爲總集二〇三九〇片。

：考釋云：「金文大保鼎之敬字，不知與此同否」。按：大保簋(考釋誤書爲鼎)之，金文編釋敬(九、一二)。愙齋集古錄釋：「象持之形」(七卷五頁)。攈古錄釋羌(二之三卷八十三頁)。古籀餘論釋苟即敬(二卷三十二頁)。周金大系考釋釋敬：「象狗貼耳而坐之形」(二十七頁)。然契文此字與金文之構形不同，自不當與金文同釋。且契文有字，見於甲編、粹編、京都等。可證此字釋敬未當。至本字究宜何釋，以僅此一見，且又辭殘，無由推勘。

：考釋隸定爲舊，無說。檢甲文有字，釋舊已有定論。如「昔我舊臣」(庫方一五一六)，「我家舊臣」(前一五、四、四片)，「且甲舊宗」(寧一、一九八)，字皆作。又如「新豊、舊豊」(粹二三二)相對爲稱，其舊字亦如斯作，而無作者。再者，見於第五期之辭，兩字皆爲地名，若「在貞」(金五七四)，若「田」(新綴三四四版)。不能因斯而定爲同字。然其究當何釋，則有俟考定。

四四二　骨　第三期

王其田盂至亹亡𢦏

本拓本又著錄為存一、一九七三片，總集二八八八五片。

按：本片與金璋三六六片為同文。

四四三　骨　第四期

1.☐又卜

2.☐[illegible]食

本拓本又著錄為總集二二三九九片。

[illegible]：考釋云：「即克字；象人戴冑執戈，故曰克」。按：釋克未當：蓋即今字鑿之初文。見拙作殷虛第十五次發掘所得甲骨校釋、八九〇九片之校釋。此不贅錄，請參閱。

食：考釋云：「為國族名」。按：所釋非是。食在契辭中，除日食、月食、大食、小食外，雖有作名詞用者，但綜觀辭義，並非為國族名。是考釋此說，乃出於商氏聯想之肊說而已，聊無根據也。

四四四　骨　第三期

1.弜田其[每]

2.于壬田湄日亡𢦏

3.弜田其[每]

本拓本又著錄爲總集二八六七二片。

四四五　甲　第一期

[帚]媟娩不其㚤　□月

本拓本又著錄爲總集一四〇二七片。

四四六　甲　第一期

癸未卜：☐寧亡☐　十月一

本拓本又著錄爲佚存八四五片，存一、八一〇片，總集一三五七四片。

按：商氏既據所藏實物製爲本拓本，著錄於佚存，編爲本序號；不宜另將所藏拓本再予著錄，況此二拓本無論任何情形皆毫無二致，如出一轍。設其顯有殊異，亦當援用第七十八片自定之體例，拓本併錄而賦予同號；別於考釋中說明其所以然之故。迺商氏不此之圖，竟效其師纂集書契續編之事，一再重複（五〇一即八三九之重），一再自毀其體例，殊爲可惜哉？

四四七 骨 第三期

1.弜田其每

2.叀辛弜湄日亡戈

本拓本又著錄爲存一、一九九五片，總集二八七〇〇片。

按：考釋亦定爲二辭，但與本校釋所定者頗有差異。其一曰：「弜田其每亡戈」，其二曰：「叀辛禡澧」。檢同期同類之他辭，並無「其每亡戈」之例；用知所釋未當矣。然綜類卻因襲之（二三六及二〇九頁），未予訂正。

：考釋隸定爲禡，亡說。就字之構形言；字从、、非卒。从、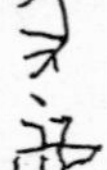非焉。知其所定殊非。字不識，有俟考定。

四四八 甲 第三期

乙未卜陟貞：今夕亡𡆥

本拓本又著錄爲總集二六三九五片。

四四九 甲 第四期

1. 癸

2. 于兄丁☐𠂤用牛

本拓本又著錄爲總集三一五六三片。

按：本拓本之拓製，殊不清晰，辨認契辭殊爲困難，茲從考釋所定，以俟較清晰之拓本。

四五〇　骨　第四期

1. ☐癸巳☐求雨岳

2. 丁酉卜☐

本拓本又著錄爲總集三三九四九片。

按：本拓本之拓製，亦不清晰，辨識維艱。考釋定爲一辭，詳審拓本之情形，所定未必爲是。然此爲商氏所藏之實物，考釋應無疑意。惟詳察拓本，左緣之「丁酉卜」卜兆，其兆圻左出，契辭當爲右行。若然，則版面之契辭宜如右列。綜類雖析爲二辭，然卻自相牴牾，既作「求雨校：羊巳」二〇六頁，又作「…未雨…羊巳」二二四頁，及「未雨羊巳」二二四三頁。至右列二辭然否，未敢必，謹俟清晰之拓本訂正。

四五一　甲　第一期

貞：得　不㝵蛛

拾、一　商承祚藏契

本拓本初著錄爲鐵一一六、二（新鐵七一六）片，又著錄爲總集八九〇五片。

四五二　甲　第一期

1. 貞：☐福于☐　一

2. ☐勿福☐

本拓本又著錄爲存一、一五八八片，總集二五六三七片。

四五三　甲　第一期

1. 辛□卜

2. 勿隹鬼乎客

本拓本初著錄爲鐵九六、一（新鐵四五六）片，又著錄爲總集一八六〇四片。

按：本版爲劉氏故物，商氏拓印成書時，固知已殘佚上半，仍定爲一辭；且不悟「隹辛乎卜客」之不辭。殊非。茲據鐵片原拓今譯如右。

四五四　甲　第四期

1. 壬☐王☐

2.☐夕宰☐歲☐

3.己卯卜徃：又子族冢　用　三

本拓本初著錄爲鐵一四、二（新鐵一〇二九）片，又著錄爲總集二一二八七片。

按：佚存所錄拓本爲鐵片之殘，右辭，即據鐵片所譯者。

徃：考釋云：「徃、即出，增彳、行意也」。通考云：「以字形論、出徃爲一字，疑與出係一人」（八七七頁）。

按：出爲第二期貞人，徃爲第四期貞人。第三期雖然時間較短，但出徃決非一人。通考最喜東拉西扯，左拐右彎，待入人於迷霧，再用毫無時間之感受手段，將二七三年之殷虛絜辭毀爲一塌糊塗之平面。其殷代貞卜人物通考一書之作，正是此一工作之寫照。

又子族：卜辭中習見多子族、又子族、或五族之詞，說者遂強分此類卜辭非出於殷王朝者，甚或於斷代分期中發表謬論而譁衆。據余見：所謂多子族、乃許多子族之族之謂，又子族：乃再子族之謂，意即第三代子族。子者，孳乳繁多也。子族繁多，自必分化，而第三代之子族，呼爲又子族合情順理。不必庸人自擾，平實合理解釋卜辭，尋求殷史之眞實史料。

四五五　甲　第一期

☐卜貞：☐戠☐辟☐　二

本拓本又著錄爲存一、一一一六片，總集三九八四片。

四五六　甲　第一期

譚

譚：考釋隸為猷。蓋從其師說也。茲從唐氏說，隸作譚（見文字記）。譚：字書未見。左莊十年傳：「齊師滅譚」，字作譚，又說文作鄿：「國也，齊桓公所滅，从邑、覃聲」。據彥堂先生考證、譚之地望，即今山東省之城子崖，為上層文化遺物之主人翁（見董作賓學術論著）。

四五七　骨臼　第一期

利示三屯㞢一骨　㝴

本拓本又著錄為總集一七六二〇片。

按：本刻辭之「一」，緣骨臼漫漶太甚，故各家考釋各皆殊異，今東洋所刊拓本及照片，清晰可觀；且據骨臼刻辭例，決可判定其為「一」。

骨：絜文作㇁，考釋云：「即〵〳之省，本書三七九臼，四一八臼作〈，皆是一字」。按：所釋非是。字當釋骨，請參閱本校釋三七九片校釋。

四五八　骨　第三期

1.叀

2.叀犁牛

本拓本又著錄爲總集二九四八四片。

四五九 骨 第一期

1.貞：朿于東

2.[貞]：朿于東

本拓本又著錄爲總集一四三一八片。

四六〇 甲 第一期

1.永

2.网

四六一 骨 第一期

1.☐ 一

2.☐ 一 二告

拾、一 商承祚藏栔

3. 九南　一

4. ☒　一

5. ☒　二告

本拓本又著錄爲總集一一二六八片。

按：考釋隸定爲三辭，兆相術語各皆爲一辭；而將所有之卜兆紀數字遺棄。

四六二　甲　第一期

面：買

背：旅

本面背兩拓本又著錄爲總集一一四三六片。

買：契文作[illegible]。考釋云：「象以网取貝之形」。

四六三　甲　第一期

黃尹　七

本拓本又著錄爲總集三四九三片。

考釋云：「黃尹、又作[illegible]尹，人名；非十二支之寅。董氏謂：伊尹、亦作寅尹。王靜安先生謂：古讀寅爲伊。其說甚是；今以時期證之，作黃尹多在武丁之世；至武乙則書伊尹。案伊尹爲本名、當無疑問；董氏以爲後更，殆非也。伊尹、[illegible]尹乃二人，後上三二、五頁多尹往㕯。多尹與多父、多妣、多兄稱謂義同。以此證之，商之先臣名尹者，非伊尹一人明矣」。按：後上之辭爲「乎多尹」，商氏謂。多尹之尹與伊尹之尹義殊，不能混而論。蓋多尹猶今語之諸多酋長，而伊尹乃指一人之私稱。一爲公有、一爲私名，字雖相同，而義則有殊。至伊尹、黃尹是否爲一人。尚須深入研究。

四六四　甲　第一期

1.貞：勿㞢于☐風☐

2.河

本拓本又著錄爲存一、一三〇九片，總集一三三六八片。

四六五　甲　第一期

1.☐

2.己未卜貞：[illegible]侯兒其☐

3.☐

本拓本又著錄爲總集三三一九片。

考釋云：「其左一辭爲土鏽所掩，僅見一貞字」。就拓本所現示之情形推察，本殘片似存留三殘辭。惟右下及左上之殘辭爲泐文掩沒，無由推勘其爲何，茲以☐號識之。右上亦爲殘辭，泐文亦復不少；惟尚可隱約推勘其辭。似與鐵二五一、一〔新鐵七六一〕片之辭爲同文；茲姑據之補錄其缺文。

四六六　骨　第三期

：字不識。考釋云：「爲國名」。

☐卜骨貞：又后母

本拓本又著錄爲總集二七六〇七片。

后母：考釋隸定爲「詞」。通考釋「姒」一二五六。均無說。校正文編釋爲「司母」合文五十。定其片序爲四六八、誤。按：此爲三期之辭，曰「母」、當稱祖甲之夾也。祖甲之夾見於卜辭者，有戊、己、癸三夾，則其所稱必此三母之一。考殷虛五期稱「母戊」者，除本期外，僅見於文武丁之世；此前此後，皆無「母戊」之稱。又安陽武官村曾出土「司母戊」大方鼎；武官村爲殷虛之一部份，彼此互證，宜與本片之辭義同，當稱祖甲之夾矣。然則，本辭之「后母」，當即「后母戊」之稱焉。

四六七　骨　第四期

1. 其雨

2.不雨

本拓本又著錄爲總集三三一〇四片。

四六八　骨　第三期

1.于南門旦

2.于王戋甹

本拓本又著錄爲總集三四〇七一片。

按：考釋定爲一辭，作「徝甹門日于王十南」。茲析爲二辭；惟其義爲何，索解不易，缺疑可也。

四六九　甲　第一期

1.勿

2.貞：我㞢☐祊不隹☐　二

3.☐乎☐方☐[illegible]☐

本拓本初著錄爲鐵一四九、一（新鐵九）片，總集八六七九片。

按：考釋不知此爲劉氏故物。隸定爲二辭，其一作「貞我㞢☐丁不隹☐乎方出」。非是。

[illegible]：字不識。考釋云：「出作[illegible]、異文」。

四七〇 甲 第一期

☑𦎫☑方隹☑

本拓本又著錄爲總集六七九五片。

四七一 甲 第三期

1.弗禽

2.弗禽

本拓本又著錄爲總集二八八五一片。

四七二 骨 第一期

面：1.☑其☑𠮷☑

2.貞：祉雨

3.午

背：☑率夕☑

本面背兩拓本又著錄爲總集一二七四七號。

四七三　甲　第一期

今芚

本拓本又著錄爲總集一一五三一片。

四七四　甲　第一期

⧄□于妣庚十牛　一

本拓本又著錄爲總集二四七七片。

□：字不識。考釋隸定爲亦。未必爲是。妣庚：按：此爲第一期武丁時之辭，疑係祖丁之奭、廟號曰「庚」者。

四七五　甲　第二期

辛未卜出貞：今夕亡囚　四月

本拓本初著錄爲鐵一〇一、二（新鐵九九八）片，又著錄爲存一、一六五八片，總集二六三八三片。

按：考釋不知此爲劉氏故物。

四七六. 甲 第二期

⊠朋⊠⿳宀女止

本拓本又著錄爲前五、一〇、五片，總集一一四三九片。

：考釋隸定爲婚，前釋隸定爲客，均無說。按：字从安从止，隸定之當作⿳宀女止；字書所無。至其辭義爲何，有俟考定。

又本殘片之實物今落誰家，則不知其所止矣。

四七七 骨 第一期

1. 貞
2. 貞：勿奴人

本拓本初著錄爲鐵一三九、三（新鐵三五一）片，又著錄爲總集七三〇六片。

四七八 甲 第二期

1. □酉卜：王⊠出⊠　六月
2. 今日

本拓本又著錄爲總集五〇六二片。

四七九　甲　第一期

1.貞：不〼

2.貞：其風

本拓本初著錄爲鐵九七、一（新鐵五五九）片，又著錄爲總集一三三七三片。

四八〇　甲　第一期

貞：翌〼于且丁亡巷　在五月

本拓本又著錄爲總集二三〇四三片。

四八一　甲　第四期

□丑卜：〼不〼逆〼

本拓本又著錄爲總集一九二四五片。

四八二　甲　第一期

拾、一　商承祚藏契

辛巳卜㝐貞：王出☐

本拓本又著錄爲總集三六七八片。

四八三 甲 第二期

1.貞：其祉☐歲一牛

2.弜

本拓本又著錄爲存一、一五三六片，總集二五一八二片。

按：考釋定爲一辭；並定其卜日爲「戊子卜貞」。詳察拓本之情形，拓本之左側並無「戊子卜」三文之殘痕或蹤影，是考釋所定爲非矣。

四八四 骨 第三期

☐䠶又鹿

本拓本又著錄爲總集二八三七七片。

按：考釋於䠶上之殘文，迻寫爲[illegible]；其下之殘文隸定爲漕。詳審拓本所現示之情形，所定均未必爲是。茲姑隸定其下之殘文爲鹿，其上，則以☐號識之，以俟綴合後之辨認。

四八五　甲　第一期

1. 阱

2. ☒　八月

本拓本又著錄爲總集一〇六七二片。

按：考釋定爲一辭，非是。

四八六　骨　第一期

1. 其☒㱿☒　二

2. 癸☒示☒

本拓本初著錄爲鐵一七、三（新鐵八三九）片，又著錄爲總集四五三八片。

按：本片爲鐵片之殘餘，其上半不悉何之矣。合集僅著錄本殘片，鐵片則被遺棄。考釋不知此爲劉氏故物之殘餘。茲據鐵片今譯其辭如右。

四八七　甲　第一期

面：貞：我其喪衆

拾、一　商承祚藏絜

背：☐百又☐

本面背兩拓本又著錄爲總集五〇號。

考釋將背拓之「[glyph]」文遺棄，胡考從之。據背甲反面紀事辭之辭例，本背拓之辭宜爲「☐入百又☐」，故定其辭如右。惟本紀事辭之原文作[glyph]，或爲[glyph]之誤契歟？茲姑如右作，俟徵辭例。

甲骨文的世界中譯本云：「我，是多子族中特定身份的王子之稱」一七頁。按：所釋非是。就本辭之文法成分言：我、名詞、爲方國或氏族之名。卜辭中若「我不其受年」，「我受年」等，其「我」之義皆與此同。與所謂之多子族毫無瓜葛。又云：「喪衆、乃所率衆人、在行動中逃亡之義」同前。所論亦非。喪衆，蓋即損失多人之謂，而此損失之義，不含逃亡。試翻檢卜辭中喪衆之辭，從一至五期任何一期，皆未含「逃亡之義」。解說卜辭，不是講古，不是表演西遊記，不可以加油加醋，無的放矢。卜辭、乃殷史之實錄，說解必須平實。

四八八　甲　第一期

面：1.貞：☐往☐雨

2.貞：☐雨

背：王固曰：☐勿☐

四八九　甲　第一期

面：☐妣☐㞢牛

背：禽

本面背兩拓本又著錄爲總集一〇七一號。

考釋云：「牛作[illegible]、異文」。牛、釋異文、非是。詳察拓本，蓋緣泐文所致，故有此說。綜類作牝（二一四頁）。亦非。

四九〇　甲　第一期

面：貞：弗其隻

背：[illegible]

本面背兩拓本又著錄爲總集一〇八八七號。

[illegible]：字不識。

四九一　甲　第一期

面：酒告于昌

拾、一　商承祚藏契

背：其

本面背兩拓本又著錄爲總集一四六九五號。面拓又著錄爲續一、五〇、二片。

按：考釋定面辭爲「于[glyph]酌□」。非是。詳察拓本所顯示之徵候，本片爲腹甲右上甲之殘。據腹甲契辭通例，凡此部位之契辭皆爲右行，則本辭當不例外；茲定如右。又考釋定背辭爲「其」，然察拓本之情形，其下似有他文之痕跡，惟緣泐文密布，無法推勘其究爲何字。且此爲商氏自藏之實物，考釋所定，宜無疑問。

[glyph]：字从目从口、隸定之，當作⿱目口，字書所無，音義皆不知。其在卜辭，或謂爲人名（戩考九、一〇）、或釋爲殷先公名、「⿱目口、疑即相土」。或釋爲地名（卜辭研究二四四頁）。亦或釋爲神名。總之，此字之說解雖然紛紜，然迄無定論。究宜如何說解，有俟論定。

四九一　甲　第一期

面：貞：勿于妣己

背：☒

本面背兩拓本又著錄爲總集二四一八號。

按：背拓右緣稍上似有殘文，考釋爲實物之收藏者，既不能從實物審定其字辭，欲從拓製不善之拓本，辨認其文字，殊非易易，徒勞而無益。故仍據考釋之作，迻寫其所識之☒號識之。

四九三　骨　第一期

1.卜　八

2.卜　庚辰　己　八

3.王于生七月入于商　八

本拓本又著錄爲總集七七八四片。

按：考釋未釋第三辭己。又辰字之右側、泐文密布，不能辨認其爲何字，或有無字辭。胡雜從考釋之說，定第二辭爲「干支例稱例」四一七頁。

四九四　骨　第三期

弜田其每

本拓本又著錄爲總集二八六九九片。

四九五　甲　第一期

面：鼎☐隹☐

背：☐

拾、一　商承祚藏絜

按：考釋定背拓之辭爲「卜」，詳察拓本，所定未必爲當，故用□號識之。

四九六　甲　第一期

面：貞：僔☒

背：王固曰

本面背兩拓本又著錄爲總集四三六四號。

四九七　甲　第三期

甲戌卜：翌乙亥王狩㭘

本拓本又著錄爲存一、七二七片，總集一〇九九七片。

按：考釋於辭末著「酒」字，非是。察其所據，蓋緣拓本左上緣有氵形之文所致，未必爲是。

甲骨文字集釋隸定爲㭘，並釋之曰：「从二木从衣，說文所無」二二六〇。按：集韻平二七微有㭘字，於希切。「㭘、揮㭘。木名、可爲箭笴。一曰箭箙」。依聲求之，疑即集韻延知切之桋。說文：「桋，赤栜也；从木夷聲」。字於本辭，當爲地名。

四九八　甲　第四期

☒大☒冊三十宰

本拓本又著錄爲總集一二九五片。

四九九　骨　第三期

☒卜：又羌王☒

本拓本又著錄爲總集二六九四二片。

五〇〇　甲　第一期

☒于☒執☒其☒

本拓本又著錄爲總集五九五六片。

按：考釋定本辭爲右行。茲據拓本所現示之兆圻，正爲左行；然其辭義爲何，苦澀不明。

五〇一　甲　第四期

1.壬☒貞

2.甲午卜貞：翌乙未☒[illegible]☒旨☒

本拓本又著錄爲佚存八三九片，存一、一二〇〇片，總集一八二三三片。

五〇二　甲　第四期

甲寅卜㠯：叀㕣令

本拓本又著錄爲總集二〇一九三片。

㕣：通考定爲武丁時貞人七七頁。按：㕣爲第三期之貞人，所云武丁時貞人殊非。

五〇三　甲　第四期

1. 乙卯卜㠯：㔾事

2. 乙卯卜㠯：㔾事

本拓本初著錄爲鐵一八三、四（新鐵一〇一五）片，總集二〇三五三片。

㔾事：治事也。書泰誓：「越我御事庶士」。疏：「御，是治理之事，故通訓御爲治也」。

五〇四　甲　第一期

㞢　如

本拓本又著錄爲總集一九一三三片。

五〇五　甲　第四期

1. 己亥☐亦☐

2. 壬寅卜：☐余夢☐隻☐占☐

本拓本又著錄爲存一、一一九七片，總集八二〇〇片及二一七六七片。

按：存片及總集之次片均係殘片。又考釋隸定爲一辭。未當。綜類初从其所定（三十四頁），繼又析爲二辭（二三一頁）。

再按：右第二辭卜日「寅」上之缺文，乃據第一辭「己亥」推勘補錄。然否，未敢必。

隻：絜文作[illegible]。考釋隸定爲隻，釋之曰：「疑爲獲字之別構」。未必爲是。檢北大一、三七、一（續二、一六、四）片有[illegible]字，構形與此同；僅繁簡之異耳。就此構形察之，豈爲今字雙之初形歟？惟北大之片爲人名，此則以辭殘有間，其義不明矣。

五〇六　甲　第一期

貞：王☐日先☐大星☐好☐

本拓本又著錄爲總集一一五〇五片。

[illegible]：考釋云：疑爲雹字。說文雹之古文作靁；从雨乃後增。唐氏謂：此乃星之本字。按：唐

說是也。檢契文星字尚有作[glyph]前七、一、四形者，又有从[glyph]从生作[glyph]丙二〇七形者，更有作[glyph]前七、二六、三片形者，然其爲今字星則一也。其作[glyph]者，又或釋晶，乃後世之引申，爲星之初文殆無疑也。作[glyph]者，爲从[glyph]生聲之形聲字焉。

大星：或釋爲水星、或釋爲金星；亦或釋爲織女與河鼓二星者。又有釋爲其他之恒星者；總之，衆說繽紛，尚乏可信之定論。

五〇七　甲　第四期

1. 非
2. 東☐衍
3. 辛酉卜：隹☐

本拓本又著錄爲存一、一四六七片，總集二一六二〇片。

按：考釋隸定爲二辭，未必爲當。

五〇八　骨　第一期

今丁酉、夕朿豖方帝

本拓本又著錄爲總集一四二九九片。

按：本拓本爲胛骨左緣之背面；其左緣殘存之二鑿痕灼灼可觀，可確證此爲背拓。其面拓，則不知所之矣。

五〇九　甲　第一期

1.貞：易☐　八

2.受　二

本拓本又著錄爲總集三三九二片。

按：考釋定第二辭爲「唐八受祐」。詳勘拓本、唐、實爲誤認卜兆序數字「二」；又、則誤認泐文所致。遂混合兆序之「八」，而成其辭。雖然成辭、實不辭、商氏不知其不達理達義焉。

五一〇　骨　第一期

河　[illegible]

本拓本又著錄爲總集一四六二七片。

[illegible]：考釋隸定爲旁。未必爲是。疑其爲後世之僞作彷刻。然否，有俟綴合後之認定。

五一一　甲　第一期

1.癸未卜[illegible]貞：旬亡𡆥
2.癸卜[illegible]貞：旬亡𡆥
[illegible]：考釋寫作[illegible]。校編附錄上从之六四。

五一二 甲 第一期

1.☐卜永貞：☐挈☐其八百☐
2.我
本拓本又著錄爲總集九〇一八片。
按：考釋定爲一辭。曰「我☐氐獲八百」。釋之曰：「俘敵八百，人數之多以此爲最」。詳勘拓本，其說殊爲鑿空。茲正如右譯。

五一三加鐵二六八、一 甲 第一期

1.王往省从南
2.貞：王勿祥出
3.[illegible]
4.般

本綴合版已著錄為新綴四八七版，新鐵五一一版。首片初著錄為鐵二二四、一片，又著錄為總集八三〇一片。

按：考釋不知此為鐵雲故物，亦不知其可以綴合。胡編合集仍為散置之兩碎片，而未予綴合。

[甲骨文]：考釋隸定為羌、無說。茲从釋祥說。

[甲骨文]：考釋未釋。字不識。

[甲骨文]：待考。

五一四　甲　第一期

[甲骨文]示十☐

本拓本又著錄為總集一七五九七片。

按：此為腹甲左甲橋之背面拓本。面拓，則不知所之矣。或以其無文字，而被遺棄歟？

[甲骨文]：考釋隸定為它。無說。綜類迻錄為[甲骨文]一五二頁。檢後上六、七之臼拓，有「[甲骨文]示三屯」之辭，其[甲骨文]字似與此同。若然，則此字當作[甲骨文]形，為从止从[甲骨文]之字，則考釋所定，綜類所錄，皆為非是矣。

五一五　骨　第三期

1.壬午

2.☐求☐亡雨

按：考釋定第二辭爲「已雨𠦪」。非是。

五一六　骨　第三期

☐其每

五一七　甲　第一期

1.☐貞：☐王☐䝤

2.□酉卜□貞：☐伐☐

本拓本初著錄爲鐵八七、二（新鐵三三二）片，又著錄爲六九二五片。

76、12、22清繕完成

適逢冬至此後時日漸長矣

拾、二．商承祚藏拓

五一八　骨柶　第四期

壬午、王田于麥菉，隻商（降）戠兕；王賜宰丰寢，八十焰。在五月，隹王六祀彡日。

本面背兩拓本又著錄於美國顧立雅著「中國之誕生」The birth of china附圖八（簡作誕圖），中國書譜五八頁，日人白川靜編「甲骨文集」四八頁。胡編甲骨文合集則未予著錄。

按：本拓本（拙）已有專文校釋，請參閱附錄二。

五一九　骨　第一期

面：1.貞：弗其羅

2.貞：其喪衆

3.貞：弗其受生

4.貞：其嬉

5.貞：翌辛卯[illegible]求雨夒　其雨

背：☐庚寅雨少

本面背兩拓本又著錄爲總集六二號。

□：續編釋鑽十四、一，亡說。粹考隸定爲矦，而釋之曰：「矦、殆鐫之初文，後人以鑽爲之。从矢从口，示以刃器穿孔也」二〇四頁。按：就契文構形觀察，釋鑽或釋鐫，均不算違牾；唯乏確證，不能定其爲是；姑存其說，以資考定。字於本辭宜爲人名。見於他辭者，或爲方國氏族名。其字僅見於一四兩期之辭。

五二〇　骨　第四期

☐于辛巳王圍召方

本拓本又著錄爲總集三三〇二四片。

圍：契文作□，甲骨文的世界釋撥：「撥者，言對都邑之攻伐與破壞之謂」中譯本一四三。按：說非。茲從釋圍說。

召方：通考謂：「召，蓋春秋之召陵。僖四年傳：盟于召陵。杜注：穎川縣。史記秦本紀：伐楚、取召陵。故城在今河南省郾城縣東。殷時召方疑居此」一八八頁。通考雖據春秋、史記之召陵爲說，然無確證，或契文之本身證明。其說存疑可也。

五二一　甲　第一期

沉三宰

本拓本又著錄爲總集一六一八六片。

沉：㓞文从[glyph]从羊，與从牛者爲同文異書。猶㓞文之牢、宰並見同例。

五二二　骨　第三期

1. 庚

2. 王于壬[glyph]田湄日不雨

3. 其雨

本拓本又著錄爲總集二八六一五片。

按：考釋定一、二兩辭爲一辭。

[glyph]：考釋隸爲𡇒，無說。或釋迺，未必爲是。其宜何釋，有俟考定。

五二三　骨　第三期

1. 狩

2.王其戔于桑

3.甲申卜：翌乙王其戔于桑

本拓本又著錄爲總集二九〇三七片。

五二四　骨　第一期

面：1.丁亥卜㱿貞：[illegible]享夒于雇

2.癸巳卜㱿貞：子漁疾目福告于父乙　一

3.貞：王⿰阝及循日止

4.貞：勿曰止

5.循

背：癸巳卜㱿

右面背兩拓本著錄爲北大一、一〇、一及二片。面拓本又著錄爲總集一三六一九片，上段著錄爲續一、二八、六片；寫本見於南師二、五三片。

按：考釋固知本片有背面拓本，然未能輯錄其拓本，亦未能輯錄其寫本，殊失之交臂；僅寫背辭於考釋之按語而已。續編所錄不僅無背拓，即便面拓之後三辭亦爲羅氏翦棄。胡編合集雖輯入較完整之面拓，然予背拓竟亦捨棄；所爲寫本亦未予寫錄。不無粗率之失。

又按：曾氏綴合編以本片與庫一〇八六片綴合爲一，非是。說詳新綴訂譌篇一八，此不贅錄。審北大所著錄之背拓，雖未能拓製全形，然就其拓本所現示之狀況、徵候、鑽灼；並參酌面拓之情形等，推勘其所居之部位，宜與面拓第三辭相承。若然，則本骨版之卜序應爲自上而下。右列辭序即據此者；故與考釋之列序異。

：考釋無說。按：金文朁鼎（金文總集二三三五頁）有字、與栔文構形同；金文學家率從吳氏大澂之說，隸定爲[illegible]，讀如尚書「肆類于上帝」之肆（愙齋集古錄六、二）。柯昌濟作韡華閣金文跋尾、定爲西周中葉器（乙篇四四）。隸定之，當作朁。檢說文有朁字：「曾也；从曰兓聲。詩曰：朁不畏明」。疑即栔文之形衍。蓋古文字从口从曰一也：至其上从則僅小篆之誤書，故作兓形耳。字於卜辭，率多爲人名，其非爲人名者又爲殘辭，無由推勘其意義。見於金文者亦爲人名；疑其爲同一人。柯氏定其器爲西周中葉，由此觀之，殊誤。且無論銘款等，均宜定爲商器。若據人名言：當爲武丁時器。

夒：通考釋蔑云：「卜辭蔑字異形頗繁。蔑、當爲昧或冥。左昭元年傳：金天氏有裔子曰昧，爲玄冥師。服虔云：金天、少昊也。玄冥、水官也。師、長也。昧爲水官之長。是玄冥乃官名。漢書人表作帥昧，當是師昧之形訛。古昧蔑二字通。左隱元年：盟于蔑。公、穀作昧。文七年先蔑，公、穀作先昧。是卜辭之蔑、即水官之昧也。說文：莧、火不明也。讀與蔑同。魯語上：冥、勤其官而水死。又：商人郊冥而宗湯。禮記祭法：殷人禘嚳而郊冥。今本竹書：商候冥死于河。是冥亦爲水官也」（一二四頁）。

按：釋蔑非。茲從釋夒說。

五二五　甲　第一期

1.甲申卜穷貞：告秋于河　二

2.己丑卜貞：雍〼弖〼疾〼　二

3.貞：今〼般〼死　一

本拓本又著錄爲巴黎所見甲骨錄（簡作巴黎）三片，法國所藏甲骨錄（簡作法國）七片，總集九六二七片。

按：考釋未釋第一辭之貞人名，定第二辭之卜日爲丁丑。均非。茲正如右。又法國所藏甲骨錄考釋（簡作法考）定第三辭爲「今一月般死」二四頁。然否，有俟綴合之證驗。

五二六　骨　第一期

1.〼　一

2.貞：勿奴　二

3.〼　不悟蛛

本拓本又著錄爲明後一七二三片，總集七三〇四片；寫本見於南明一八九片。

按：寫本於兆相術語及兆序數字均未寫入。非是。

五二七加總集六四六五　骨　第一期

1.壬午卜卜㝑貞：王叀帚好令正尸　一

2.癸未卜㝑貞：王叀帚好令☐　一

3.今春王勿正尸

本綴合版他書未著錄。首片又著錄爲北大三、一四、二片，續四、三〇、一片，總集六四五九片。

按：考釋定第一辭爲「☐午卜卜㝑貞」，並謂：「卜下衍一卜字」。胡雜從之[四〇五頁]。通考謂：「☐午卜卜㝑貞。重卜字。通別二上野五之壬午卜卜即貞同例。㝑上卜字非衍文，乃指其官職。曰卜㝑者，猶春秋稱晉之卜偃，魯之卜齮。此㝑爲卜官之明證也」[二四一頁]。金祥恒先生云：「☐午卜卜，當爲癸卯卜。癸字、拓片似午，卯字似卜，實因骨紋與漫漶至誤；視原骨可知也」[卜人解惑]。按：原骨現落誰家，目前不得而知，無從觀察；即便知其下落，亦未見得非常容易檢視。檢視原骨之說，實乃矇人之論，亦非治學實事求是之態度也。茲就總集所錄拓本審量，二卜字非常清楚明白，且卜上之午字亦明確不苟，其非癸字一望即知，確爲「壬午卜卜」。不容置疑。惟午上之天干「壬」，周圍泐文嫌多，不易辨識耳。茲將金先生所作寫本，影印迻錄於左，藉資參驗。

考釋定第二辭爲：「乙未卜㝑貞歸好[illegible]」。非是。又第二辭之令字校編迻寫爲[illegible][附上十九]。亦誤。

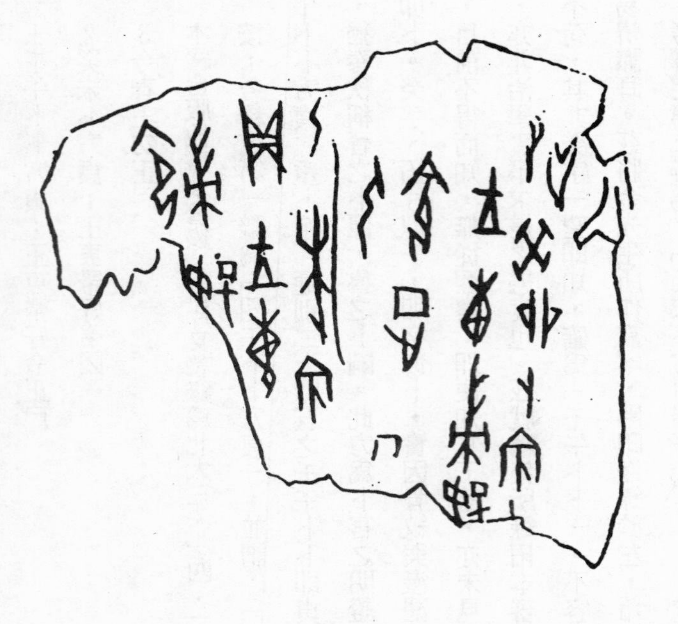

佚 527

尸：或釋夷。爲殷時之方國。

五二八　骨　第一期

☐卜☐勿祥☐

本拓本又著錄爲明後一八二三片，總集一八二八九片。寫本見於南明一四三片。

：考釋隸定爲羌、無說。

五二九　骨　第四期

叀今己血庚☐

本拓本又著錄爲總集三一一五片。

五三〇　骨　第一期

1. 貞：勿循
2. 貞：循
3. 貞：㞢

本拓本又著錄爲明後一六七九片，總集七二五九片。寫本見於南明一〇七片

五三一　骨　第一期

面：1.自𦣞

2.乙丑卜㞢貞：帚姘魯于黍年

3.壬☐允☐雨

4.☐　三　小告

5.☐　小告

背：1.丙寅卜㞢貞：凡多[illegible]

2.☐凡☐[illegible]

右面背兩拓本著錄爲總集一〇一三一號。面拓又著錄爲北大三、一六、一片，續四、二五、二片。寫本見於南師二、二七片。

按：佚存、北大、續四、寫本等，均未錄背拓，茲據總集補錄，並今譯其辭如右。

胡考定面拓第一辭爲：「骨面紀事刻辭」。寫本未錄第四、五兩辭。

[illegible]：或釋酒：未必爲是。

五三二　骨　第一期

1. 丁亥卜㱿貞：省至于亩
2. ☐ 一 不牾蛛
3. ☐ 一 不牾 小告
4. ☐ 小告

本拓本又著錄爲北大二、二三、一及二片，續三、一四、二片。

按：胡編合集不錄本拓本，未悉何緣。續三所錄拓本僅存第一辭，餘均爲羅氏遺棄。

亩：說文作亩，曰：「穀所振入也。宗廟粢盛，蒼黃亩而取之，故謂之亩。从入从回」。字於本辭，當爲地名。疑即春秋齊國之廩丘。說文云：「亩、或从广稟」、「稟、从亩禾」。則亩、當即廩之初文矣。左定八年傳：「公侵齊、攻廩丘之郛」。左襄二十六年傳：「夏齊、烏餘以廩丘奔晉」。注：「廩丘、今東郡廩丘縣故城」。地在今山東省范縣東南。重修清一統志：「縣志：城在縣東南七十里義東堡」一八一、一九。

五三三 骨 第一期

貞：今春王勿从望乘伐危☐ 三

本拓本又著錄爲總集六五〇二片。

五三四加明氏七六三　骨　第一期

1.羊　二　三
2.方不大㞢　四
3.☒　一　二　三　四　五　六
4.庚申卜：方其大出　一　二　三
5.（字）

本綴合版已著錄爲總集六六九七版。首片又著錄爲明後一七〇六片；寫本見於南明一五六片。

按：胡文定第四辭爲：武丁時一辭五卜者一三八頁。詳察綴合版之各種徵候，所定非是；實爲三卜也。

再按：考釋定第五辭爲「龜」。詳察拓本，所定未必爲是。茲據總集所錄拓本，姑迻寫如右，以俟再予綴合之證驗。

五三五　骨　第四期

1.于大乙𢓊☒　一
2.弜于宗其𢓊　一
3.☒令骨眔（字）示□☒　一

4. ☒ 一

5. ☒ 一

本拓本又著錄爲總集三二九一二片。

按：第一辭征下尚有殘，以拓本拓印頗差，無由辨認其究爲何字之殘，姑用□號識之，以俟清晰之拓本，或綴合之證驗。考釋隸定爲妣，未必爲是。

考釋隸定第三辭爲：「令骨罘[illegible]示妣」。綜類初從其所定（三〇七頁），繼又改作「令骨罘[illegible]示」（一〇三及三〇六頁），而不迻錄示下之殘文。通考隸定爲：「令骨罘䍃卜」（九一四頁）；而以[illegible]釋䍃，其下之殘文釋卜。茲緣絜辭殘佚不全，又乏同類例之絜辭可徵。茲姑如右作，以俟文例。至其究當何釋，則有俟論定。

五三六　甲　第一期

1. 己☒日☒
2. 己丑卜大貞：于五示告：丁、且乙、且丁、羌甲、且辛？

本拓本初見錄於通纂書後；又著錄爲粹二五〇片，總集一三九一一片。寫本亦著於通纂書後。

按：考釋定第二辭之卜日爲「丁丑」。非是。

粹考云：「五示之次乃追溯。丁者武丁，祖乙者小乙」（四十一頁）。按：五示之次殊非「追溯」。實爲逆敘。通纂書後云：「後記中所論五示，因未見原契，故多揣測語；今承董氏摹寄，援揭之于次，以補余書之未備。其五示中之□，在祖丁之次，祖辛之前，正當為沃甲。足證舊釋陽甲之非」。又云：「前承彥堂摹示，今復以影片見贈，爰一並採入，以餉學者。余于此對彥堂之厚誼深致謝意」。茲並檢附彥堂先生之寫本，與拓本影片及手跡墨寶於後，藉資觀覽。

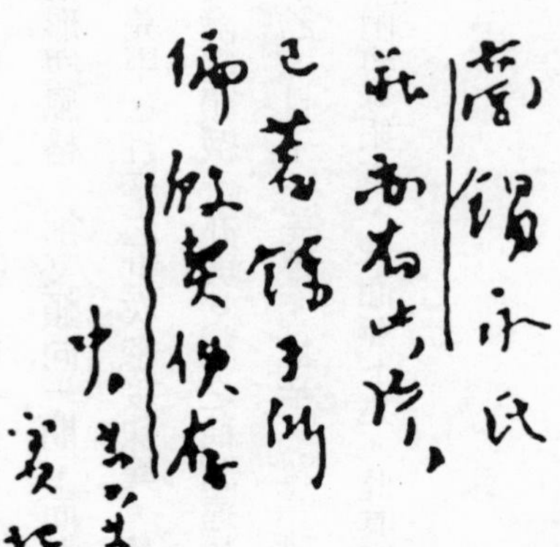

羌甲：爲第八世殷王之小宗，亦即第十五位之殷王。史記殷本紀作沃甲，曰：「帝祖辛崩，弟沃甲立，是爲帝沃甲」。索隱曰：「系本作開甲」。契文作羌甲。於此，頗疑史公所記爲祖辛弟有誤焉。據契文例：凡屬小宗之殷王，其配偶不列於祀譜，且其他殷王之小宗者，其配偶均未入祀譜，獨羌甲不然，其配偶則列於祀譜。若佚存八七八片有辭曰：「祉于羌甲爽妣庚」，粹二五五片有辭曰：「于妣庚羌甲爽」，京都一八一八片有辭曰：「妣庚羌甲夾」，皆其例證。且本片之辭直謂羌甲爲五示之一；而其同辭之四示則皆爲大宗。據此，羌甲〔史記之沃甲〕宜非小宗，亦非爲史記所稱之祖辛之弟。然則，羌甲宜爲祖辛之子、祖丁之父，而爲大宗歟？然不能於契辭中得到切確之證明，或其他器物之證明。鑒於史公所記報丁、報乙、報丙世次之誤，不能謂此記不誤。此前，卜辭綜述三七七頁，張光直氏民族學集刊十三期等亦曾疑及之，僅質之大雅方家。

檢小屯南地甲骨二三四二片有辭曰：「于父丁、小乙、且丁、羌甲、且辛」，亦爲遞敘殷王世次之辭，與本片所契之辭略同；但稱丁爲「父丁」，且乙爲「小乙」。於此，頗有疑焉。據其書體風格及父丁之稱謂綜合推勘，似爲武乙時之辭，而若干字之構形與風格，卻又類同一期，而無各該期之遒勁與傳神。此其一。父丁之上世爲小乙，與小乙、且丁、羌甲、且辛之世次密接殊異，且相間三世之遙。此其二。其行文行款類似文武丁時之情形，卻無其活潑之韻緻；亦與父丁之稱謂違悟。此其三。辭曰：「□丑貞、王祝伊尹、取且乙魚、伐告于父丁、小乙、且丁、羌甲、且辛」小屯南地甲骨釋文五十一頁，辭義破碎零雜，了無主旨；與一事一辭之辭例牴牾。此其四。據屯南所錄拓本，骨面無卜兆。此其五。緣斯，疑其爲習契者信手抄襲之作。若然，固無研究之價値矣。

拾、二 商承祚藏拓

五三七　骨　第一期

面：1.☐爭貞：王隹出☐

2.☐卯卜㱿貞：𢓊戠爯冊王☐

3.乙未卜㱿貞：王☐

背：王固曰：吉，其去

右面背兩拓本著錄爲總集七三八五號。面拓又著錄爲續五、二三、一片，背拓又著錄爲續五、三〇、七片。

按：佚存原錄拓本，爲商氏將面背兩拓本變造爲一個拓本者；非眞有此實物也。茲據總集與續五所錄拓本，訂正如右，藉還其本眞面目。至商氏變造此拓本之目的爲何，則不之知矣。又面拓第二辭卜日之天干字殘佚，惟據第二辭之卜日推之，其或爲辛卯歟？

五三八　甲　第一期

貞：往出☐于☐

本拓本又著錄爲存一、七八五片，總集八一三一片。

☐：字不識。考釋隸定爲宿、無說。字於本辭，疑爲地名。

五三九　甲　第一期

豹

本拓本又著錄爲總集一八三一四片。

豹：考釋隸定爲虎、無說。就其構形審量，宜釋爲豹。蓋栔文之虎、身被斑文，而此則被環文。此爲最顯著之差異，知釋虎未當。

五四〇　甲　第一期

☐㱿貞：☐㞢乎☐

本拓本又著錄爲六束八九片，總集三五六四片。

五四一　骨　第三期

1.辛酉卜：父甲𠚤又夕歲王受又　一　吉

2.王受又

本拓本又著錄爲總集二七四五二片。

父甲：就書體風格所顯示之情形推察，疑爲廩辛時之辭；若然，當爲廩辛𠚤祭其父祖甲之稱語矣。

五四二　骨　第一期

己巳卜 韋貞：翌庚午雨

本拓本又著錄爲總集一二三四六片。

按：此爲肩胛骨左邊緣之背面拓本，其上端留存之鑽鑿痕跡可證；惜其面拓不知何之矣。考釋定此之序次五四三，核與圖版序次異；茲從圖版之序。又本辭卜日干支殘佚，茲據「翌庚午」補錄如右。

五四三　骨　第一期

丁亥卜㱿 貞：昔乙酉、箙旋。𠨘于大丁、大甲、且 乙百鬯百羌、卯三百宰？

本拓本又著錄爲總集三〇二片。

按：此與後上二八、三片之辭爲同文，闕文、即據彼補錄。又：考釋定此之序次爲五四二；核與圖版之序次歧，茲從圖版之序。

箙：爲武丁時之史官、若「戊戌帚宅示二屯　箙」南師二、二二。「戊申邑示一屯箙」庫方一六一〇等是。亦爲武丁時之貞人，若「庚午卜箙貞今夕雨」珠四三二，「乙未卜箙貞往羌」續二、二三、二片等是。字於本辭當爲人名。

旋：字於本辭，宜爲動詞；回也、還也。詩小雅、黃鳥：「言旋言歸」，集傳：「旋，回也」。小爾雅廣言：「旋、還也」。又周禮正義：「旋、環古同聲；環之爲旋，猶還之爲旋也」。禮記玉藻：「

折還中矩」。釋文：「還、本一作旋」。則旋、還乃一字耳。辭曰：「箙旋、𠨘于」、𠨘爲祭名、意爲箙此時或爲行人之職，且能圓滿達成任務，回朝之日則以三百牢之禮告祭於大丁等三王之廟。漢時蘇武回朝，以太牢之禮告祭於武帝之廟之事或可比擬。故箙於武丁朝爲史官、爲貞人。惟箙因何事離朝，結果如何，不僅史無明文，且於契文亦乏其事可資稽考。吾人於殷史之所知實在有限。按：東薇堂讀契記定箙與旋均爲人名，並謂：「此二人爲某某告祭于祖先之辭，知屯南九一七片之第五辭，乃重提舊事」（中國文字新十一期）。釋旋爲人名、未當；而屯南九一七之辭宜非「舊事重提」。事實上本辭曰：「昔乙酉」，宜爲舊事重提。惟據本辭之辭義推勘，宜稱之爲援例，始謂恰當。蓋本辭之卜問目的，乃緣某人或某職官，治事有績，可否援「昔乙酉」箙之故事者。至屯南九一七、乃第四期之辭，乙酉爲該辭之卜日，而本辭及後編之辭之卜日爲丁亥；「昔乙酉」之人之事，辭無明言，亦無由稽考，故不能以「乙酉」定爲「箙之未來廟號」。世上既無此事，亦無此理。

五四四　骨　第一期

1. 貞：☐从☐
2. 己丑卜
3. 王从
4. 貞：叀多臣乎从沚𢦔

拾、二　商承祚藏拓

5.貞：王勿从沚戠

本拓本又著錄爲明後一七三九片，總集六一九片；寫本見於南明一七七片。

五四五加總集三五四三一　骨　第五期

1.癸未王卜貞：旬亡猧？王𠧞曰：吉。在五月。甲申壴且甲。隹王七祀。

2.癸巳王卜貞：旬亡猧？王𠧞曰：吉。在五月；甲午𠭰且甲。

3.癸卯王卜貞：旬亡猧？王𠧞曰：吉。在五月。甲辰工典其酒彡。

4.癸丑王卜貞：旬亡猧？王𠧞曰：吉。在六月。甲寅彡日上甲。

5.癸亥王卜貞：旬亡猧？王𠧞曰：吉。在六月。甲子彡夕大乙。

本綴合版見於中國文字新十期。首片又著錄爲明後二七三三片，總集三七八四六片。寫本見於南明七八三片。

按：考釋定第二辭之𠭰爲隹。寫本將第三辭之貞𠧞二字失錄，並將典字迻錄爲叒。均非。考首片三辭、彥堂先生考定爲帝乙七祀所卜契者，並以之譜爲祀譜。今與其上再予綴合，頗使原譜更爲充實。茲將原譜迻錄於左，並補入綴合之辭，藉資觀覽。

帝乙七祀

正月大甲申朔

癸巳 初十

癸卯 二十

癸丑 三十

二月小甲寅 朔

癸亥 初十

癸酉 二十

三月大癸未 朔

癸巳 十一

癸卯 二十一

四月小癸丑 朔

癸亥 十一

癸酉 二十一

五月大壬午 朔

癸未 初二 癸未王卜貞：旬亡猧？王𡆥曰：吉。在五月。甲申壹祖甲。隹王七祀。

癸巳 十二 癸巳王卜貞：旬亡猧？王𡆥曰：吉。在五月。甲午劦祖甲。

癸卯 二十二 癸卯王卜貞：旬亡猧？王𡆥曰：吉。在五月。甲辰工典其酒彡。

六月小壬子 朔

癸丑 初二 癸丑王卜貞：旬亡猧？王𡆥曰：吉。在六月。甲寅彡日上甲。

癸亥 十二 癸亥王卜貞：旬亡猧？王𡆥曰：吉。在六月。甲子彡夕大乙。

癸酉 二十二

五四六 骨 第一期

面：☐ 二告

背：王固曰：今夕退雨

右面背兩拓本著錄爲明後一六三三號，總集一二九九七號。寫本見於南明四二及四三片

按：佚存未錄面拓；茲據右三書補錄、並今譯其辭。

五四七 骨 第五期

[□日]卜貞：王田于雞、往來亡𡿧？[王𡆥曰]：弘吉。兹卯隻狼八十又六。

本拓本又著錄爲明後二七六一片，總集三七四七一片。寫本見於南明七八七片。

按：寫本失錄卜字。

五四八　甲　第一期

1.庚午卜旅貞：王宂妣庚歲罘兄庚亡尤　一

2.☐亡尤

本拓本又著錄爲粹三一七片，總集二三三七六片。

按：明氏七四〇片之辭爲同文、缺文、即據彼補錄。胡文定爲「一辭同文例」一四九頁。粹考定第二辭爲「☐宂☐亡尤」。然否、有俟綴合之證驗。

又按：辭曰「兄庚」、當爲祖甲稱祖庚之辭。據此推察、辭曰「妣庚」，當爲祖甲稱小乙之奭矣。

五四九　骨　第一期

貞：𢀛其喪衆

本拓本又著錄爲明後一六八五片，總集五八片。寫本見於南明一九一片。

☐：考釋隸定爲☐，並說之曰：「疑是衆之異文」。詳察拓本，並與明後，南明，及同類例之辭比勘，衆上☐之痕跡，宜爲前此之契刻剷削未盡，所殘留之字跡，應非衆之異文。

☐：寫本迻錄爲☐。非是。

拾、二　商承祚藏拓

五五〇　甲　第一期

面：1.丙午卜爭貞：我受年？　一月

2.☐　二　三

背：☐示三十

右面背兩拓本著錄爲總集九六七二號。

按：佚存未錄背拓、茲據總集補錄、並今譯其辭如右。

五五一　甲　第一期

面：1.貞：翌丁亥易日

2.貞：翌丁亥不易日

背：☐卜㱿

右面背兩拓本著錄爲總集一三三一七六號；面拓又著錄爲明後一六四五片。面拓寫本見於南明十四片。

按：佚存、明後及南明三書，均失錄背拓；茲據總集補錄，並今譯其辭如右。

五五二　骨　第一期

1.翌庚子易日

2.翌庚子易日

3.翌庚子易日

4.貞：翌乙巳不其易日

乙巳易日

本拓本又著錄爲明後一六三六片，總集一三三七二片。寫本見於南明一三片。

按：胡雜定爲「獸骨相間刻辭例」四三七頁。

五五三　甲　第一期

貞：遲弗☐多☐

本拓本又著錄爲總集四三七一片。

五五四　重見一三八片　刪

按：考釋定本片之序次爲五五五，核與圖版序次異。茲從圖版之序次。

拾、二　商承祚藏拓

五五五 甲 第一期

乙亥[卜]貞：其又𩂣且乙 在六月

本拓本又著錄爲總集二三一五七片。

按：考釋定本片之序次爲五五四，核與圖版序次異。茲從圖版之序次。

五五六 骨 第一期

壬戌卜穷貞：帚好娩㓝 三

本拓本又著錄爲明後一七六〇片，總集一三九九七片。寫本見於南明二四四片。

五五七 甲 第二期

1. 戠
2. 壬申卜𠂬貞：王穷兄己求眔兄庚求亡尤
3. 𠬪
4. [ ]卜𠂬貞：[王]穷上甲[求眔]大乙求[亡尤]

本拓本又著錄爲粹一一一片，總集二三六二四片。

按：考釋釋第二辭云：「以五四八版證之，空下所闕，當爲妣庚二字」。粹考定其辭之後段爲：「兄庚𠦪叔亡尤」。審考釋所云非是。「兄己」二文甚爲清晰，不當以闕文說之。至粹考所釋殊爲不辭；蓋二期之辭從無似此之辭例也，審拓本，叔字疑爲前辭之剷削未盡，或緣他因而栔，決非本辭所當有。且其字之構形較本辭他字爲大，字又偏左凸出，行款不飭。故本校釋以之列爲第三辭，以俟他證。

[字形]：考釋云：「疑與𠦪爲同字」。茲從釋求說。

尤：粹考云：「尤字作[字形]，乃[字形]字所从象形文之[字形]省。[字形]、乃猓然之猓，[字形]即狖（蜼）之象形文也；狖音餘繡切，故音變而爲尤」。詳察粹編所錄拓本，其說殊非。僅緣尤字右旁有大小不同之剷削痕跡，考釋不能詳察，遂有此荒誕之怪說，不足爲訓。

五五八 骨 第一期

面：1.☐ 一 二

2.☐ 一 三 二告

3.☐ 二告

背：1.丁酉

2.貞：王其往出省从西告于且丁

拾、二 商承祚藏拓

右面背兩拓本著錄爲明後一五八三號，新綴二九三號，總集五一一三號。寫本見於南明八七及八八片。

按：佚存未錄面拓，茲據右三書補錄，並今譯其辭。

五五九　甲　第五期

1.癸巳卜在涌貞：王旬亡禍　二

2.癸丑卜在霍貞：王旬亡禍　二

本拓本又著錄爲總集三六七八〇片。

按：胡文定本版各辭與續五、二九、四，精九、五等片之辭爲：「多辭同文例」（一七五頁）。

五六〇　骨　第三期

1.丙子☐福☐一牢

二牢　一

三牢　丝用

2.己卯卜：兄庚福歲叀羊　一

3.☐王田𠀠

本拓本又著錄爲總集二七六二〇片。

按：曾毅公甲骨綴合編四十一版，以本片與遺珠六三六片綴合爲一。察其所爲綴合，疑爲非是。蓋本片之卜絜文作□，庚作□，歲作□；遺珠之卜絜文作□，庚作□，歲作□。此其一。據卜兆兆向推勘，本片爲胛骨之右緣，但綴合後之右緣，其弧形不合右骨右緣之生態。此其二。本骨版之上端已近於骨臼，遺珠爲密接骨臼者，若施予綴合，二者之部位則呈重疊之狀。此其三。綴合後折痕不能密合，而呈近似遙綴之態。此其四。絜辭重複。此其五。緣斯，疑其綴合有誤，故本校釋未予採錄，而以同文說之。

又按：本片第一辭就其書體風格，絜辭行款及版面所現示之其他徵侯觀察，頗近於四期武乙時之造型。然就其餘二辭及同文之遺珠六三六片互爲比勘，本片之辭仍宜爲三期者。蓋武乙時書體之方筆風格，宜非突變。而應在三期時即予孕育，本片之書體即可爲之說明。

兄庚：此兄庚、應非祖甲稱祖庚之辭。惟前賢皆以兄庚歸於祖甲時之辭。據本片及遺珠之辭，可證三期時亦有兄庚之稱。其在二期，當稱子庚、然祖甲之辭迄未見子庚之稱，但不能據此默證則謂三期無兄庚。迺此兄庚之棄世不在二期，而在三期焉。

五六一　骨　第一期

面：丁巳卜穷貞：□㞢于大示

拾、二　商承祚藏拓

臼：中

右面臼兩拓本著錄爲總集一四八三二號。面拓又著錄爲明後一五五九片。臼拓著錄爲明後一七六八片，寫本見於南明十一片。

按：佚存未錄臼拓，茲據總集補錄，並今譯其辭如右。

：字不識。考釋迻寫爲，非是。通考隸定爲巸，並釋之曰：「巸、祭名。他辭云：貞：卬王自甲，巸大示。十二月（前三、二二、四片）。于省吾釋智讀賓即此字」（二三八頁）。釋巸當否未敢必，然于氏釋智之契文作、等形（釋林四〇），其契文之構形與本字殊異，故不能據于說以釋本字。至本字究當何釋，有俟考定。

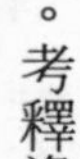

五六二　骨　第二期

1. 壬申卜行貞：王宊戠亡𡆥
   貞；亡尤　在九月
2. ☐行☐𡆥

本拓本又著錄爲存一、一五五八及一五六〇片，總集二五七〇四片。

五六三　骨　第三期

1.丝用

2.□于宗聂粟

3.□卜：先□父己福莫□

本拓本又著錄為總集三〇三〇四片。

按：此與京都一〇九一片之辭似為同文；惟緣京都之片殘佚太甚，故未能肯定。

考釋定第二辭為「聂黍于宗」，徵於第三辭及京都片之行文行款，茲訂如右錄。且也，考釋既定本辭右行，而於第三辭卻作左行，徵於卜骨契辭之例，知考釋定本辭右行為非是矣。

五六四　重見一七三片　刪

五六五　骨　第一期

面：1.貞：今夕其雨疾　一

2.貞：王往省

3.牛

4.□　二

5.□　二告

拾、二　商承祚藏拓

6.〼　一

7.〼　一　小告

背：1.貞：乎鹿

2.戊辰卜貞：寅 尹

3.貞：弗其隻

右面背兩拓本著錄爲明後一六二九號，總集一二六七一號；寫本見於南明二〇二及二〇三片。

按：佚存未錄背拓，茲據右列各書補錄，並今譯其辭如右。又佚存所錄之面拓，亦僅存第一辭。據佚存所錄拓本推察，明氏所藏此版實物，應於拓製佚存所錄拓本之前即已殘碎；其殘佚之徵候可於明後及總集之拓本，與本片互爲比勘、即可察知。然於佚存出版二十年之後，胡寫之南明卻未之殘裂，可證知胡寫之南明，乃據明氏先前所製之拓本也。

五六六　甲　第二期

〼貞：〼夾妣甲咨〼羌甲咨亡尤

本拓本又著錄爲總集二三〇二五片。

按：續一有辭曰：「甲戌卜貞：王室且辛夾妣甲咨〼」一七、七。本辭其此之比歟？蓋此爲二期祖甲時之辭，據世系、祖辛爲祖甲之高祖，羌甲亦爲高祖也。

五六七　甲　第二期

丁巳卜𠁧貞：王宾父丁𦒐亡尤

本拓本又著錄爲總集二三三四二片。

父丁：當即祖甲稱其父武丁之辭。

五六八　甲　第二期

1. 〼貞：〼𦣻眔般𦣻亡尤　在十月

2. 〼兄庚𦣻〼

本拓本又著錄爲簠帝八七片，總集二三三一〇四片。

按：本片二辭之契刻與一般常例不合，亦無尤推斷其何故；必也，有俟綴合之證驗。檢綜類雖亦定爲二辭，但卻將「尤」及「在十月」捨棄（五三三及五五四頁）。

五六九　甲　第二期

1. 〼　三

2. 己酉卜□貞：毓且乙歲牡

拾、二　商承祚藏拓

本拓本又著錄爲總集二三三一五一片。

按：毓且乙爲小乙之稱。

五七〇　甲　第一期

1.乙☒貞：☒大☒从☒受☒萑𤕌☒　七月

2.☐丑卜穷貞：☒三百羌于祊

本拓本又著錄爲巴黎二片，法國一片，總集二九四片。

按：法國所藏實物，其右下角已殘佚，且亦不知其今落誰家。巴黎、法國之考釋皆據本拓本爲之者。

考釋析第一辭爲二、作「七月萑𤕌受㞢祐」，及「乙☐卜貞☒大乙☒亡☐」。綜類將卜兆序數「三」濫爲卜辭二三二頁。「受☒萑𤕌」、甲文的世界作「受𤕌」，並謂：「受𤕌與受年的受用法相同，表示獲得牧草」中譯一六三頁。法國考釋亦析爲二辭，作「乙☐卜☐鼎　大☐从☐三月」、及「受㞢又　萑𤕌」三二。均非。詳察拓本及法國所著錄之放大照片，其辭宜如右列。蓋本辭爲跳兆契刻，知「三」爲卜兆之紀數；法國考釋於卜兆豎坼之凹處（見於照片者爲陰影）不察，遂傅會爲月字，而成三月。察綜類於（三）字下雖亦濫入「D」字，但於其右側則注一？字，以示其尚有疑問，今於法國所錄之放大照片中（詳察），知其濫入之D爲誤；而於其右旁注？亦可解答矣。

祊：或釋丁，或釋爲名詞，或釋爲動詞。衆說紛紜，尚無定論。茲從釋祊說，祭名。

羌：本辭之羌宜爲動物，殊非人牲（說見本校釋一五四片，此不重錄）。

五七一　骨　第一期

1.貞：遲☐其㞢囚

2.貞：遲往來亡囚

3.貞：王勿祥☐戠

本拓本又著錄爲巴黎五片，法國九片，總集四三七〇片。

遲：通考據京津二七二五片之辭，定爲武丁時之貞人（七六頁）。察京津之片僅賸「遲貞」二文，其上下無辭可證其確爲貞人，且屬於武丁時期者。憑此孤辭隻字遽定爲貞人，頗失之粗率。若據之爲譁衆聳聽，增加一點聊天資料尚無不可。故遲是否爲貞人，尚有待資料之證明。法國考釋亦定爲武丁時之貞人（一四四頁），惟未舉證見於何種資料，僅止於如此說說而已。

五七二　加後上二二、二一　甲　第一期

1.庚寅卜[貞]：𠦒羅亡☐　四月

2.庚寅卜貞：𠦒弗其羅亡☐　四[月]

拾、二　商承祚藏拓

3.☐至☐乙未☐攸☐

4.王于出

5.令

本綴合版已著錄爲新綴四四七版，總集一〇八一二版。首片又著錄爲巴黎一片，法國五片。

按：法國考釋云：「甲骨文中，𠦝有時爲貞人之名」（一四〇頁）。察其所據、爲丙一五三版。檢丙編考釋定其辭爲「貞史羅」（一三〇頁），亦未認定此「羅」爲貞人，再勘丙編所錄拓本、其辭栔於左上腹甲與中甲、此部位之栔辭絕不可能讀爲右行「羅貞史」，此只須稍具讀栔辭常者即可定其讀法，不容置辯，是認定「羅」爲貞人之說，無疑是聳人聽聞，誤導栔文走入歧途之說。不可逞一人一時之快，誤人於迷路。

：字不識，有俟考證。

五七三　甲　第一期

甲辰卜☐☐母庚☐

本拓本又著錄爲總集二五七〇片。

：考釋隸定爲祝，續編釋祝（卷一六頁），均無說。然就其構形審量，釋祝未必爲當。字蓋从示从口从、从，象人拜祈之形；从口、宜與从言意同，示口中念念有詞之意；从示、爲受此詞拜祈之神主。然則，其爲今字祈之初文歟？抑或爲今字禱之初文歟？

母庚：就殘辭推勘，此母庚、宜爲武丁稱小乙之奭，其廟號曰庚者。

五七四　甲　第一期

貞：王途☐勿☐　二告

本拓本又著錄爲存一、一二八一片，總集六〇三一片。

按：考釋以兆相術語「二告」，定爲第二辭。非是。

五七五　骨　第一期

1.貞：于☐

2.貞：[illegible]☐

3.于北

4.貞：[illegible][illegible]介

5.貞：㞢☐

本拓本又著錄爲總集八七八四片。

按：胡雜定各辭爲：「獸骨相間刻辭例」四三五頁。

拾、二一　商承祚藏拓

[oracle-bone character]：或釋湔、未必爲當。

五七六　骨　第二期

1.于禾

2.旅☐多子☐[oracle-bone character]☐

本拓本又著錄爲總集二三五四二片。

按：通考併二辭爲一，作「卜旅貞：☐多子☐[oracle-bone character]☐于禾」九五頁。竟將「于」上、「子」下之界欄予泯滅；且「卜」「貞」二字拓本並無，而認定其見於拓本；確見於拓本之「旅」「禾」二字，則定爲拓本未見之字。此眞是僞造卜辭焉。

[oracle-bone character]：字不識。通考謂：「隸定爲叏、疑爯字之別構」九五頁。就其構形審之，並無爯義。則釋爯未當，至其究當何釋，有俟考定。

五七七　骨　第四期

辛　壬午王貞：[oracle-bone character]不因

本拓本又著錄爲冬飲廬所藏甲骨文字（簡作冬飲）十二片，總集二一三七四片。寫本見於戰後南北所見甲骨集，無想山房所藏甲骨錄（簡作南無）二四一片。

按：東薇堂讀契記定本辭為：「辛壬午王貞」（中國文字新十一期一〇四頁），而將契文之□字捨棄。未當。

□：今釋窗；契文明即從此作。然以「辛窗」為釋，則頗嫌不辭，契文亦無此辭例。因之，或謂□為酉之誤契，而釋為「辛酉」；然下接「壬午王貞」亦嫌不辭。亦或以□與其下之「工」定為一字，仍釋為酉，並以其再下之□釋為卜，而成「辛酉卜王貞」之序辭。然詳檢地支之各字曾無作□工者；而卜字亦曾無作□形者。故知上述諸釋、皆嫌勉強，不能從其釋。

□不因：其義不詳。惟見於卜辭者尚有：

1. 癸未卜貞：戠不因（前五、三八、三片）
2. 癸未卜貞：□子不因（金六七九）　又有：
3. 甲子卜子貞：翌攸因（後下四三、三）

與本辭皆曰「不因」，或曰「攸因」。然則、「不因」為文武丁時期之專有術語歟？察本辭之□字雖不識其意，而其下之「壬午」則清楚明白；彼日癸未，此日壬午，日辰密接；甲子、癸未、日辰相間九日。是此數辭，或有其所以然之原因歟？固未之知不可懸說也。

考金片之辭，彥堂先生定其為後世之仿刻（平廬文存）。既為仿刻，可置而不論。前五之辭，葉氏集釋謂其「義不可解」（五、四一）。惟後下之辭；趙尺子氏曾據之將其所作三十萬言之「偽國家史」，改題為「因國史」（五頁）；另作專文說解其辭（見民國四十一年一月二十三日中央日報副刊及反攻半月刊第七期）。惟其釋契文之□、攸均為人名，即史記夏本紀之羿與啓。因、即今字姻。就字之構形、及文字使用之引申假借、時間之衍化等言，尚屬通順。然□在契文中爲祭名；若以翌爲說、其在契文中爲次日之意；所釋皆與契辭之通義不合。而本片之辭曰「□不因」，□，據趙氏說，可解爲人名，此人爲誰何？契辭乏例可據。不，當爲否定詞，宜無疑義。因、釋婣；□不因，即□不婣。其意當爲：□不受此婣事。前五之「戠不因」，或亦可援所釋？然否，質諸大雅。

綜觀本拓本之情形，契辭呈謹飭之二行，頗乏文武丁時期契辭行款之活潑有緻；不僅書體笨拙板滯而乏神韻，抑且無卜兆之痕跡。由是，竊疑其若非當時習契者之所作，抑或爲後世之仿刻。持與同類例之他片比勘，本片頗與金六七片之情形相似，而與他片之徵候殊異。彥堂先生曾謂金片爲後世之仿刻；本片既與其情形類似，故頗疑其爲後世之僞造者。若然，固無干支日辰及辭義之推求也。

五七八　甲　第一期

龍不其受年　一　四

本拓本又著錄爲總集九七七一片。

五七九　甲　第一期

其朿　二

本拓本又著錄爲存一、一八八七片，總集三四四七二片。

五八〇 骨 第三期

1.癸

2.叀丁午鼎弜新

3.叀新鳴貝

4.叀龔伐

本拓本又著錄爲冬飲五片，總集二八〇二二片。寫本見於南無四九七片。

按：冬飲及南無所著錄者，僅爲第三辭之半及第三辭之全辭，餘皆殘佚、不知所之矣。

考釋定第二辭爲：「叀丁午貞弜新」。既嫌不辭，且無例可徵。本校釋雖如右釋，然頗疑其爲出土後，爲當時之作僞者所僞刻。蓋就其書體觀察、板滯稚弱。就其行款觀察、拘謹無神。相形愈見三、四兩辭之書體遒勁傳神，行款活潑有緻。此其一。[illegible]字之書體與佚存四一〇片之字無甚軒輊，如出一轍；尤以[illegible]字之構形，既非栔文之壬，亦非栔文之午。此其二。辭義苦澀、不能句讀，無由表達辭義；而丁午或丁壬，干支表中更無此日辰。此其三。叀丁午鼎，文武丁時之辭無此辭例。此其四。故頗疑本片第二辭爲後世之僞刻。

五八一 甲 第四期

拾、二 商承祚藏拓

□申卜㞢：今[glyph]从侯☒

本拓本又著錄爲總集二〇一六四片。

[glyph]：考釋云：「爲人名。象首有長髮。金文[glyph]子作父辛鼎之[glyph]，象髮左右分。與此當是一字」。按：所釋可採；惟其究當今之何字，則有俟考定。

五八二　骨　第一期

1. 貞：[于]乙[門]令
2. 貞：勿于乙門令
3. 貞：勿于乙門令

本拓本又著錄爲甲骨六錄，束天民氏所藏甲骨文字（簡作六束）五五片，總集一三五九九片。

乙門：疑爲宗廟廟主之稱，乙門、乃稱其廟門之意。見於卜辭者有：「丁門」（林二、二二五片）；又有「父甲門」（寧一、二〇一）、「宗門」（甲九八六）、「且丁宗門」（甲二七六九片）等之稱。就其所見之時期察之、乙門、見於武丁時期。丁門、見於二期之辭，餘則見於三期。父甲門、且丁宗門之稱，辭義簡明，甲考釋此且丁爲武丁（三五四頁），宗即宗廟；則且丁宗門，當爲祀奉武丁之廟門。準此，父甲門，當爲祀奉二期祖甲之廟門，丁門、蓋即父丁門之簡；父丁、蓋爲武丁之稱。則乙門、當爲武丁稱供祀小乙之廟門矣。乙門令，當謂武丁於其父小乙之廟施祭，處理政務之義也。

五八三　骨　第三期

乙巳既雚

本拓本又著錄爲總集三一〇五三片。

五八四　骨　第一期

1.辛☐貞：☐　一

2.甲申其媗　一

3.卯

本拓本又著錄爲總集一五六七二片。

按：考釋定：第一辭爲「甲申卜其熹」；第三辭爲「辛卯貞王」。緣拓本拓印不彀清晰，契辭恰當左邊緣，無法辨認其然否，僅俟清晰之拓本再予訂正。

五八五　甲　第一期

1.己丑☐上甲☐　二

2.☐王☐不☐令☐

拾、二　商承祚藏拓

本拓本又著錄爲總集一二二五片。

按：考釋定第一辭卜日爲「己亥」。非是。

五八六　甲　第四期

乙亥卜𠂤貞：王曰：㞢孕？㚖？[glyph]曰：㚖。

本拓本又著錄爲總集二一〇七一片；折裂後之拓本、著錄爲冬飲三六片及二八五片。綴合版已著錄爲新綴六八三版。寫本見於南無二〇五片。

按：本片爲第四期文武丁時之辭，辭曰：「王曰」，此王當爲文武丁。辭曰「㞢孕」，蓋卜問其后是否懷孕。又曰「㚖」，隨即又問：是否爲男。決辭，判定爲男。主持此一占卜儀式之史官爲[glyph]、貞人爲𠂤。

[glyph]：考釋云：「疑包。唐氏謂：當是孕之本字。[glyph]即[glyph]字，象人大腹之形；故古者稱孕曰有身，象子在腹中也」。按：釋包非是。茲從唐氏說。

五八七　甲　第一期

[glyph]弗其尸眉

本拓本又著錄爲總集二五一六片。

考釋云：「末二字疑是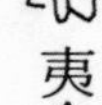夷合文」。按：所論未當，茲釋如右。

五八八　骨　第二期

1. 癸巳[卜]貞：叀□弗若

2. □寅卜貞：王定□福亡𡆥

五八九　甲　第一期

〼之夕〼得

本拓本又著錄為存一、一一六二片，總集八九〇八片。

五九〇　甲　第一期

1. 貞：方〼

2. 貞：〼不㞢〼　　二告

本拓本又著錄為存一、一三二一片，總集八六八七及一八二五九片。

按：考釋定為三辭，蓋以兆相術語「二告」，認定為卜辭也。

五九一　骨　第三期

（甲骨文字）

本拓本又著錄爲總集六〇三六片。

按：考釋迻寫作（甲骨文字）。此字僅見。从（甲骨文字）从奴从（甲骨文字）。說文所無。

五九二　甲　第一期

1.☐日（甲骨文字）內☐

2.畫來☐

本拓本又著錄爲總集九一九八片。

按：此爲腹甲右甲橋上半之背面拓本。就其殘存之情形，推測其整甲，宜爲一般之小型腹甲，其縱長約當十六七公分右。

考釋定第二辭爲：「丙☐（甲骨文字）來☐」。非是。或緣其不知此爲腹甲甲橋之背拓之故也。

五九三　甲　第四期

1.☐食☐其雨

2.今日不雨

本拓本又著錄爲存一、一七五一片，總集二九九四二片。

按：考釋定第二辭爲「其雨食」。非是。

五九四　甲　第四期

☐戌饗☐[illegible]☐

本拓本又著錄爲總集三二二三三片。

按：佚存所錄拓本印製殊不清晰，右辭今譯，與考釋頗有差異。然否，未敢必，僅俟清晰之拓本。

五九五　甲　第一期

1.匕

2.[illegible]

本拓本又著錄爲存一、一〇八五、及一三三八片，總集一五二〇三片。

五九六　甲　第一期

☐夕㪅☐霧　二

拾、二一　商承祚藏拓

本拓本又著錄爲存一、九一片，總集一三四六二片。

□：考釋隸定爲鳳風，無說。按：所定非是。茲從釋霧說。

五九七　甲　第一期

1.貞：隹娥

2.㞢

本拓本又著錄爲總集一四七八六片。

五九八　甲　第四期

1.☐丑卜：☐医☐出☐

2.☐乎☐于☐　三月

本拓本又著錄爲總集二〇一九五片。

按：考釋定爲一辭，爲「☐丑卜☐医乎出于三月」。通考從之七七〇頁。未必爲是。蓋二辭之書體、行款殊異，即前辭之字體較大，且頗有力；後辭則拘謹而小，且較稚弱。若定爲一辭，行款失之零亂。茲如右列，以俟綴合之證驗。

医：通考定爲武丁時貞人，並認定與⿷匚攴、⿷匚壴爲一人。釋其字㢈七七。據彥堂先生考定爲第四期貞人。與⿴囗叔、⿷匸晉未必爲一人。釋廩、亦未爲是。絜文之廩已見前釋，此不贅述。

五九九　甲　第四期

甲申卜𣏟貞：㞢父乙一牛　用　八月

本拓本又著錄爲總集一九九二八片。

按：考釋未釋貞人名。

父乙：當爲文武丁稱其父武乙之辭。按：通考據甲二九〇七片「又」「㞢」同見一片，定此父乙爲武丁稱其父小乙之辭六六頁。非是。

六〇〇　甲　第一期

晉將十

本拓本又著錄爲總集一九五六九片。

晉：考釋云：「[illegible]、上有缺筆。藏龜拾遺十三、一有[illegible]，與此文同，葉氏謂：爲晉之古文」。按：晉即今字晉。

十：考釋未釋。

六〇一　甲　第一期

1. [glyph]
2. 固

本拓本又著錄爲總集八〇四九片。

按：考釋未釋第二辭。或緣其爲殘文歟？

[glyph]：考釋云：「疑主京二字合文」。字不識。考釋所釋然否、有俟考定。

六〇二　骨　第三期

□[glyph]升王受又

本拓本又著錄爲總集三〇九六七片。

[glyph]：考釋釋⿰女凡云：「⿰女凡、仍讀伐，非擊踝之⿰女凡也」。釋⿰女凡爲伐、未當。字从戈从[glyph]、疑即戉字。

六〇三　骨　第三期

1. 牢

2.叀 [oracle glyph] 王受又

3. 叀 祊王受又

本拓本又著錄爲總集三〇七四七片。

[oracle glyph]：考釋云：「杋、亦賫字，余昔釋埶。非」。釋埶固非，隸定爲杋而釋賫亦非。字與[oracle glyph]同，或釋藝、爲祭名、然否、有俟考定。

六〇四加戩四七、七、骨 第四期

1.甲辰卜：雀受矦又 二

2.敉矦丙又□叀□ 一

3.甲辰卜：矦宓雀 一

4.甲辰卜：雀𢦏敉矦 二

5. 甲 辰卜：敉 矦 𢦏雀

本綴合版已著錄爲新綴四七七版，總集三三〇七一版。

按：戩壽堂所藏殷虛文字補正一文，曾謂本綴合版爲非。察其立說之原，乃據曾氏之綴合編。該書余曾於民國六十八年撰文論述（見中國文字新一期），此不贅述。檢曾書所錄之綴合，乃襲取彥堂先生者，惟畏世人之評隙，遂改造爲密接綴合，並增益戩四七、八片，奪爲己綴，納爲綴合編之一四〇版。待胡編合集雖已刪除戩四七、八片，然仍取曾氏密接綴合之非，而未予訂正。審彥堂先生之原初綴合乃爲遙綴〔如附圖〕。

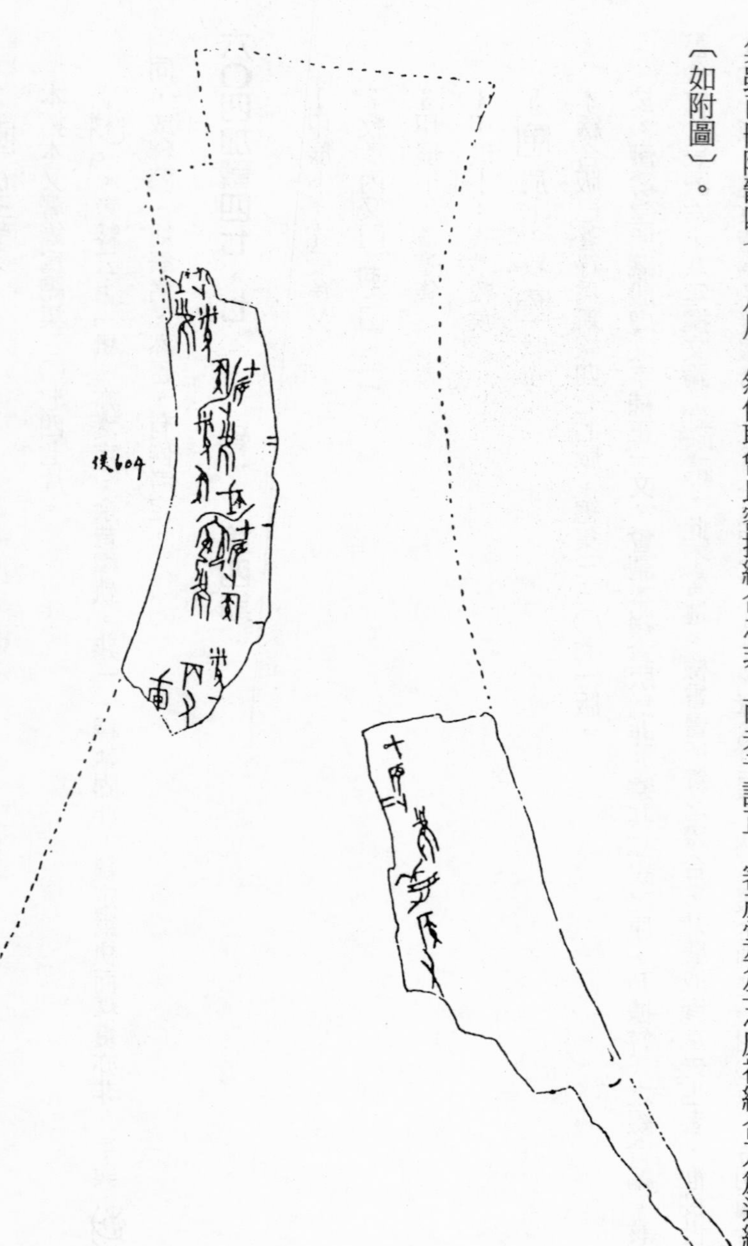

戩四七、七片為胛骨右邊緣之下段，本片為其左邊緣近骨臼處者。迺世人震於曾氏之虛名，且懶於翻資料，查究其原始情形，而任情操觚、信手為文，固未察曾氏之妙手與巧訣也。考彥堂先生作此綴合，時當民國二十四年，並發表於「五等爵在殷商」刊史語所集刊第六本四三〇頁並見董作賓先生全集甲編九〇二頁一文中。

[古文字]：考釋云：「疑敉字、國名」。綜述隸定為敉三八二頁。就其構形察之，字从朱从又，綜述所定不誤；然見於字書者則作敉。茲從之。敉，為殷時之方國，其地望約當今之淮水流域。

[古文字]：或釋戈、或釋戊，亦或釋戲中國字例二卷二五六頁。茲姑作戈，藉便說解。字亦見於金文，若戈且己鼎、戈且辛觚、戈叀爵、戈父丁爵等，字作[古文字]、金文學家皆釋戈。然亦未必為是。

[古文字]：或釋貫，或釋串，亦或釋盾，皆未必為是。闕疑可也。

六〇五　甲　第一期

面：丙辰卜 穷 貞：翌丁巳逐☐于[古文字]

背：☐于膆 七月

本面背兩拓本又著錄為總集一九四九二號。面拓又著錄為存一、一二一〇片。

[古文字]：考釋隸定為䵾、無說。又背拓之于、考釋隸定為夫、誤。七月、未釋。

六〇六　甲　第一期

桑☐

六〇七　甲　第二期

☐[illegible]☐彡衣☐尤　十二月

本拓本又著錄爲總集二四三八一片。

按：尤十二月，考釋定爲「祐十月」。非是。

六〇八　甲　第一期

☐卜[illegible][貞]：☐令☐

本拓本又著錄爲總集四三七八片。

六〇九　甲　第一期

1. [illegible]

2. 貞

本拓本又著錄爲總集一七九四九片。

按：考釋定爲一辭，未必爲當。或謂：與明氏二〇六五片爲重複。殊非。

六一〇　甲　第三期

冡

按：拓本泐文滿佈，殊不清晰；茲從考釋所定。

六一一　甲　第一期

☐壴☐　☐☐夢步☐

本拓本又著錄爲總集一七四七三片。

：考釋迻寫爲　、茲比勘兩拓本之情形，迻寫爲　。然否、緣拓本欠清，未敢必。

□：考釋隸定爲辟。其在拓本、僅存上半之殘，未必爲辟之絜文；茲用□號識之，以俟綴合。

六一二　甲　第一期

在沘

本拓本又著錄爲冬飮一〇二片，總集八三三四片。寫本見於南無四一〇片。

沘：絜文作　，初釋汭、或釋洮，或釋兆，或釋沘即邶。釋沘是也。金文有北白鼎（三代二、四一、八），北白鬲（小校三、五四、五），北白卣（三代十三、一六、五），北伯尊（小校五、二五、一）等器。皆爲商器。說文謂：邶爲朝歌北之商邑。然則，銅器之鼎鬲等乃其所鑄之器矣。

六一三　甲　第一期

□未卜：[illegible]于☐涉

[illegible]：考釋隸定爲癸，無說。茲姑隸作涉，以俟較清晰之拓本驗其然否。

六一四　甲　第二期

1. [illegible]☐若
2. ☐　十月

本拓本又著錄爲存一、一四〇一片，總集一五八〇〇片及二六八〇三片。

[illegible]：考釋隸定爲召，無說。

六一五　甲　第四期

乙未卜王：勿令𠂤粟朕卸　四月

本拓本又著錄爲總集四二四三片。

按：綜類將卜日逡寫爲「丁未」四二、一七八、四四二。非是。

[illegible]：考釋隸定爲黍，無說。茲從釋粟說。

六一六　甲　第四期

1. ☒乎☒宅☒[illegible]　一
2. ☒

本拓本又著錄爲總集八三四四片。

按：第二辭僅殘存某字之下半，無法推勘其究爲何字之殘。姑以☒號識之。

[illegible]：考釋隸定爲泳、無說。考此字僅見，釋泳、未必爲當。究宜何釋，有俟考定。

六一七　甲　第四期

叀甲[illegible]用

本拓本又著錄爲冬飲二三五片，總集五二六九片；寫本見於南無三七三片。

按：各本拓製皆欠清晰，此據寫本今譯；然否、未敢必，僅俟實物或清晰之拓本訂正。又：考釋定本辭爲：「☒夾吉叀雞用」。

[illegible]：考釋釋雞、曰：「金文父辛尊有[illegible]，父丁觶有[illegible]，皆象雞形，與此爲一字」。考契文自有雞字，且此及所舉二金文並不肖雞形，釋雞、未必爲是。闕疑可也。

六一八　甲　第一期

☐丙申帚良㞢☐

本拓本又著錄爲總集四九五六片。

按：總集所錄拓本，其實物之四周經已磨損。

六一九　甲　第一期

壬子☐鼠☐其死

本拓本初著錄爲鐵二〇八、三（新鐵六六一）片；又著錄爲存一、八三四片，總集二八〇五片。

按：據本殘辭之情形，持與同時期同類例之他辭，互爲比勘，本辭之鼠，疑爲武丁時諸帚之「帚鼠」。則其辭疑爲：「帚鼠不其死」或「帚鼠子不其死」之殘。然否、有俟綴合之證驗。

六二〇　甲　第四期

☐夕子☐老☐

本拓本又著錄爲總集一八九七三片。

六二一　甲　第一期

☐豕☐二[illegible]☐

本拓本又著錄爲總集一八三六〇片。

[illegible]：考釋疑爲魚字。

六二二　甲　第一期

寤　若

本拓本又著錄爲總集一六四一二片。

[illegible]：考釋云：「當是福字，如鼓之增宀、作竅也」。

六二三　甲　第一期

[illegible]多☐十朋☐母☐二

本拓本又著錄爲總集一一四四三片。

按：考釋定本辭爲：「母十朋[illegible]多子」。據拓本右下角殘存之卜兆序數「二」，則其兆坼應爲左向，契辭右行；故定其辭如右。

六二四 甲 第一期

𡪉 三月

六二五 骨 第三期

□亥卜：其又[illegible]母

本拓本又著錄爲六清一九〇片，外四〇四片，總集二七三七八片。

又；考釋隸定爲允、無說。

[illegible]：六清釋文隸定爲截、無說。通考隸定爲戠、釋繩、愼也（六二七頁）。然否、有俟論定。

六二六 甲 第一期

[illegible]☐于 二

本拓本又著錄爲總集一八三八二片。

[illegible]：字不識，他書亦未見。考釋定爲地名，有俟考查。然就現示於拓本之情形審量，疑爲誤絜之辭字，挖削未盡之殘留痕跡。故字不成形，無由辨其究爲何字、何義。

六一七　甲　第四期

王令㞢白

本拓本又著錄爲存、一〇七七片。

㞢：考釋云：「爲國名」。

六一八　甲　第一期

面：☐羊勿☐

背：自哻

本面背兩拓本又著錄爲存一、一一九及二〇片，總集八二六九號。

：集釋定爲待考字（四六二九及四七〇一頁）。續文編列於⿰𠦝朿字之後，定爲說文所無之字（七、一〇）。

六一九　甲　第一期

☐亥卜王貞：☐圍☐　☐

本拓本又著錄爲總集七〇五一片。

：據拓本迻寫。考釋釋冢、「爲國名」。非是。

拾、二　商承祚藏拓

六三〇 甲 第一期

1.丁亥☐☐ 二

2.☐勿乎☐貯☐☐ 二

本拓本又著錄爲存一、一二八三片，總集四六九〇片。

按：總集所錄拓本四週顯著磨損，續存所錄較佳。

：考釋隸定爲「王」，無說。就其構形比勘、字不類王，他書亦未之見，存疑可也。

：字爲殘文，考釋隸定爲「辛」，無說。然否，未敢必，僅俟綴合還原。

六三一 甲 第一期

貞：伐虩屰𢦏

本拓本又著錄爲總集六八八〇片。

按：京津七一片辭曰：「庚申卜㱿貞伐虩屰𢦏」。爲右甲橋之下端，辭較完整。本片爲左首甲，據例：其辭爲右首甲栔辭之簡略者。茲比傅京津之辭隸定如右。又藏龜拾遺四、十八之辭曰：「貞王伐虩☐𢦏」，與本辭略近似，或亦爲同時所栔者。

虩：通考云：「虩、即⿱虍皿。說文⿱虍皿、篆文作⿰曲盧，殆盧字。牧誓：羌盧彭濮人之盧，史記盧作纑。

左桓十三年：屈瑕伐羅，羅與盧戎兩軍之，大敗之。杜注：盧戎南蠻」一九四頁。姑存其說，藉備一格。

六三二　甲　第四期

丁亥[卜王]貞：弜[其氏]雍[罘會]

本拓本又著錄爲總集一八六四七（殘），及二〇一八四片。

按：本片與鐵二一〇、三（新鐵一〇三八）片之辭爲同文。其辭曰：「丁亥卜王貞弜弗其氏雍罘酉四月」。茲據之補錄本辭之缺文。又本片爲腹甲右甲橋上端之殘，鐵片爲左甲橋上端之殘，惟較本辭殘存稍多，故存辭亦較多。兩者或爲同腹甲之折裂歟？

六三三　甲　第一期

省

六三四　甲　第一期

辛丑[卜]貞：令☐企☐

本拓本又著錄爲存一、一二七〇片，總集一八九八二片。

按：本辭似與甲一〇一一片之辭仿佛。

拾、二　商承祚藏拓

六三五　骨　第三期

犬　冡

本拓本又著錄爲總集二八四一四片。

六三六加鐵一三八、三　甲　第一期

1.王𦣞氏人又☐

2.王𦣞氏人☐允氏三百

3.塞

4.塞

本綴合版已著錄爲新綴四八五版，新鐵四七三頁。首片初著錄爲鐵一四三、一片，又著錄爲總集九一〇三片。

按：合集未輯錄本綴合版。

塞：契文作[glyph]、續文編釋巫卷五頁五、或釋弄天考四八。均非。疑即今字塞之初文。說文：「塞、隔也；从土㸒聲」。小篆作[glyph]，猶與契文構形同。據說文、其所从之聲其構形與契文全同。可證字當即今字塞之初文。至說文隔也之說，蓋其引申義。詩邶風傳：「塞、瘞也」，乃其初義也。字在本辭，

就殘辭辭義推勘，疑如築城守邊之義，亦即其引申義也。書泰誓序疏：「築城守邊謂之塞」，故辭有

氏人三百之辭。

六三七　甲　第一期

1.☒

2.戊戌卜：弜☒追☒抑☒

本拓本又著錄爲總集一九七八三片。

六三八　甲　第一期

貞：王勿从望乘☒

本拓本又著錄爲總集六五〇九片。

六三九　甲　第一期

[illegible]于　一

本拓本又著錄爲存一、一三四五片，總集一八一二〇片。

[illegible]：考釋云：「疑噩字」。疑即今字桑字或體。

六四〇　甲　第四期

1.☑⿰午卩☑循☑

2.弜　吉

本拓本又著錄爲六束一片，總集二三二〇九片。

按：考釋定爲一辭；六束釋文定爲二辭，但與本校釋所定異。究以何者爲是，緣片碎辭殘，不可遽斷。又六束釋文定此背甲爲武丁以前物，未是。就其書體推勘，宜爲文武丁時物，尤以吉作[illegible]。

六四一　甲　第一期

其[illegible]十☑其☑入☑

本拓本又著錄爲存一、八三九片，總集一七一八二片。

按：此爲背甲之反面拓本；其左上及下緣，尚殘存鑿痕之下半及上半。

[illegible]：字不識。考釋云：「後下二二、九有[illegible]字，疑與此爲同字」。

六四二　甲　第四期

1.☑㞢☑巳☑妣☑⿱沚女☑

2.□未卜：〼叀其〼羅

本拓本又著錄爲存一、七五九片，總集二〇〇〇二片。

按：存一所錄拓本稍佳，然亦滿佈泐文，不易通讀。考釋定第一辭爲：「㞢辛巳隹人」辛隹二字拓本未見。定第二辭卜日爲「丁未」。丁字拓本未見。

：字从女从沚，隸定之，當作⿱沚女，字書未見。

六四三　甲　第一期

馬

吉

本拓本又著錄爲總集一七八五九片。

吉：考釋隸定爲告，未必爲是。

六四四　甲　第二期

1.〼㝎〼亡〼

2.永

本拓本又著錄爲存一、一四六五片，總集二三六六三片。

六四五　甲　第三期

1.于夔高且求

2.弜　用

本拓本又著錄爲殷絜摭佚續編（簡作摭續）三七片，總集三〇三九九片。

夔高且：考釋云：「唐氏謂：夔非帝嚳，王靜安先生說誤。夔爲高祖，其世次當與王亥相近」。

按：唐氏說非是。

六四六　甲　第二期

1.丙午卜□貞：叀☐令☐

2.☐其[illegible]☐[illegible]☐

本拓本又著錄爲六清一八三片，外三六一片，總集二六八五八片。

令：六清釋文隸定爲今，無說。

[illegible]：字不識。

[illegible]：六清釋文隸定爲葡即備。續文編釋鑽十四、一。無說。校編列爲待考字，入附錄上五六頁。

六四七加總集八三四六　甲　第一期

1.庚子卜㝉貞：我涉于東北

2.貞：我勿涉于東北

3.☐　四

本綴合版他書未著錄。首片又著錄爲總集八三四五片。實物照片著錄於誕圖一、七。

按：本綴合版爲腹甲左右兩前甲之左右兩半；佚片爲左，總集所錄者爲右。顧立雅氏謂：首片實物爲畢克氏DR CIRUS PEAKE所收藏者，今則美國甲骨錄未見著錄，不知其落之誰家矣。

六四八　甲　第一期

☐午卜☐[illegible]☐

本拓本又著錄爲總集一八〇一四片。

[illegible]：考釋云：「當爲飲字；象人就酒器而飲」。釋飲當否，以辭殘無由推勘。然就其構形審量，頗象人就酒器而飲之形。

六四九　甲　第四期

拾、二　商承祚藏拓

☒卜：既☒帚好☒

本拓本又著錄爲存一、一四五七片，總集三二七五九片。

既：考釋隸定爲饗，無說。

帚好：當與武丁時期之帚好爲同名異時。亦或爲好氏族之帚，嫁於殷王而仍稱之爲帚好者。似此情形，見於典籍者甚多。若西漢孝景有王皇后，孝宣、孝元亦各有王皇后，而孝平亦曰王皇后。又若孝成曰許皇后，而前代之孝宣亦曰許皇后。凡此，王皇后既不能定其爲同一人，許皇后亦不能定其爲一人，則此異代異世之帚好，焉可定爲一人邪？似此情形，典籍所紀者不甚枚舉，何以獨對絜文異時異世之帚好而作庸人自擾之說，而硬必將卜辭解爲平面一場糊塗之斷爛朝報，始謂之新發明，玄耀於世而享及身之覇乎？

六五〇　骨　第三期

叀龜至又大雨

本拓本又著錄爲總集三〇〇二五片。

按：雨字未絜橫畫。

□：疑即龜之平面象形。

六五一　骨　第三期

1.叀[牛]又[雨]

2.叀羊又雨

3.叀小宰又雨

本拓本又著錄爲總集二九九九六片。

按：此與佚存八〇四片爲同文。

六五二　骨　第二期

1.乙[卜]矣[貞]：叀□

2.貞：叀叙　五月

3.□酉卜☒

本拓本又著錄爲總集二五三五三片。

按：考釋定第三辭爲：「□酉卜貞王賓☒」。詳審拓本，本辭除「酉卜」外別無字辭，所定非是。

矣：栔文作　形，清楚明白，迺通考則硬謂其字作　形而釋爲扶，爲武丁時貞人六五七頁。殊非。字釋矣，爲第二期貞人，已是定論，不置評述其然否矣。

[illegible]：考釋隸定爲祝，無說。

六五三　骨　第四期

1. 乙☐甴☐方☐
2. 丁未卜：大邑受禾

　不受禾

本拓本又著錄爲總集三三二四〇片。

按：考釋定第一辭爲：「乙□叀□」，漏釋拓本左緣之「方」。續文編定爲「東方」附錄一、四〇合文，亦非。

大邑：考釋云：商人稱其都日大邑商，日商。此日大邑、亦若稱商之省也。又『年』、卜辭每有作禾者。中譯甲骨文的世界謂：「從大邑又稱唐大邑之例觀之，必爲宗廟聖地所在」一六二頁。審殷虛五期之卜辭，以禾爲年之辭，僅見於第四期武乙之時。又「唐大邑」之稱契辭未見。乙七〇〇有「唐邑」，金六一一有「乍大邑于唐」之辭，不詳其所據。

六五四　骨　第四期

☐乘望叀其☐

本拓本又著錄爲總集三二八九八片。

按：辭曰「乘望」，是否爲望乘之誤栔或倒句、緣辭殘有間，且僅此見，無由定其然否。

六五五　骨　第三期

1.丁卯卜：鳴☐

2.☐乎取☐其每

本拓本又著錄爲總集三一二六五片。

六五六　骨　第三期

1.壬弜漁☐其狩

2.漁

本拓本又著錄爲總集二八四三〇片。

壬：考釋隸定爲王、誤。

六五七　骨　第一期

對☐丁☐

拾、二　商承祚藏拓

本拓本又著錄爲六清一四八片，總集一八七五七片。

按：六清所錄拓本較爲完正，但緣拓製差池，故無法通讀其辭。茲據六清釋文迻錄如右。又總集所錄，乃據佚存所錄翻印者；僅存首二字而已。

六五八　甲　第一期

[illegible]：六清釋文隸定爲阫，未必爲是。茲仍據原文出之，以俟考定。

翌乙☐王从☐彔㲋☐

本拓本又著錄爲六清一一五片，外二三九片，總集一〇九七五片。

彔：六清釋文釋麓。

㲋：考釋隸定爲逐、誤。

六五九　甲　第一期

[illegible]☐冉☐　二

本拓本又著錄爲存一、一三六七片，總集一六〇七九片。

六六〇　甲　第一期

壬戌卜☐令周☐[illegible]☐若

本拓本初著錄爲鐵二二八、二（新鐵三六九）片；又著錄爲六清六四片，外二四三片，總集四八八五片。

[illegible]：六清釋文隸定爲宅。非是。

六六一　骨　第一期

1.丁酉☐[illegible]☐

2.☐卜：王☐夕☐[彳用]

本拓本又著錄爲六清一〇一片，外二四四片，總集二〇五二〇片。

[彳用]：考釋云：「从彳从用，疑通字也」。

六六二　骨　第四期

1.癸丑卜王貞：弗其及方

2.☐王☐易☐朋☐

本拓本又著錄爲六清一〇七片，外三三八片，總集二〇四五七片。

六六三　骨　第四期

聶米

本拓本又著錄爲冬飮三六〇片，總集三四五六二片。寫本見於南無四九五片。

六六四　甲　第一期

1.貞：王☐[glyph]其☐俿☐

2.☐王☐多☐

本拓本又著錄爲總集一七二二四片。

[glyph]：或釋黑天釋引錄。天考釋鹵二十。通考釋爲玉篇囗部之圂、音莫兮切。山海經作眯、郭注作眯、即昬迷之迷二三頁。凡將齋考釋釋體：「體之古文作䯍」二十七頁。字又作[glyph]存一、一九九、[glyph]珠一七二。諸家所釋當否，有俟考察。

俿：拓本僅殘存其左半，考釋未釋。疑其爲[glyph]字之殘；字从人从虎、隸定之、當作俿，說文所無。或謂：字从匕、當作⿰匕虎，然字書亦無。

六六五　骨　第三期

各夕福

本拓本又著錄爲六清一九一片，外四一一片，總集三〇九二三片。

按：佚存所錄拓本翦棄右半，外編所錄較爲完正。

六六六　甲　第一期

面：☐勿衩南☐

背：㞢

右面背兩本拓本著錄爲總集一五〇九七號。面拓又著錄爲六清九七片，外二三三片。

按：佚存、六清、外編均未錄背拓，茲據總集補錄、並今譯其辭如右。

衩：栔文作[illegible]。六清釋文隸定爲祭。非是。

六六七　骨　第一期

☐卜☐今☐夕衩元☐聂于且☐

本拓本又著錄爲六清八二片，外二五四片，總集二〇八七片。

夕：六清釋文未釋。

聂：六清釋文隸定爲既。未必爲當。

六六八　骨　第一期

1.貞：丝☐不隹☐

2.☐勿从☐[oracle bone glyph]

本拓本又著錄爲總集一〇九四三片。

[oracle bone glyph]：字不識。

六六九　骨　第一期

貞：乎[oracle bone glyph]奴牛

本拓本初著錄爲鐵二六、二（新鐵四三六）片；又著錄爲存一、三六五片，總集八九三七片。

按：續存所錄拓本左緣殘佚甚多。考釋不知此爲劉氏之故物。

牛、爲殷王朝施行祭祀之主要牲品之一；辭曰：「奴牛」，證明王朝祭祀所用之牲品，爲方國氏族所貢者。

六七〇　甲　第一期

至龔

本拓本又著錄爲總集八一九八片。

龔：字在本辭爲地名、或方國名。見於他辭者，亦多爲方國地名。至其地望、則有俟考定。

六七一　甲　第四期

辛丑☐虎☐

本拓本又著錄爲總集二一七六九片。

六七二　甲　第一期

它于

六七三　甲　第一期

壬辰卜爭貞：我伐羌

本拓本又著錄爲存一、五九六片，總集六六二〇片。

按：通考認定本辭之「我」爲貞人（四一八頁）。非是。蓋爲方國之名；見於他辭者亦多爲方國名。

六七四　甲　第一期

☒印☒戋☐文☒莫　一

按：考釋隸定本辭爲：「抑戋[glyph]艱」、無說。綜類四錄本辭（二八頁五七頁三三八頁四七八頁），各皆互異而自我牴牾。詳察拓本情形，右上角有卜兆序數「一」之殘留，據此徵侯推勘，卜兆宜爲左向，卜辭右行。

文：其究爲文或[glyph]、[glyph]，有俟清晰之拓本、或實物之驗證、茲姑隸定爲文、以俟訂正。

莫：契文習見，當即今字旱之初文。說文：「熯、乾皃」。與暵音義同。廣韻熯同焊。契文莫、蓋謂天久不雨、將生旱災也。

六七五　甲　第一期

1. 亡
2. 貞：斳祊人妫☐㞢疾
3. 目

本拓本又著錄爲冬飲二片，總集一三七二〇片；寫本見於南無二三九片。

按：考釋僅錄第二辭，餘皆未釋。

六七六　甲　第一期

☒乎☒祟☒[glyph]☒

本拓本又著錄爲總集四六六四片。

按：丙五一一片有辭曰：「乎从祟不」、「勿乎从祟于不」。冬飲二七九片有辭曰：「乎祟从」。或與本片之辭同類例？

[glyph]：考釋迻寫爲[glyph]，綜類作[glyph]二〇頁，校編作[glyph]、列於附錄上一二五頁。續文編亦作[glyph]形，列於附錄二十三。

六七七　甲　第一期

☐酉☐[glyph][glyph]☐不其☐

本拓本又著錄爲總集一七九五三片。

按：考釋定爲二辭，以「不其」爲一辭，餘爲一辭；酉上缺文定爲「丁」。綜類初迻寫爲二辭一二七頁，隨又併爲一辭三二七頁。察其歧異之由，蓋緣版面中央似爲直欄之跡。茲姑定爲一辭，以俟證驗。

六七八　甲　第四期

☐巳卜王：洚☐且丁兆☐南庚☐

本拓本又著錄爲存一、二七一片，總集一九八六九片。

洚：綜類迻錄爲[glyph]一七八頁。非是。

六七九　甲　第三期

1.庚申☐貞：☐不☐　一

2.庚申☐

3.☐受年

本拓本又著錄為總集二〇六五七片。

按：考釋定為二辭，曰「庚申貞勿不」、曰「巳受年」，未釋第二辭。詳審拓本、考釋所定之「勿」，於拓本為殘文，無由肯定其為勿、且「勿不」栔文無此辭例。又「巳」亦為殘文、作丫形、不能定其為巳。故本校釋於上二文以☐識之、以俟綴合。

六八〇　甲　第二期

1.庚子卜王

2.壬寅卜旅貞：王其往觀于[illegible]亡巛

本拓本又著錄為殷栔存眞第一集（簡作眞）六五片，甲骨文錄（簡作文錄）七〇八片，總集二四四二五片。

按：通考云：「此片為一九二九、三〇年間，河南省政府發掘小屯所得，乃重見於佚存，殆當時先有拓本流出，爲商氏所得也」九三一頁。

觀：通考云：「古書言觀兵左襄十一年傳，觀魚公羊隱五年傳；此但言觀，未悉所觀爲何事」九三一頁。詳審絜辭、此觀、疑即觀兵之義。左僖四年傳：「觀兵于東夷」，注「示威」。又襄十一年傳：「觀兵于南門」，注：「觀、示也」。句型與卜辭同；知此觀即觀兵之義也。而觀兵之目的，則在顯耀兵精械優，用以威脅諸侯。猶左宣十二年傳：「觀兵以威諸侯」。「觀于[glyph]」、蓋王在[glyph]地檢閱軍隊之義。新綴三二〇版有辭曰：「壬辰卜在滆貞王其至于詣觀」，庫方一六七二片有辭曰：「壬辰王卜在滆貞其至詣觀沮餗」。其「觀」，皆當爲「觀兵」之義；尤以庫片曰「觀沮餗」，觀兵之義最爲明確。

[glyph]：續文編列於誖字後，定爲說文所無之字卷三頁五。檢說文：「誖、亂也；从言孛聲。[glyph]、籀文誖，从二或」。構形與絜文同；當即說文誖之初文。就本辭推勘其義，宜爲地名。惟字僅此一見，無由比勘其辭義。考說文有郣字，段注謂爲春秋齊地。但通訓定聲則謂：郣爲漢郣海郡、地在天津、河間兩地之間。據說文段注、其地宜在殷之東南。據通訓定聲，其地宜在殷之北、春秋時之趙地。究當今之何地、有俟考定。

六八一　甲　第二期

亡巛：考釋未釋。

⿱宀執

拾、二　商承祚藏拓

本拓本又著錄爲眞二、九〇片，文錄六一八片，總集五九四一片。

竊：考釋隸定爲執。無說。

六八二加文錄六一二　甲　第一期

1.𦎫呂　三　二告

2.𡊰方　三

本綴合版已著錄爲新綴六八六版。首片又著錄爲眞一、七八片，文錄六二四片，總集八六一二片。

按：合集未錄本綴合版，故仍爲散片。

𡊰方：宜爲殷時之方國，其地望則有俟考定。

六八三　甲　第一期

貞：☐幸☐𦥑☐

本拓本又著錄爲眞一、七九片，文錄八三九片，總集一二六片。

考釋云：「𦥑、又或从二木」。

六八四　甲　第二期

1.戊☐貞：☐雍☐

2.卯

本拓本又著錄爲存一、一三三五片。

六八五　甲　第一期

面：[illegible]

背：㞢

右面背兩拓本又著錄爲冬飲二三七及二三八片。面拓又著錄爲總集一八四八〇片。寫本見於南無三七七片。

按：佚存、合集、及寫本均未錄背拓，玆據冬飲補錄背拓，並今譯其辭如右。

[illegible]：字不識

六八六　甲　第一期

暜

六八七　甲　第一期

拾、二　商承祚藏拓

己卯入商

本拓本又著錄爲存一、一四六三片，總集七八四〇片。

考釋云：商作[illegible]、異體。是也。

六八八　甲　第一期

面：貞：[illegible]☐勿☐

背：㝑

右面背兩拓本著錄爲六束二八及二九片。面拓又著錄爲總集四七五五正片。

按：佚存未錄背拓，茲據六束補錄、並今譯其辭如右。又合集定佚存六八九片爲本片之背拓，非是。宜據六束所錄予以訂正。

[illegible]：六束釋文隸定爲竹，無說。

六八九　甲　第一期

面：貞：我弗其受土方又　二月

背：1.在

2.[illegible]

右面背兩拓本著錄爲六清二七及二八片，外三一五及三一六片。背拓又著錄爲總集四七三五反片。

按：佚存未錄面拓，茲據六清、外編補錄，並今譯其辭如右。合集定佚存六八八片爲本片之面拓，非是。又考釋定背拓爲一辭，爲「在[glyph]」。未必爲是。詳察拓本情形，「在」字書體較小，二字書體不成比例，此其一。面拓之辭左行，此宜右行，此其二。據此，茲析爲二辭，然否，以俟綴合之證驗。

[glyph]：考釋定爲地名。胡考、胡釋均从之。丁山釋基，並定爲殷之方國（方國志一三七）按：釋基非是。契文中自有基字，作[glyph]或[glyph]形，二者構形殊異，知釋基非是。字究當何釋，有俟考定。

六九〇　甲　第一期

貞：☐求☐

本拓本又著錄爲存一、四六六片，總集二六八五六片。

[glyph]：考釋迻寫爲[glyph]。非是。

六九一　甲　第一期

貞：勿☐小母☐

本拓本又著錄爲總集二六〇一片。

拾、二一　商承祚藏拓

六九二　骨　第一期

▨于㘰　二

本拓本又著錄爲存一、一三六九片，總集一一二七七片。

㘰：考釋定爲地名。

六九三　甲　第四期

▨卜王：隹▨正商▨允魯▨

本拓本又著錄爲存一、五二六片，總集二〇二七四片。

正：考釋釋征、云：「此征之義爲巡狩、爲行，非征伐之征。周禮春官大卜：一曰征。鄭玄注：征、亦云行、巡狩也。又公羊僖十八年傳，與襄公之征齊也，疏：征、謂巡狩征行。說文：延、正行也；从辵正聲。征、延或从彳。此辭殆王巡行于商漁而卜也」。所釋當否，緣辭殘有間，無由勘其然否，藉備一說。

魯：考釋隸定爲魯、旁注漁字。

六九四　甲　第四期

鳴

按：本片他書未見著錄，拓本印製亦差，僅迻寫考釋之釋文如右，以俟較清晰之拓本。

六九五　甲　第四期

□卜王：勿□既圍□

本拓本又著錄爲存一、六五七片，總集七六三三片。

□：考釋隸定爲征、無說。檢其字釋圍，今已定論。勿庸置疑矣。

六九六　甲　第一期

己酉卜：翌庚戌易日

本拓本初著錄爲鐵一二九、四（新鐵六一八）片；又著錄爲六清三五片，外三八七片，總集一三二三六片。

按：考釋不知此爲鐵雲故物。

翌庚戌：考釋隸定爲「庚壬」、殊非。

六九七　甲　第一期

1.☐步　五月

2.☐卜：王☐旋☐圍

本拓本又著錄爲總集七六五二片。

按：後下三五、五片有辭曰：「辛酉卜王貞佘[glyph]旋于圍」，不詳其是否與本辭爲同文。

六九八　甲　第四期

☐卯卜王：☐紳來☐[glyph]　十月

本拓本又著錄爲六清一二七片，外三七〇片。

紳：六清釋文逕錄爲[glyph]。非是。

[glyph]：考釋隸定爲「征」、無說。六清釋文隸定上從爲日。無說。外編寫本逕寫爲[glyph]、釋文隸定爲日、無說。綜類與[glyph]字同列七十四頁詳察拓本之情形，於此文所釋各皆歧異之由，蓋緣拓本恰於此處空白。實由實物於此處曾受挖削，拓本不能拓出之故。茲就三拓本及寫本與各家釋文詳爲比較推勘，其字當如上寫。而三拓本中以佚存所錄者最差。至其字究否與[glyph]同，則有俟考定。惟無論同否，考釋隸爲征則非。

十月：考釋，外編釋文均隸定爲「十月」。六清釋文則合上文之左下从，隸定爲苒。非是。

六九九　甲　第一期

〼涉河〼其攸　三

本拓本又著錄爲總集八三三三片。

按：考釋定本辭爲「其攸涉汈」。非是。

河：考釋云：「、當釋汈、从水乃聲，水名、非人名，以涉字文義知之。前二、二六、二版：乙亥卜行貞：王其舟于汈亡𡿧。後上九、八版：貞：勿于汈。其字一作、一作。通纂考釋釋河，以爲从水丂聲，非也。卜辭乃字恒見，與此同」。所釋非是。其字釋河、已是定論。

七〇〇　甲　第一期

耤

本拓本又著錄爲總集九五一三片

耤：考釋云：「、象耒耜，人持推之，是耤也」。

七〇一　甲　第一期

斲

拾、二　商承祚藏拓

七〇二　甲　第一期

☐卜☐網隻

本拓本又著錄爲總集二〇七五二片

七〇三　甲　第四期

☐王于☐且丁

本拓本又著錄爲總集一八八五片。

七〇四　甲　第一期

☐太[glyph]☐于且丁☐父乙

本拓本又著錄爲存一、二六〇片，總集三〇六八片。

[glyph]：考釋隸定爲「玉」，無說。

七〇五　甲　第一期

☐𠂤☐弗其☐[glyph]

七〇六　甲　第一期

隹媚

本拓本又著錄爲總集一四七九三片。

七〇七　甲　第三期

婪隹□鹿

本拓本又著錄爲總集一〇二九八片。

七〇八　骨　第一期

1. 求岳

2. 求炘

本拓本又著錄爲總集三〇四一三片。

七〇九　骨　第四期

1. 癸卯☐小ㄋ不

拾、二　商承祚藏拓

2.庚☐

按：考釋未釋第二辭。另於第一辭「卯」下增添「貞」字爲釋。非是。

又按：就版面所現示之情形觀察，疑其爲習栔之作。蓋書體板滯、行款歪剌、辭意支離、句讀維艱。

小ㄋ：考釋云：「ㄋ、疑丁字。小丁與小母皆于史無徵」。通考釋爲小祀：「𢎘與祀爲一字。知者、三司亦作三𢎘。龔司亦作龔𢎘。栔文王廿祀亦作王廿司，𢎘、司互用；其字亦通作祀，故知小𢎘乃小祀矣。周禮肆師：小祀用牲。鄭司農云：小祀、司命以下。是也。小𢎘亦省作小ㄋ（佚七〇九），如龔𢎘之作龔𢎘也」（八二六頁）。檢合集二〇三九八片，有辭曰：「又小外辛」，爲四期文武丁時之辭、嚴一萍夫子曾認其爲廩辛之稱（見中國文字新六期）。然則，辭曰「小ㄋ☐」、宜爲「小外」辛之比矣。由此觀之、考釋釋小丁固非，通考釋小祀尤非矣。

七一〇　甲　第一期

☐寅卜：☐王其☐乂中☐

本拓本又著錄爲總集一六二六七片。

乂中：考釋釋祐，非是。字不識，待考。

七一一　甲　第一期

1.庚☒貞：☒[凶/巳]☒

2.☒[凶/巳]☒其☒

本拓本又著錄爲總集一五七九九片。

按：考釋定第一辭爲右行，第二辭爲左行。非是。檢腹甲卜法通例：凡契於左腹甲之辭辭皆左行，契於右腹甲之辭辭皆右行。本片爲右腹甲之殘，例皆右行，決無一辭右行，一辭左行之例，故知其所定爲非。

七一二　甲　第一期

本拓本又著錄爲總集八二三〇片。

：考釋隸定爲鹿、無說。

七一三　甲　第一期

☒㞢其☒降☒

本拓本又著錄爲總集一九六二七片。

七一四　骨　第三期

癸丑☐：來乙王☐[illegible]于☐

本拓本又著錄爲總集三三五五一片。

按：考釋於「丑」下衍貞字、非。

[illegible]：考釋隸定爲彝，無說。續文編釋彝十三、二。

七一五　骨　第一期

阱

本拓本又著錄爲存一、七三五片，總集一〇六六八片。

按：考釋定本片之辭爲「阱畢」。審阱下之殘文未必爲畢。其究爲何字之殘，有俟綴合之證驗。

七一六　甲　第一期

☐疾齒☐[illegible]

本拓本又著錄爲總集一三六五九片。

七一七　骨　第一期

☐[oracle-bone glyph] 其☐

本拓本又著錄爲總集一八三一七片。

[oracle-bone glyph]：考釋隸定爲「虎」。無說。檢絜文之虎，其身必被文采，其尾必拳曲迴旋，構形與此殊異，釋虎非是。舊或釋兔、亦或釋馬，皆非。察其形，與精一之[oracle-bone glyph]所从同，究當何釋，有俟考證。

七一八　骨　第三期

☐羌乎☐十犬又☐雨

本拓本又著錄爲總集二六九六四片。

按：考釋定本辭爲：「十犬又羌乎」，未當。

七一九　甲　第一期

☐酉卜☐磬☐　三

本拓本又著錄爲總集一八七六〇片。

拾、二　商承祚藏拓

七二〇　甲　第一期

1. 郊

2. [甲骨字形]入

本拓本又著錄爲總集九三八一片。

按：考釋定爲一辭，胡考、唐氏尾右甲卜辭等，均從之，並定爲甲尾刻辭。夷考甲尾刻辭例，皆作「□入」，無作「□□入」者，茲據之析爲二辭如右。

[甲骨字形]：考釋釋窞：「[甲骨字形]、即窞。亼、乃亼之省。金文寶亦从亼作」。續文編列於㚘字之後，定爲說文所無之字[23]。字當何釋、有俟考定。

七二一　骨　第三期

☐吉[甲骨字形]☐年

本拓本又著錄爲總集二八二〇四片。

七二二　甲　第二期

☐卜出貞：☐王正☐宗

本拓本又著錄爲總集二四二一六片。

[oracle-bone character]：考釋定爲「國族名」。未當。字又見於佚存八三二片，辭曰「新[oracle-bone character]」。則其字當即[oracle-bone character]之異文，亦即其或體也。[oracle-bone character]、釋宗已是定論。疑本辭宜爲「□□王正□方告于□□宗」之殘辭。然否、有俟綴合之證驗。

七三　骨　第一期

☐不隹☐蠱　非☐

本拓本又著錄爲總集一七一八七片。

非；考釋未釋。

七四　甲　第一期

☐　不悟殊

七五　甲　第一期

1. 癸巳☐王余☐元逆☐吝☐
2. ☐卜☐

拾、二　商承祚藏拓

本拓本又著錄爲總集四九九〇片。

按：考釋隸定第二辭爲「卜矦」。詳察拓本之殘痕，甚難肯定其爲「矦」之殘文，故以□號識之。

余：綜類迻寫爲［甲骨文］、未必爲當。

七一六　甲　第一期

1.貞：賓人叀王自望［甲骨文］　一

2.貞：勿［叀］王自望［甲骨文］　一

本拓本又著錄爲六清一〇六片，外三五一片，總集七二一八片

賓：六清釋文隸定爲登。非是。

七一七　甲　第一期

☐卜爭貞：☐［甲骨文］☐

本拓本又著錄爲總集三七四八片。

［甲骨文］：察此爲殘文，茲緣拓本印製欠清，據校編附上一〇五頁及附下二十四所錄迻寫。

七一八　甲　第一期

傳丘　一

本拓本又著錄為存一、一三六六片，總集八三八三片。

丘：考釋云：「說文：丘、土之高也，非人所為也；从北从一、一地也。人居在丘南、故从北一曰：四方高中央下為丘；象形。□、古文从土。案魏三字石經丘之篆文作□，古文作□，與說文近似。丘為高阜，似山而低，故甲骨作兩峰以象意。金文子禾子釜作□，將形寫失；商丘父簋再誤為□，說文遂有从北之訓矣」。所釋甚是，可備一說。

傳丘：似為地名；至其地望則有俟考定。

七二九加遺文一七〇　甲　第一期

1.甲子卜貞：出兵若　二

2.甲[子卜]貞：勿出兵[不若]　[二]

本綴合版已著錄為新綴六九九版。首片又著錄為總集七二〇四片。

按：遺文、為謝氏瓠廬殷虛遺文之簡稱，謝氏瓠廬之謝氏，據考證：為姚江謝伯殳氏所藏者見中國文字新期六。

七三〇　甲　第一期

稠

本拓本又著錄爲總集四七三八片。

[glyph]：考釋未釋。字从[glyph]从周，即今字稠之初文。說詳拙作契文舉例校讀方國篇。此不贅錄。

七三一　甲　第一期

丙辰卜㱿：立縯史

本拓本初著錄爲鐵八八、四（新鐵七六〇）片，又著錄爲總集五五一三片。

[glyph]：考釋謂爲「縯」之繁體。

七三二　甲　第一期

☐帚媳☐弗☐

本拓本又著錄爲總集二八〇二片。

按：總集所錄拓本較爲完正，有利於綴合。

[glyph]考釋未釋。通考八二二以本字比附粹一二六八片之[glyph]，並从粹考之說釋要，定爲貞人之

名。非是。審本字之構形，蓋从女从⿰〢从㿝。隸定之，當作嫚或㜷。字於本辭，爲帚名，當即武丁諸帚之一。

七三三　甲　第一期

小丘臣

本拓本又著錄爲六清五七片，外三五六片，總集五六〇二片。

按：本拓本佚存編號五三三，考釋亦同。誤。六清釋文不僅未能正其誤，且从其誤，殊非矣。茲據圖版及釋文之先後情形，正爲七三三。

七三四　甲　第一期

戊午卜：雍受年

本拓本又著錄爲總集九七九八片。

雍：絜文作[illegible]、考釋隸定爲環，無說。

七三五　骨　第四期

乙巳卜：☐王乎取☐旋☐

拾、二　商承祚藏拓

本拓本又著錄為總集五八二一片。

七三六　甲　第三期

☐酉卜：☐令☐ [glyph] ☐

本拓本又著錄為總集四七四六片。

七三七　甲　第一期

☐弗其☐氐 [glyph]

本拓本又著錄為總集一〇八九片。

[glyph]：考釋隸為姓，未必為當。

七三八　甲　第一期

☐出貞：☐餗[日羽]☐用于☐

本拓本又著錄為六束一三九片，存一、一六〇〇片，總集二六〇六七片。

[glyph]：考釋隸定為[壴束]、無說。六清釋文隸定為餗，亦無說。按：此字文編釋為說文之𩱦，今字作餗。茲從其釋，並隸定為餗。

七三九　甲　第三期

甲辰卜貞：王宓戠亡囚

本拓本又著錄爲總集三〇五四七片。

：考釋迻寫爲、曰：「从肉从戈，殆即說文訓大臠之胾，肉祭也」。按：考釋迻寫爲釋胾，非是。卜辭「王宓戠」之辭習見，戠、無作形者，故知其誤寫，因而誤釋。通考竟從其誤，亦釋之爲胾一一五四。茲從釋戠說。

七四〇　甲　第四期

囗㞢囗　用　五月

本拓本又著錄爲總集五二七〇片。

㞢：考釋隸定爲吉。非。

：考釋隸定爲雞、無說。按：此爲殘文、其上从冏象雞頭，然其下从則殘；所存留於拓本者不類雞形。其究爲何字之殘，有俟綴合。

七四一　骨　第一期

拾、二一　商承祚藏拓

貞：我☐萛

本拓本又著錄爲總集一〇一七七片。

萛：甲骨的世界釋嘆、云：「象女巫兩手交於胸前，頭帶祝告之器——[glyph]，其下架火、焚殺之形。古時遇旱、則焚殺女巫以祈雨」一五五頁。按：所論非是。說見本校釋六七四片。又其「頭帶祝告之器」，據辭意，帶應爲戴之誤。中譯作「帶」。若爲手民之誤，當爲校對不精，若爲譯者之誤，殊不可原諒矣。尚未讀書，竟而操觚譯文。

七四二　甲　第四期

☐壬[glyph]三十☐乎多臣☐

本拓本又著錄爲總集三一五三三片。

按：本片殘甚，拓印亦不清晰，辭義難明，茲據考釋所隸定逐寫如右。

[glyph]：考釋逐寫爲[glyph]形，校編逐寫爲[glyph]形附上八六。

三十：校編定爲十三合文十六。

七四三　甲　第四期

☐丁勿☐乎[glyph]　☐允太疾☐

本拓本又著錄爲總集二一〇四一片。

按：辭殘有間，無由通讀。茲姑如右作，以俟綴合。

[glyph]：通考釋勺，定爲武丁時貞人（七六八頁）。非是。

七四四　甲　第一期

☐[glyph]☐⿰彳黽☐若

本拓本又著錄爲總集一八七〇六片。

⿰彳黽：考釋云：「黽之从彳作⿰彳黽，與从水作澠意同」。或謂⿰彳黽即黽字，遂定本辭爲「⿰彳黽若」，而釋之曰：「墨子耕柱：卜於白若之龜。周禮六龜之屬，其北龜曰若。鄭注：西龜左、北龜右，各從其耦」（見通考十二頁）。詳察拓本之情形，此乃殘辭，龜與若間當有殘於他片之辭。解說卜辭，不可斷章取義，以適己意。定本辭爲⿰彳黽若，強以北龜說之以合己意，誤人太甚。

七四五　骨　第四期

☐若以秦☐屎

本拓本又著錄爲總集三一三二八片。

[glyph]：考釋隸定爲仦，無說。

拾、二　商承祚藏拓

七四六　甲　第　期

☐不☐永□〔字形〕☐于☐

本拓本初著錄爲鐵二八、四（新鐵八五七）片，又著錄爲總集一八七四五片。

按：本片拓印頗不清晰，考釋定其辭爲「☐卜爭貞不〔字形〕熹于」。然現示於拓本者，「卜爭貞」三文不能確定其然否。茲以☐號識之。又考釋不知此爲劉氏故物。

〔字形〕：考釋隸定爲熹，無說。

七四七　甲　第一期

壬辰卜☐隹[女龍]☐

本拓本又著錄爲六清五三片，外三三九片，總集一八〇四八片。

按：續文編定本片爲前六、五九、七片，及後下三〇、六爲重覆。非是。

[女龍]：考釋釋爲龍女合文，曰：「龍女、即龍母也。其文亦見前六、五九、七及後上三〇、六版；古文女、母同用。金文从女之字每作〔字形〕、〔字形〕；又母、毋一字。兮甲盤〔字形〕敢不即餗，石鼓文〔字形〕不皆是也。龍母，爲地名。曰龍母攴後上三〇、六曰在龍囿前四、五三、四版，曰龍□受祐前六、四六、二版可爲旁證」。校編定爲「母龍」合文四十。續文編列於女部後，定爲說文所無之字卷十二頁十四。茲隸定爲[女龍]。字在本辭，或爲

方國氏族之名？

七四八　甲　第二期

1.不其

2.不[illegible]益

本拓本又著錄爲總集二六七九六片。

[illegible]：考釋釋魚、曰「魚字卜辭習見，從文義釋之，亦是漁字，與魯同爲變體。从八从口、皆象取魚之具」。檢本片之辭與佚存七五九、七六〇、八二六等片之辭爲同文，考釋謂[illegible]爲漁之變體，未必爲是。至其字究當今之何字，何義？有俟考定。

七四九　骨　第四期

1.戊戌囚：其[illegible]囚三牢

五牢

2.囚牢

本拓本又著錄爲總集三二一五九號。

按：第一辭與鐵雲藏龜拾遺十五頁二片爲同文。

拾、二一　商承祚藏拓

七五〇　甲　第一期

1.☐酉暈　征雨

2.☐隹　七月

本拓本又著錄爲總集一三〇四九片。

按：考釋定第一辭爲：「西晝止雨」。非是。止雨、他書未見。契辭習見「征雨」。茲正之。

暈：考釋隸定爲晝。無說。通考謂：「⊙、即輝。周禮眡祲掌十煇之煇，鄭注：日光炁也」七十九頁。茲從釋暈說。說文：「暈、光也」，段注：「光也二字，當作日光氣也四字」。呂覽明理：「日有暈珥」。注：「暈、氣圍繞日周匝，有似軍營相圍守，故日暈也」。

七五一　骨　第一期

面：☐㱿☐𡆥

背：1.王

2.日

右面背兩拓本著錄爲總集四五五九號。

按：佚存未錄面拓，茲據總集補錄，並今譯其辭。詳察拓本。佚存所錄爲鐵二二五、四（新鐵二二八四〕片之背拓。惜藏龜當時未錄此背拓，而商氏輯錄佚存時亦不知其爲背拓。又考釋定背拓爲一辭，未必爲是。

七五二　甲　第一期

面：貞：帚妹子其死

背：☐吏斮

右面背兩拓本著錄爲六清三三及三四片，外二九一及二九二片，總集一二〇六八號

按：佚存未錄背拓，茲據六清、外編及總集補錄，並今譯其辭如右。又佚存所錄面拓已殘佚下緣，考釋因而漏釋〔帚〕字。

七五三　甲　第一期

1.丙戌☐不其☐鹿☐　一

2.☐其☐

本拓本又著錄爲總集一〇三〇四片。

按：考釋定第二辭爲：「其一月」。詳察拓本，其字左下泐文甚多，但無「一月」之跡。茲姑今譯如右，以俟綴合之證驗。

七五四　甲　第一期

☒不貯貯☒　三

本拓本又著錄爲存一、一三六〇片，總集四六九五片。

按：考釋隸定爲：「衩貯」。非是。

七五五　甲　第四期

1.戊午☒福☒司☒

2.庚辰☒福☒己☒鼎

本拓本又著錄爲總集三〇九四四片。

按：本殘片爲腹甲左甲橋下端之殘餘。雖曰殘存二辭。實則皆不成辭，無由推勘其辭意，綜類雖於第二辭作「妣己」（三九六頁），而於妣字之右則注一？號；且於一五頁定其辭爲「戊午……福」，「庚辰……福」。茲據考釋所定，逐寫如右。

七五六　甲　第一期

雇

本拓本又著錄爲總集七九〇一片。

七五七　骨　第三期

1.丁卯

2.⧄[illegible]⧄其每

本拓本又著錄爲存一、一六五四片，總集一八四二八及三一二六七片。

七五八　骨　第三期

癸卯卜：雀其又囚

本拓本又著錄爲冬八片，總集二三三一八片；寫本見於南無二一八片。

七五九　甲　第二期

☐亥卜出貞：⿱八魚益⧄[illegible]之日允⿱八魚

本拓本又著錄爲總集二六七七五片。

按：考釋析爲二辭，據辭例，應爲非是。又卜日亥上之缺文，據遺珠五八九片之辭爲「癸亥」。

本辭之卜日是否爲癸亥，未敢必。蓋類此之辭屢見不鮮，而完正之辭則杳，具完正卜日之辭尤少。

□：考釋迻寫為□。綜類从之九二〇頁，均非。通考謂：「殆即□之異形。□字或作□、□、□，形與此近」八五八頁。綜類从之、列為□類字。殊非。字蓋从□、即今字朱；从二□。□、丙編考證釋飛。並謂「象飛形」。詳察通考之說，並勘於契文之構形，知通考之說蓋緣於契文之構形分析不清所致也。至其字究當今之何字，則有俟考定。

七六〇　甲　第二期

☒卜出貞：☒□□☒之日允□

本拓本初著錄為鐵二二三、二（新鐵九八四）片，又著錄為存一、一六一三片，總集二六七七五片。

七六一　骨　第三期

吉

本拓本又著錄為總集三一七四九片。

按：考釋定為「吉用」，非是。

七六二　骨　第一期

1.貞

2.婦姘受黍年

3.受㞢又

4.[帚姘受]黍年

本拓本又著錄爲總集九九七三片。

按：此與前四、三九、六片爲同文，闕文即據彼片補錄者。胡文定爲「二辭同文例」一六六頁。

七六三　骨　第一期

貞：衣亡囚

本拓本又著錄爲總集四九五七片。

七六四　甲　第一期

1.☐降我艱　十二月　四

2.卜

本拓本又著錄爲總集一〇一七〇片。

按：考釋未釋第二辭。

拾、二　商承祚藏拓

七六五　骨　第三期

翌日戊王其田不雨

本拓本又著錄爲六清一九五片。

按：考釋定本辭爲「王其用五牢」。非是。又佚存所錄拓本僅拓製契文，不若六清之完正而有益於綴合及拓本之辨識，惜契辭拓製不夠清晰。

七六六　甲　第一期

貞：乎逆

本拓本又著錄爲總集四九二〇片。

逆：通考定爲武丁時貞人。其說云：「屰、爲武丁時人，見于㱿、爭之卜辭。又見於⿰彳告、旅之卜辭。由佚存〔二三四片〕知逆曾爲農官，故稱田正」七七五及六頁。按：逆字在契文中之構形、有屰、⿱屰止、⿰彳屰、逆等。於第三期之卜辭曾有貞人⿰彳屰。此爲武丁時之辭，然逆在本辭中則非貞人，知通考之說非是。又通考據佚存二三四片之辭謂其曾爲農官，然就通考之釋文言：一則釋爲「癸卯卜，丘：令⿱屰止田⿰彳屰」——七七七，一則爲「癸卯卜、丘：令田正⿰彳屰」七七六頁。姑不論其釋[illegible]爲⿰彳屰之當否、其前後之釋文已自我牴悟，知通考之說，蓋爲多賺稿費也。

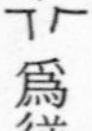

七六七　骨　第四期

丙午卜：今二月毋至

本拓本又著錄爲總集二〇八〇一片。

七六八　骨　第四期

1.壬□卜：王☐懿☐其隹☐毋☐

2.☐卜：王☐聑☐余隹其□㞢囚　二月

本拓本又著錄爲總集二二二九六片。

懿：絜文作[illegible]。校正文編遂寫爲[illegible]附上一一七頁，誤。字蓋从女从[illegible]，當即今字懿之初文。請參閱拙作絜文舉例校讀六三八頁，此不贅錄。

七六九　甲　第一期

貞：乎☐追[illegible]及

本拓本初著錄爲鐵一一六、四（新鐵四四〇）片，又著錄爲六束七四片，通纂四八三片，總集五六六片。

拾、二　商承祚藏拓

[illegible]：胡釋六束隸定爲𡨧，無說。通纂考釋釋宰一〇四頁。又謂：「从辛之宰例當後起。蓋爲絕端之圖形文字，已代爲會意文字也。彝文之較古者當是殷文，如宰椃角字作[illegible]，宰甫毀字作[illegible]，均从宀从辛。則字之變遷，似已在殷代矣」甲骨學文字篇七一。葉玉森前編集釋釋寇四三、一。甲考謂爲邦族名，而字不可識。並曰：「或釋宰、或釋寇，似均未確」九四。通考隸定爲寏、並說曰：「寏字亦作𡪞。[illegible]、乃一字之異形，均像人手執器形。或作𡨧，字下體明其从父或攴，栔文父攴不分。又繁形多从宀从水，如酒或作酉及㴽，故此殆爲攴字，蓋即朴也。朴、通作撲。天問扑牛，山海經作僕牛，卜辭言𣲛伐，應即宗周鐘之戮伐，虢季子盤作摶伐，與詩之薄伐同。𣲛、又爲名詞，可讀爲僕。其言多僕，五百𣲛，即多僕、五百僕。多僕、猶多臣也。又爲地名：「𡨧于𣲛」。又有伇侯。當即濮。春秋隱四年：衛人殺州吁于濮；又成十六年、哀二十七年傳，俱有地名濮一七〇頁。按：通考之牽強傅會，硬爲之說，其尤者如謂：栔文父攴不分，豈非不識栔文乎？然其字之釋，有俟論定。

七七〇　甲　第一期

貞：☐勿☐漁𥘅☐妣☐

本拓本又著錄爲總集二九八九片。

七七一　骨　第三期

☐盅不歷

本拓本又著錄爲總集三一二八二片。

〓：校編迻寫爲〓形，定爲不能辨認之字，列於附錄上五十三頁。續文編迻寫爲〓形、釋龕五、一五，無說。審本字之上端適當折裂處，拓本之拓製又歉精密，故各家所迻寫之原文，各皆殊異。其究爲何形，及爲今之何字，則有俟綴合後，窺知其構形，再爲之考釋矣。

七七二　甲　第一期

丁未卜：☐嗇𢦏☐

本拓本又著錄爲存一、七五一片，總集五七九〇片。

七七三　甲　第一期

1. ☐在西☐㞢〓☐日
2. 丁

本拓本又著錄爲總集八七五〇片。

按：本殘片爲右甲橋上半之殘餘；據例，契辭宜爲右行。考釋定爲左行，非是。

〓：考釋隸定爲福、無說。

拾、二　商承祚藏拓

七七四　甲　第一期

貞：毋[身夫]　二月

本拓本又著錄爲總集二四三三一片。

按：此爲左甲橋上半之殘餘。

七七五　甲　第四期

1. ☐[illegible]亞[illegible]
2. ☐　一

本拓本又著錄爲總集二一三三四片。

按：考釋定第一辭爲「福亞突」，未當。

[illegible]：校編定爲不識之字，列於附錄上五十九頁

[illegible]：字不識。

七七六　骨　第三期

1. ☐辛其雨☐嫛

2.☐戍王☐𢦏畢

本拓本又著錄爲總集二八八九五片。

按：綜類迻寫本片之辭爲：「☐戊王☐嬰☐」三一四頁，「亡𢦏畢」四〇六頁。而將「其雨」及其上之殘文失錄。茲從考釋所定，迻錄如右。

嬰：請參閱本校釋四四三片。

七七七　骨　第四期

1.戊申卜，𠂤：余令方至不☐

2.☐貞：☐牛☐蔑☐方

本拓本又著錄爲總集二〇四七七片。

按：佚存原錄拓本拓製不夠完整，茲據總集之拓本今譯其辭如右。考釋定第一辭之「方」爲在，第二辭之「蔑☐方」爲☐蔑方。又綜類四鈔本片之辭二二、二六四六三、三七一及一頁，惟均各皆殊異，非是。

戊：校編迻寫爲上，列於附錄下六十、誤。

不：就本殘辭推勘，此「不」當即今字丕、殷時之方國名，即丕或邳國，說見邳國解。

蔑：考契辭之蔑，疑爲殷之先公或神祇之名，故契辭中習見「㞢于蔑」、「朿于蔑」之辭。甲文說且定爲殷王大戊之名三十六頁。綜述則認其爲與黃尹、伊尹等，同爲殷之舊臣三六六頁（甲骨文字集釋鈔爲三三六頁。誤）。

七七八　甲　第一期

□巳

本拓本他書未見著錄

按：本殘片既碎小，拓製亦極不清晰，殊難辨認其究為何文何辭。茲從考釋所定，以俟清晰之拓本。

七七九　甲　第一期

貞：獯其[女凡]

本拓本又著錄為總集八六三一片。

獯：今或作譚。說文有鄿字，即契文獯，為地名。說文：「鄿、國也。齊桓公之所滅」。春秋莊十年：「鄿子奔莒」。說詳彥堂先生所著「譚譚」。

七八〇　甲　第一期

亞于𪓰

本拓本又著錄為總集二七九三六片。

⿰火龜：通考釋煎。謂即灼龜不兆也。讀若焦（說見三十七頁）。亞于焦爲何意？則未之說解。就本殘辭推察，此⿰火龜、宜即今字之秋，辭爲「亞于秋」，秋、爲時間之詞。

七八一　骨　第三期

〼自□于〼

本拓本又著錄爲總集三三一四三片。

按：就殘辭之情形推察，疑與寧一、四二七片之辭爲同文，然否，有俟綴合之證驗。

七八二　甲　第一期

〼□〼西方

本拓本又著錄爲總集八六七六片。

酉：考釋隸定爲于、無說。綜類从之（四八五頁）。然詳察拓本之情形，其構形絕非「于」字，然其究當何字，未敢臆斷，茲姑作酉，以俟證驗。

七八三　骨　第四期

〼其鼎用三〼玉犬羊〼

拾、二　商承祚藏拓

本拓本又著錄爲總集三〇九九七片。

按：考釋定本辭爲：「其貞用三玉犬羊」。說之曰：「前一、一三、三片：庚申卜㝑貞南庚玉㞢㞢。後上二六、一五片：癸酉貞禘五玉其三百牢。與此辭皆于用牲外復用玉也。周禮考工記：兩圭五寸有邸以祀地，以旅四望。殷人則玉祭通于人鬼；如埋沉之禮于宗廟也」。又綜類三鈔本辭二一七、三九六及四八〇頁，均从考釋所定。惟考釋定　爲貞，而綜類則列爲　類字，是其異。詳察辭義，並徵於三期之辭例，考釋釋　爲貞非是，數十萬條之卜辭中，無一其貞之辭例可證。而「其鼎」之辭則習見於三期，若總集三〇九九六、三〇九九五等片之辭是其例。至「其鼎」之義，鑒於三期之辭例，疑其與「其　」、「其𠀠」等同。又考釋引錄兩辭例，與本辭異趣。蓋本辭乃殘辭，辭義晦澀，且乏同辭之例可徵。至丰之釋玉當否，則有俟考定。

七八四　甲　第四期

貞：莫☐？☐

本拓本又著錄爲存一、一四六一片，總集二一四二一片。

按：存一所錄已殘件下半，而各片之拓製皆欠清晰；總集所錄雖較稍佳，然於第二字之拓製亦不清晰。考釋定本辭爲「貞　　」，綜類兩錄之，均作「貞　☐　☐」一六〇及三七三頁。然緣拓本不清晰，於第二字均不正確。茲將第二字以？號出之，以俟清晰之拓本。

七八五　甲　第一期

〼用〼⿺亡豖〼　三

本拓本又著錄爲存一、七六九片，總集一〇二五六片。

按：本辭似與後下一五、一二之辭爲同文。似又與之爲同甲之折碎者。蓋兩者之部位、栔辭之行款等呈右左對稱之勢；且其辭意、書體、及版面之徵侯等亦多類同。惟以各皆碎小過甚，難於肯定。

⿺亡豖：考釋云：「疑爲豖亡二字合文」。文編釋狼一〇五。續文編从之一〇九。校編改釋狐，隸定爲㹾，並說之曰：「从犬亡無聲」一〇卷一九頁。詳察栔文之構形，字實从豖从亡；釋狼、釋狐或㹾，均未必爲當。蓋栔文之犬與豖構形有別，不得渾而爲一。隸定之，當作⿺亡豖。⿺亡豖、字書無之，音義兩皆流失；抑或爲後起之某字所奪，然一時不易考得其流變。

七八六　甲　第一期

乙亥卜㱿貞：子商弗其𢦏〼方

本拓本又著錄爲總集六五八〇片。

按：本辭𢦏下之闕文，據前五、一三、一，粹一一七四，及丙一七一、三〇二等片之辭例之，疑其爲「基」字。然則，本辭爲「子商弗其𢦏基方」矣。

拾、二　商承祚藏拓

七八七　甲　第一期

相二

本拓本又著錄爲六束一二八片，總集一八四一三片。

七八八　甲　第一期

□卜㱿貞：□[古文字]□

本拓本又著錄爲總集一八二三五片。

[古文字]：字不識。栔文僅見。

七八九　甲　第二期

1.貞：□亡□

2.艱

按：考釋隸定爲一辭，作「貞降艱」，非是。

七九〇　甲　第四期

1.丁卯卜王：乎医亞夊囗至囗

2.囗王囗

本拓本又著錄爲總集二〇一九二片。

医：考釋隸定爲医，無說。葉玉森藏龜拾遺考釋謂爲「古廩字」二十五頁。通考从之，並定爲武丁時貞人七〇七頁。

亞夊：考釋隸定爲復、無說。通考隸定爲复七七一頁，亦無說。審其構形，所定均未必爲當。蓋絜文之复或復作亞夊，與此構形殊異，且二者辭例亦異，宜爲不同之二字。本字从亞从夊。其爲今之何字，有俟考定。

七九一　甲　第四期

1.壬戌囗㞢囗　一

2.癸亥卜𠂤：[?]囗甲囗不囗

本拓本又著錄爲掇一、四九八片，存一、四三一片，總集二一一三〇片。

按：續存所錄拓本，其右上角已殘佚。又總集所錄拓本雖較優，但[?]上及其右上之兩殘文仍不能辨識其究爲何字殘。欲得其究竟，則有俟於綴合之一途矣。

考釋析第二辭爲兩辭，並定「甲囗不囗」爲不七。丁山氏作甲骨文所見氏族及其制度，定爲「癸亥卜、𠂤[glyph]不𡰥」頁五。詳察拓本，兩家所定各皆未當。茲定如右第二辭，惟緣無同文辭例可徵，故仍難通讀其辭。

[glyph]：丁山釋夕、並謂：「𠂤[glyph]不𡰥，就是他辭所見之今夕𠂤不𡰥」頁六。釋夕未當。蓋見於卜辭「今夕𠂤不𡰥」之夕，其夕字皆作[glyph]，無一作[glyph]者，且𠂤不𡰥之𠂤爲軍旅之名稱，此𠂤、則爲文武丁時之貞人名。是丁氏所釋爲非矣。檢續一、二九、六片有辭曰：「甲戌王[glyph]父乙」，與本辭同爲文武丁時者，[glyph]，宜爲祭名。然則，本辭曰「[glyph]☐甲☐不☐」，爲文武丁祭祀其曾祖祖甲者歟？又乙八〇一一片有[glyph]字，與此構形相仿，或其同文歟？究當今之何字，有俟考定。

七九二　骨　第二期

1.甲申卜王：在夾卜

2.[甲]申卜[王]

本拓本又著錄爲總集二四二四四片。

按：考釋謂第二辭「辭未刻全」。非是。此蓋卜王之殘辭，殊非未刻全者。苟有心人與另一拓本之辭綴合，其辭則完正無缺矣。

夾：考釋云：「夾字亦見盂鼎，吳宜常云：乃召夾，夾即陜字。命盂治陜邑也南宮鼎文釋考三頁。此夾、亦地名。」

七九三　甲　第一期

1.丙☐

2.☐帚弗㞢☐

3.☐㞢☐羊

本拓本初著錄爲鐵八九、四（新鐵二五一）片，又著錄爲存一、一二七一片，總集二八五四片。

按：佚存所錄拓本，從初版藏龜之誤，而將拓本誤予倒植。今正。

羊：考釋迻寫爲ɯ，疑爲火字。蓋緣所見拓本不夠清晰，且予倒植所致者也。

七九四　甲　第二期

☐卜骨[貞]：[王]宊[夕]福[亡]囚

本拓本又著錄爲總集二五五五三片。

七九五　甲　第一期

面：☐其魯于☐

背：☐入百二十

拾、二一　商承祚藏拓

右面背兩拓本著錄爲六清七及八片，外二八五及二八六片，總集九三〇〇號。

按：佚存失錄背拓，茲據六清等書補錄，並今譯其辭如右。

七九六　甲　第一期

1. 庚辰卜：今一月多雨　辛巳雨
2. ☐癸未：今二月☐

本拓本又著錄爲總集一二四九六片。

按：考釋定第一辭爲左行，第二辭爲右行。非是。詳察拓本情形，此乃右腹甲之殘，契辭均當右行。

辛巳、癸未，僅間壬午一日。據契辭：辛巳、必爲一月，癸未必當二月。若壬午爲二月，必爲二月之朔。檢殷曆譜年曆表，二月壬午朔僅見於武丁八年，在武丁、祖庚二朝中別未再見。若爲癸未朔，則僅見於武丁四十四年。再就現於拓本之其他情形推勘，就其書體情形言，秀逸遒勁，應爲契刀之老手，茲姑定爲武丁八年之物，並譜其辭於左。

武丁八年　西元前一三三二

一月小癸丑朔

癸亥十一

癸酉二十一
甲戌二十二
乙亥二十三
丙子二十四
丁丑二十五
戊寅二十六
己卯二十七
庚辰二十八　〔庚辰〕卜：今一月多雨
辛巳二十九　辛巳雨
二月大壬午朔
癸未初二　☐癸未、今二月☐
癸巳十二
癸卯二十二

七九七　甲　第一期

☐辰卜：[illegible]　☐聖☐

拾、二　商承祚藏拓

本拓本又著錄爲總集一七九七四片。

[illegible]：考釋隸定爲介、無說。

七九八　骨　第四期

1.庚子卜：☐且辛

2.丁未卜：王[illegible]

本拓本又著錄爲總集三三五八〇片。

按：總集所錄拓本已殘佚右上角。

考釋定第一辭爲「衣且辛」。詳勘兩拓本，「且」上之殘痕不類衣字；若據總集爲說：其字則似「酒」字。茲從闕，以俟綴合。

七九九　甲　第一期

[illegible]

本拓本又著錄爲總集一八三九五片。

考釋定爲「子萬」合文。檢摭續三三三片之文，及其所居部位亦略與本片同，斯二者或爲同文異版？抑或爲同組兩卜甲之殘歟？惟摭續考釋僅隸定其文爲「萬」、無說。惜二者皆爲爛甲之殘辭，無由比勘其所釋當否，然就其構形審量，釋爲「子萬」合文，或逕釋爲「萬」，均未必爲當。其究宜何釋，有俟考定。

八〇〇　骨　第三期

1.叀盂田省亡戋

2.叀桑田省亡戋

本拓本又著錄爲六清一九二片，外四一六片，總集二九一〇一片。

八〇一　甲　第四期

1.丁巳在☐正☐

2.☐百日☐一卣四月☐

本拓本又著錄爲六清一〇三片，外三六五片，總集一一七二一片。

按：胡釋六清定爲武丁時之腹甲，就其書體推勘，宜爲四期文武丁時之辭。考釋定爲一辭，胡釋从之，惟改爲左行，綜類三錄之七三、二四七、四六七，互爲歧異，但均作右行。又第一辭丁巳下之殘文胡釋、綜類七三均作王。第二辭百下殘文胡釋及綜類二四七及四六七頁均作㞢。

八〇二 骨 第三期

1.乙丑

2.伊弜宆

本拓本又著錄爲總集三二七九九片。

按：「伊弜宆」之辭、僅見。若「伊宆」、則見於掇二、五二及戩四三、四等片。「弜宆」、則習見於同期卜骨或卜甲。然則、「伊弜宆」與之義同歟？

八〇三 甲 第一期

□卜爭□ 二

按：考釋定本辭爲「□巳卜爭」。詳察拓本、卜上之殘文未必爲巳。茲从通考四四一頁所定。

考釋云：「爭字異體。此辭未刻全」。按：此乃殘甲之殘辭，不得以刻全與否論之；設能與另一殘片綴合，當可通讀其辭。又爭字亦非異體，僅緣拓本拓製不善，及版面泐文參差所致也。

八〇四 骨 第三期

1.叀羊又雨

2.叀小牢又雨

本拓本又著錄爲總集二九六五六片。

按：本片與六五一片爲同文，請參閱。

八〇五　骨　第一期

面：囗方又囗我囗若　五

背：帝

本面背兩拓本又著錄爲總集八六四九號。

八〇六　骨　第三期

1.癸卯囗

2.屮鼇

按：綜類於本片之各字辭均未鈔錄；倒無甚緊要。最爲無法索解者，何以不錄絜文之「癸」？又「卯」字於其目錄中列爲「難索字」，卯字何以難索？且不列於其所定之某一部類。此則眞爲難予索解者。

八〇七　骨　第四期

貞：占〼毋亡〼在祀〼月

本拓本又著錄爲總集二八一七〇片。

八〇八　骨　第一期

〼其〼陕〼

本拓本又著錄爲總集四七八一片。

八〇九　骨　第一期

面：貞：勿告于上甲

背：晅

本面背兩拓本又著錄爲六清三一及三二片，外二八三及二八四片，總集一一六七號。

按：六清胡釋不知三二爲三一之背拓。

八一〇　骨　第一期

面：1.貞：子漁㞢冊于☐

2.祀

背：王固曰：其☐

右面背兩拓本著錄爲六束三八及三九片，總集二九八〇號。面拓初著錄鐵二三二、一（新鐵二三三）片。

按：佚存未錄背拓，茲據六束及總集補錄，並今譯其辭如右。

八一一　骨　第一期

☐其☐娥☐

本拓本又著錄爲存一、二三四片，總集一四七九〇片。

☐：校編釋邑五、一六。其說可从。字又見於懷特二九九片。釋文隸定爲禽，未必爲當。

八一二　骨　第一期

貞：𡘋☐魚☐

本拓本又著錄爲總集一〇四七二片。

考釋定本辭爲「☐卜貞𡘋☐翌漁」。綜類从之二三九頁，繼又改作「卜貞𡘋☐漁」五十八頁。

八一三　甲　第一期

〼于〼虘〼

本拓本又著錄爲總集二一〇三片。

八一四　甲　第四期

1. 〼令〼狩〼又攸
2. □未卜：王狩〼不其攸

本拓本初著錄爲鐵五〇、三（新鐵三七六）片，總集二〇七五三片。

按：考釋不知本片爲劉氏故物。

八一五　甲　第一期

〼爭〼咸戋〼酒[illegible]王〼㞢王循于〼若

本拓本又著錄爲總集六九〇二片。

按：考釋定爲一辭，綜類六錄本辭四八、三二〇、三二九、三三七、三四九、三九〇均爲一辭；惟各有差異，但皆奪佚爭字，而將酒及㞢字，湊合爲[illegible]。茲姑以一辭錄之，以俟綴合或辭例之證驗。

八一六　甲　第四期

己未〔卜〕徣⧄从⧄[illegible]

本拓本又著錄爲存一、一二八五片，總集二一三五七片。

[illegible]：字不識。或釋升、或釋斗，亦有釋勺或杓者，惟均未必爲當。

八一七　甲　第一期

⧄令余⧄來⧄　四

本拓本又著錄爲存一、一二五五片，總集一九〇七八片。

八一八　甲　第一期

面：⧄其⧄不⧄

背：⧄企烄⧄

右面背兩拓本著錄爲總集一八九八四號。

按：佚存僅錄背拓，茲據總集補錄面拓，並今釋其辭如右。

八一九　甲　第四期

乙丑卜鼎：壴☐亡若

本拓本初著錄爲鐵一一三、三（新鐵五四二）片，又著錄爲存一、一二八四片，總集四八四五片，及二三四一二片。

按：考釋不知此爲劉氏故物。又拓本拓製頗劣，影印亦不清晰，故各家所釋各皆殊異。本辭蓋以鼎爲貞。

八二〇　甲　第一期

貞：☐其☐降☐

本拓本又著錄爲存一、四八九片，總集一六四八五片。

八二一　甲　第一期

丙子卜 㗊 [貞]：乎取于☐

本拓本又著錄爲總集三八六二片。

按：本辭綜類未錄。

八二一　甲　第四期

己未囗𣲚囗

本拓本又著錄為總集二二四六〇片。

按：綜類未錄本辭。

𣲚：校編定為不識之字，列於附錄上五八。詳察栔文之構形，疑與𣲚為同文。巛即水字之變形、亻亻，為人之變形，字蓋从水、从二人相背，與𣲚為同文，即沘，沘，於他辭為地名，其在本辭，以辭殘太甚，無由推勘其意義矣。

八二三　甲　第一期

1.乙

2.隹妣己壱

本拓本初著錄為鐵一五四、四（新鐵二四三）片；又著錄為冬一九片，總集二四三五片。寫本見於南無二三二片。

八二四　骨　第三期

拾、二　商承祚藏拓

1.貞：往▨

2.未

3.其

4.▨　二

本拓本又著錄爲總集三一八九○片。

按：考釋定爲一辭，作「貞王杋賁其弇□」。詳察二拓本之情形，所釋未當。茲釋如右。惟頗疑其均非正式之契辭，而爲習契者之習作，故或倒植、或單字，不成辭句，且行款零亂無章。

其：考釋云：「其字倒刻」。

八二五　甲　第四期

壬子卜亞貞：▨

本拓本又著錄爲總集二二三○八片。

按：胡雜定本辭爲「左右橫行例」四二頁。

八二六　甲　第二期

1.▨貞：▨其▨

2.〼日[illegible]〼之日〼益〼

本拓本又著錄爲存一、一六一五片，總集二六七八六片。

按：考釋定爲一辭。非是。

八一七 骨 第三期

〼卯卜：王其田烧〼

本拓本又著錄爲總集二九三一〇片。

八一八 骨 第四期

〼今〼[illegible]雨

本拓本又著錄爲總集三三九六〇片。

[illegible]：考釋隸定爲蔑，無說。

八一九 甲 第四期

子 豖

本拓本又著錄爲總集二〇六九二片。

按：綜類未錄本辭，通考定爲「子豕」二文一一二頁。

八三〇 甲 第四期

涉

本拓本又著錄爲總集三三五一七片。

涉，契文作[illegible]，僅見。考釋釋涉云：「象衆足之涉水」。按：所釋甚是。

八三一 甲 第一期

癸巳☐[illegible]不☐

本拓本又著錄爲冬五〇八片，總集一六〇六七片；寫本見於南無三三二片。

按：各片及寫本，均殘佚其右及上端，可證知此實物至冬飲廬拓製揚片；或作寫本時即已殘佚。

又癸巳，寫本作癸丑。誤。

[illegible]：校編列於附錄，定爲不識之字上五〇頁。通考隸作[illegible]，說之曰：「亦作[illegible]，葉玉森釋援，李亞農證成其說，讀爲爰居爰處，爰代琴瑟之爰」是也一五一頁。

八三二 骨 第二期

辛酉卜出貞：其巾新宗陟告于且乙。

本拓本初著錄爲鐵一三九、一（新鐵九七三）片。又著錄爲冬第一片，存一、一四九八片，總集二三九一二片。寫本見於南無四六三片。

按：胡寫本「其巾」，作其告，非是。

八三三　甲　第四期

1.☑卜：古☑丙步☑

2.[glyph]

本拓本又著錄爲總集二〇一五二片。

按：綜類定本片之辭爲「貞☑[glyph]」（一〇四頁）。通考則定爲「☑卜叶☑丙步」，並認定叶爲武丁時貞人（七四五頁）。均非。

[glyph]：校編列爲附錄（五四四頁）。考釋云：「[glyph]，當即[glyph]字。」按：所釋未必爲是。

八三四　骨　第一期

1.☑[glyph]亡☑菁☑。

2.菁

拾、二　商承祚藏拓

本拓本又著錄爲總集四九三八片。

按：本殘片第一辭似與存二、四八七片爲同文。

[字]：續編列於附錄二十四。校編列於附錄上四八，均定爲不識之字。通考謂：「殆即丘字」一一七七。察其構形，與契文[字]爲近，釋丘、未當。

八三五　甲　第一期

☐戌允來☐豕具☐叀王☐

本拓本又著錄爲總集一一四三二片。

考釋定本辭爲「☐戌允來☐☐豕貝☐☐王☐隹☐」，無說。綜類兩錄本辭，一作「王貝來」二二五頁，一作「戌允來」四九一頁。按：本殘片泐甚，致而拓製甚差，辨認困難，茲姑隸定如右，以俟清晰之拓本。

八三六　甲　第三期

戊戌卜貞：基弜从☐胃亡☐

本拓本又著錄爲總集二〇一七七片。

基：考釋隸定爲日字，誤。詳勘拓本，契文作[字]，與其之構形異。茲姑隸作基，以俟同文例之證驗。

：考釋迻寫爲，綜類从之二三、一二〇、二四八、三八四等頁。謂。蓋即今字胃之初文。字在本辭，或爲地名。

八三七　甲　第一期

雨

本拓本又著錄爲總集一二六六〇片。

八三八　骨　第一期

貞：雷沚于

本拓本又著錄爲總集一三四一〇片。

：續編列于阜部後，定爲說文所無之字十四、八。校編釋隹十四、五。集釋未錄。字不識。

八三九　重見五〇一片　刪

八四〇　甲　第一期

乙酉卜貞：夫往來亡囚　允亡囚

本拓本又著錄爲總集四四四八片。

按：考釋定爲「丁酉卜」，綜類錄作「□酉卜」三〇及三四頁。詳勘兩拓本，知兩者所定均誤，茲正如右。
又乙一一八五片之辭與此似爲同文。若然，則可證知本辭之卜日確爲「乙酉」。

八四一　骨　第四期

□巳卜：其朿于岳
本拓本又著錄爲總集三四二〇二片。
按：考釋定爲「辛卜」。非是。

八四二　甲　第一期

☐王☐
本拓本又著錄爲總集九九三二片，及一八〇八二片。
按：綜類未錄本辭。

八四三　骨　第一期

1. 壬辰卜貞：殳后室
2. 巳

本拓本又著錄爲六清一〇二片，外三四七片，總第一三五六一片。

按：此與前四、二三、八，林二、一、一等片之辭爲同文，胡文定爲「一辭同文例」一五五頁。又佚存及外編所錄拓本均失拓「壬辰卜」三文。

𠬝：續編列於酉部字之後十四卷二四頁。通考隸作㕖，云：「㕖即㕖，古兕字。見汗簡。古語有瞢兕，目蔽也」八一。又云：「㕖，用爲動詞，乃設字。說文：設、施陳也」二七九頁。或釋震。衆說紛紜，尚無定論，茲姑隸作𠬝，以俟論定。

后室：胡釋定爲司室，通考定爲祠室二七九頁。

八四四　甲　第一期

面：貞：隹父乙壱

背：□□帚井示□□

右面背兩拓本著錄爲存一、三九及四〇片。面拓初著錄爲鐵二六二、三（新鐵二四七）片，又著錄爲總集二三四四片。

按：佚存未錄背拓，茲據續存補錄，並今譯其辭如右。

八四五　重見四四六片　刪

八四六　甲　第一期

戊☐貞：☐匚其☐豛

本拓本又著錄爲六清一〇〇片，外二三八片，總集一五二〇二片。

按：考釋隸定本辭爲「戊貞匚其寅尹若」，胡釋隸定爲「戊☐卜貞㞢ㄋ其☐弜」，綜類初从考釋之隸定（三二及三六五頁），繼又改从胡釋之隸定（三二及三七八頁）。乃緣綜類不知六清爲佚存之重覆，殊失之粗疏。

豛：校編定爲黃尹合文（二十），誤。

八四七　甲　第一期

☐乎☐安☐

本拓本又著錄爲總集三一六六片。

八四八　甲　第一期

面：貞：[glyph]于大甲　二告

背：☐甲寅☐

右面背兩拓本著錄爲總集一六二〇八號；面拓又著錄爲掇一、三三四片。

按：佚存未錄背拓，茲據總集補錄之，並今釋其辭如右。惟泐文滿布，栔文辨識困難，茲姑如右作。

八四九　甲　第一期

甲辰卜王：翌乙巳耒于成五羊

本拓本又著錄爲總集一三四八片。

成：考釋隸定爲咸，非是。典籍中稱成湯，爲大乙之廟號。栔文中尙稱唐、天乙者。

八五〇　甲　第一期

1.丙寅☐卯☐兄丁☐宰

2.丁卯卜貞：丝☐不☐

本拓本又著錄爲總集二五一〇片。

八五一　骨　第三期

☐其莫歸☐宰父☐

本拓本又著錄爲總集三〇一八一片。

考釋云：「莫讀暮，莫，爲暮之初文」。

八五二　甲　第一期

1.☐步于[illegible]☐

2.雨

本拓本又著錄爲總集八二七〇片。

按：考釋定爲一辭，未必爲是。

八五三　甲　第一期

☐辰☐商☐雨

本拓本又著錄爲總集一三〇三四片。

八五四　骨　第三期

叀祝

本拓本又著錄爲存一、一八四四片，總集三〇六二八片。

[illegible]：校編迻寫爲[illegible]八、一四。非是。

八五五　骨　第一期

☐𧀼☐乞來于岳　十月

本拓本又著錄爲存一、二一六片，總集一四四五一片。

按：續存所錄拓本較爲清晰。

八五六　骨　第三期

☐戊不風

本拓本又著錄爲總集三〇二五六片。

八五七　骨　第四期

1.夒亡☐

2.☐𢦏至☐又先大雨

本拓本又著錄爲總集三〇四〇〇片。

按：考釋隸定爲二辭，綜類初从其所定五八頁及二一一頁，繼又改作一辭：「☐夒☐𢦏至☐先大雨」七十五頁。茲姑如右作，以俟綴合後之證驗。

拾、二　商承祚藏拓

八五八　骨　第一期

☐卜：☐朿殸☐

本拓本又著錄爲冬三五一片，總集一八七六一片；寫本見於南無一三八片。

八五九　甲　第二期

□戌卜□貞：勿☐歲眔☐

本拓本又著錄爲存一、一五三九片。

八六〇　骨　第五期

1.癸卯王卜貞：其祀多先且☐余受又又　王𡆥曰：弘吉隹☐

2.☐吉

本拓本又著錄爲北大一、二三、一片，續二、三一、六片，總集三八七三一片。

按：總集所錄拓本較爲完正，而有助於綴合，且較他本爲清晰。

又按：辭曰「多先且」，至爲罕見，或僅此見也。

其祀：考釋隸定爲「其祝」，非是。

受又又：考釋隸定爲「受祐」，亦非。

隹☐：考釋隸定爲「隹廿祀」。審拓本，隹下之殘文未必爲「廿」。故以☐出之，以俟綴合。

八六一　甲　第五期

1.甲申卜貞：武乙宗其牢

2.丙戌卜貞：文武丁宗其牢

3.癸丑卜☐

本拓本又著錄爲北大一、四、一片，續六、七、四片，總集三六一五六片。

按：考釋定武乙宗爲「武☐」，文武丁宗爲「文武宗」，可證知商氏不識武乙、及文武丁之合文。

八六二至八六九　已見前馮汝玠氏藏拓

八七〇　甲　第一期

1.癸丑卜吏貞：其隮壴告于唐☐牛　三

2.貞：生夕雨　一

3.貞：一

4.貞：一

5.貞：一

本拓本又著錄爲簠帝二七片，簠天二八片，續一、六、七片，總集一二九一片。

按：考釋定第二辭爲「之月雨」。非是。

唐：即典籍中所稱之湯，亦即八四九片所稱之成。絜辭中之新派稱大乙。檢逸周書王會篇有「北唐以問」之說，以卜辭證之，當即殷本紀贊中之北殷氏。又秦本紀有「寧公二年伐蕩氏」，十二年「伐蕩氏取之」之句。索隱云：「四戎之君號曰亳王，蓋成湯之胤。徐廣云：一作湯社」。蕩、湯同文同音，當即絜文之唐矣。

八七一　骨　第二期

1.戊午卜行貞：王宾彡□亡囚

貞：亡尤

2.戊午卜行貞：王宾雍己彡夕亡囚

貞：亡尤

3.卜行貞：王宾彡□□亡囚

本拓本又著錄爲總集一三八一七片。

□：考釋隸定爲龠，無說。按：此字釋者甚多，但迄無定論，故以原文出之。

□：考釋隸定爲福，無說。

八七二　骨　第二期

1.庚子卜：□

2.辛丑卜：血三羊冊五十五牢

3.乙巳卜：王宾日

弗宾日

血：考釋迻寫契文爲□。校編从之三五。均非。

冊：與冊義同。請參閱四十六片。

八七三　骨　第一期

1.貞：钔自唐、大甲、大丁、且乙、百羌百牛　三

2.貞：钔、叀牛三百　三

3.从姿　二告

本拓本又著錄爲簠帝一六片，簠人第五片，續一、一〇、七片，總集三〇〇片。

拾、二　商承祚藏拓

按：各家所錄拓本，均僅拓製契辭部份。惟總集所錄拓本最爲完正，而利於施行綴合工作。

又按：此與前四、八、四片之辭爲同文。胡雜定爲「先祖世次顛倒例」四三六頁。蓋大丁之序次應先於大甲也。又胡文定爲「二辭同文例」一六四頁。非是。當正爲三辭同文。

八七四　骨　第二期

1.乙亥卜中貞：曰：其㞢于丁？叀三宰？九月。

2.丙[子]卜

3.[丙]子卜

本拓本又著錄爲戩八、一六片，續一、四五、五片，總集二三〇五九片。

考釋定第三辭爲「丙子王卜」。通考定第二辭爲「卜某貞曰例」一五一。

丁：檢：此「丁」應爲武丁，其辭當即「其㞢于父丁」之簡略者。

八七五　骨　第四期

1.癸未貞：又升歲于且乙宰？翌日。

2.丁亥貞：用望乘以羌？自上甲。

3.丁亥貞：用于父丁

4.貞：牛

本拓本又著錄爲總集三二〇二一片。

按：父丁、宜爲武乙稱康丁之辭。

八七六加戩二一、八　骨　第四期

1.朮巳

2.丙：朮巳豕

3.嵲

4.丙：朮岳

5.未

本綴合版已著錄爲總集二一一一〇片。首片又著錄爲戩二一、一一片，續二、五、三片。

按：佚存原錄拓本不若戩片完正。戩考定第一辭爲「巳囗𡗗」。未當。

豕：戩考未釋。

[illegible]：戩考逸寫爲[illegible]，非是。審其構形，字蓋从山从吳。隸定之，當作嵲。集韻：「峿，或从吳」作嵲。訛胡切、廣韻：「嶇峿，山名」。

岳：戩考隸定爲「羔」。

拾、二　商承祚藏拓

八七七 骨 第四期

甲辰卜：酒朿聂☐ 用

本拓本又著錄爲戬三七、四片，續二、八、二片，總集三四五一五片。

八七八 骨 第二期

1.己巳卜行貞：翌庚午歲其于羌甲奭妣庚

2.貞：于毓妣

3.貞：妣庚歲並酒

4.貞：弜並酒

5.貞：妣庚歲叀稽酒、先日

本拓本又著錄爲總集二三三二六片。

按：考釋謂第二辭未刻全。詳勘其辭義，考釋之說未當，此蓋爲蒙前辭而省略者；文法上稱此類之辭謂之「當前省略」者。又三、五兩辭之妣未釋。

妣庚：此妣明示爲羌甲之奭，則羌甲宜爲大宗。請參閱拙作萍廬藏栔校釋。又第三、五兩辭之妣庚，就其辭義及卜序推察，當指羌甲之奭也。

香利利：考釋隸定爲禾日利，無說。就其現於版面情悅推察，宜釋爲香利二字。惟其義爲何？則未之前聞。香利酒，亦未聞爲何酒。均有俟考定。

先日：通考謂：與羽日、彡日、彡日，劦日、戠日等同列八六六頁。然否，有俟考定。

八七九　骨　第四期

柴小母

本拓本又著錄爲總集二七六〇三片。

按：本拓本之實物，爲左胛骨聯接骨臼，俗呼爲馬蹄兒者。而佚存所錄之拓本，則僅爲契刻文字之處，其橫寬不及半公分，縱長亦只二公分而已。故據其拓本無由判定其性質與部位。

柴：契文作[illegible]。爲第四期文武丁時書體之一。粹考釋漱，定爲祭名。甲考釋束或敕，爲祭名。均非。拙釋柴，與尞爲同源。在殷世，舊派曰尞，新派曰柴。餘請詳拙作契文舉例校讀一八一至一八六頁。

小母：考釋云：「不知其所指」。或釋爲小女。按：小母之辭習見於文武丁時，且多爲燔柴以祭。至其究爲人鬼或天神、地祇之稱語，則有俟考證。

八八〇　骨　第三期

拾、二　商承祚藏拓

1.戊寅卜：王其宅盂又鹿

其又歲于父

2.己丑卜：翌日□歲于大乙

本拓本又著錄爲總集三三三七〇片。

按：本殘骨所契各辭，緣行款錯互稠密，句讀維艱，致各家所定殊異，尤以第二辭之隸定，最爲分歧。考釋隸定爲：「己丑卜其有歲于翌日□有歲于大乙」。綜類从之（二五九、三三四、五一五頁）。或釋爲二辭，作「又歲于父乙」，「己丑卜，其翌日□歲于大乙」；謂「乙」爲兩辭同用者。詳察拓本所現示之情形，所釋皆未必爲是。茲據契辭之慣例今釋如右。

□：校編遂寫作□，並定爲待考之字（附上三頁）。綜類遂錄作□（二二八頁），惟並未確認爲是，故於字之右側注？號示之。或釋屯，未必爲是。茲姑作宅，以俟考定。

□：校編認定與□爲同字，釋爲𧘝。釋曰：「或从聿省」（卷八頁九）。續編列於衣部之末，定爲說文所無之字（八、一四）。綜類遂寫爲□形（同前）。非是。察其構形，从衣从□。□，是否爲聿省，未敢必。蓋字在契辭中之爲用，兩字有殊。其究宜何釋，有俟考定。

八八一　甲　第二期

1.甲子卜大貞：告于父丁叀今日益酒

本拓本又著錄爲總集二三三五九片。

2. 甲子卜大貞：翌乙丑酒彡于小乙告

八八一　骨

□丑卜：其复日𠃊六示三、五示二、十示又𠃊

本拓本又著錄爲總集三四一一九片。

按：本拓本宜爲肩胛骨之背拓，其正面拓本則不知何之矣；其或緣未有契辭歟？考釋定爲二辭，即自「六示」以下另爲一辭。茲姑定爲一辭，以俟綴合之證驗。

六示：考釋無說。按：此爲四期武乙時之辭；緣辭殘有間，辭義不詳。然據新綴七六版「自大乙至中丁六示」之辭，則此「六示」之義或與之同。

五示：考釋無說。按：丙三八版有「上甲、成、大丁、大甲、且乙」五示之辭。本書五三六片亦有「丁、且乙、且丁、羌甲、且辛」之辭。本「五示」之辭究指何者，或別有所指，緣辭殘有間，不得其實矣。

十示：考釋無說。據本書八九六片之辭，十示則爲「上甲、大乙、大丁、大甲、大庚、大戊、中丁、祖乙、祖辛、祖丁」十王。亦即自大乙以下直系九世及上甲。此爲武乙時之辭，其或自康丁上逆至大庚之十世歟？以辭殘有間，未敢必。惟辭曰：「十示又」，或爲「十示又三」歟？若然，則當爲

自大乙至康丁之十三世。亦或爲「十示又九」，則宜爲自上甲至康丁之十九世。或亦未嘗爲非。總之，欲明其確指，僅俟綴合之一途。

八八三　骨　第四期

1.祭未貞：叀今乙酉又父歲于旦乙五彡丝用　三

2.于來〔乙〕☐　三

本拓本又著錄爲總集三二五一三片。

按：本片各辭與新綴八十八版爲同組之兩卜骨；本片爲右骨，兆序爲三，彼爲左骨，兆序爲二。第二辭闕文即據彼補錄者。

又父歲：甲考云：「父字，則八丨字之誤也」一一頁。檢又八丨歲固爲卜辭之習語，然又父歲之辭則見於同組卜骨之他辭，固不得謂皆爲「字之誤也」。其或蒙他辭而省略「父」下之謂語歟？

于來乙：考釋據戩四八、二片之辭曰「于來庚」，並謂：「此文當同」。今據同組卜骨之辭知其爲誤。

八八四　骨　第四期

1.癸卯卜貞：酒求？乙巳、自上甲廿示一牛，二示羊，社示牢，四戈彘，四巫豕？　三

2.丙辰卜：𦎫𢦏？　二

3.壬戌卜貞：王[illegible]𦎫☐[illegible]　𢦏☐？　二

本拓本又著錄爲戩一、九片，續一、二、四片，總集三四一二〇片。

按：佚存所錄拓本，其右及上均經翦裁。戩片雖未翦裁，但拓製不夠清晰，且不完正，續片亦經翦裁，惟較戩片清晰。要之，四拓本中以總集所著錄者最爲完正，亦最爲清晰；惜其左下第三辭之左旁，緣卜兆豎坼之脆薄，因而殘佚。

戩考定第一辭之序辭爲「癸卯卜酒求貞」。非是。四戈、四巫，考釋从戩考之說，定爲「三示」，「四示」。並釋之曰：「三示四示之示，一作[illegible]、一作[illegible]，王謂皆示之異文，是也」。胡厚宣卜辭下乙說，亦从王氏之說，定爲三示、四示頁七。均非。又「牢」字，據本辭序辭契刻之情形，及他辭用「牢」字之辭例比勘，此牢宜如右定。諸家定爲「四戈彘牢」者，非是。

考釋定第三辭爲「王之月𦎫卯☐眻𢦏不☐」。詳勘各拓本，𦎫下之「卯」，𢦏下之「不」，皆爲殘餘之少許筆畫，不能肯定其確爲各該字，故本校以☐號代之。

廿示：考釋無說。按：此爲第四期文武丁時之辭，辭云「自上甲廿示」，義指自上甲（含）以下之二十世殷王。據佚存九八六片之辭推勘，乃指上甲、下乙、匚丙、匚丁、示壬、示癸、大乙、大丁、大甲、大庚、大戊，中丁、祖乙、祖辛、祖丁、小乙、武丁、祖甲、康丁，武乙等直系大宗二十世之殷王。

二示：考釋無說。按：二示，在卜辭中有二義，其一，如綜述所云：爲示壬、示癸之偁語[四六〇頁]；此義最易說解。其二，若本辭之二示，則不宜解爲示壬、示癸。蓋二者已概括於廿示中，其不宜解爲示壬、示癸，至爲明確。又如前三、二二、六片之辭：「自上甲元示三牛，二示二牛」，類此之二示，當亦不得解爲示壬、示癸。檢卜辭中又有三示[佚九一七]，四示、五示[存二、六七]，六示[佚八八二]，九示[粹一四九]，十示[佚九八六]，十示又二、十示又三[存一、一七八六及後上二八、八]乃至廾示等。據此等辭例推勘，則二示之義或如二世。卜辭又有元示、二示之偁，若元示爲大宗（大示），則二示或爲小宗（小示）之偁矣。

社：絜文作△，或釋土，茲從釋社說。

四戈彘：戩考及考釋定爲「三示彘牢」。非是。茲今譯如右。又四戈彘與下四巫豕爲對文，故知「牢」應屬上讀，而辭意暢達，句讀順遂。且牢、彘、豕三者皆爲犧牲，句法完正，修辭美妙。

四巫：蓋指東南西北四方之巫也。見於卜辭者有「東巫」[粹一三一片]，「北巫」[鄴三、四六、五片]等之辭，則四巫，殆即四方之巫也。

豕：絜文作□形，戩考釋犬，考釋釋豕，均非。茲從釋豕說。

□：或釋朔，或釋生夕，生月、止夕、止月等之合文。茲從闕，並描摹原文出之。

□：考釋隸定爲畔，未必爲當。待考。

八八五　甲　第三期

1.癸酉☐王☐

2.☐卜宁☐宔☐三宰☐[illegible]

本拓本又著錄爲戩二三、三片，續二、一七、六片，總集三〇五二二片。

[illegible]：考釋迻寫爲[illegible]。戩釋隸定爲[illegible]。均非。茲正栔文如上。至其究當何字，有俟考定。

八八六　骨　第一期

面：1.辛丑卜𡧊貞：求年于河　二

2.貞：求年于夒九牛　二

臼：己未邑示六屯　岳

右面臼兩拓本著錄爲總集一〇〇八五號。面拓初著錄爲鐵二一六、一（新鐵一九五）片；又選錄爲通纂三三六片。

按：佚存及鐵、通纂等均未錄臼拓，茲據總集補錄，並今譯其辭如右。

夒：考釋隸定爲夒，云：「夒字誤刻爲兔」。通考釋頁，即古文首字，與首爲同文；形變爲𠧪。讀與偰通，即殷祖之契矣（說詳二七二頁）。茲從釋夒說。

八八七　甲　第一期

拾、二　商承祚藏拓

1. ☒其□[illegible]☒高且乙☒[illegible]㞢□

2. 庚子卜爭貞：𠭰其饗于且辛壽㞢[illegible]歲用

3. □酉卜□貞：☒日☒其☒亡☒　十月　在☒

本拓本又著錄爲總集一六五四片。

考釋定第一辭爲「其告[illegible]于祖妣宰㞢犬」。綜類定爲「[illegible]㞢犬[illegible]于且乙其告[illegible]」二六八頁。

按：此爲腹甲右前甲右下之拓本，故拓本之右方即爲右甲橋之上端，據例：辭當右行，綜類定爲左行，非是。考釋謂：「此辭未刻全」。非是。蓋此爲殘辭，設能尋得所殘佚之上端予以綴合，當可觀其全辭。又緣拓本不良，不易確認其所殘，因而無法句讀其辭，茲姑如右作，以俟綴合或清晰之拓本。

考釋定第三辭爲「□酉卜☒日☒㳄亡☒十一月在☒」，按：此亦爲殘辭，亦緣拓本拓製不善，無由辨認其殘存之字辭。茲姑如右釋，以俟清晰之拓本或綴合。又「十月在」，綜類認定與鐵九八、三，前四、三一、七，後下三五、一，南坊三、五等片之辭爲同例四九九頁。詳校各該拓本及寫本，並無其辭。然則，其爲綜類之僞造者歟？茲不得其詳。

[illegible]：考釋迻寫爲[illegible]形，校編迻寫作[illegible]形，列於附錄上九三。均未必爲當。茲參酌兩拓本之情形，迻寫如右；然否，未敢必，以俟高明。

高：考釋迻寫原文作[illegible]形。校編从之附上五二。續編迻寫爲[illegible]形附二、五。茲隸定爲高，就辭義推察，或有可能。當否，則未敢必。

壽：栔文作□，考釋迻寫爲□形。續編迻寫爲□形，釋疇（卷十三頁十一）。校編迻寫爲□形，釋疇（卷十三頁九）。通考隸定爲禱，無說（三九〇頁）。茲隸作壽，爲禱之初文。

八八八　骨　第四期

1. 辛巳卜貞：王隻上甲饗于河
2. [辛]巳卜[貞]：王[ ]河

本拓本又著錄爲總集三四二九四片。

按：佚存所錄拓本無第二辭，茲據總集所錄，並今譯其辭如右。

王隻：即栔辭習見之王亥。亥，栔文中之異形甚多，尤以第四期之異最夥。

即：小屯南地甲骨考釋云：「即，義爲依就」（頁一）。非是。武乙時之辭多作饗字解，如本辭。饗、即，皆爲就食之義，故二字可通。

八八九　骨　第一期

貞：㞢父乙亞三牛𠕋三十伐三十宰

本拓本又著錄爲總集八八六片。

按：亞三牛之「三」，就其栔刻之情形推察，或爲本辭之兆序紀數字。然就其栔刻之行款觀察，或如考釋所定者。茲緣乏完整之拓本，姑从考釋所定。

八九〇

按：佚存所錄拓本，爲商氏經過變造者，非眞有此不倫之卜骨實物也。其說請詳附錄四及代序。茲據本校釋二十五版之例，分別予以八九〇、一及二之編序。至商氏何以變造此拓本，今已不知其然矣。

八九〇、一　骨　第一期

面：1.☐阱☐亡巛

2.貞：至于𦎫勿㞢　一　不啎蛛

3.貞：于娥告　一

4.貞：口　二

背：王固曰：㞢祟

右面背兩拓本著錄爲總集一四七八三號；面拓又著錄爲戩九、四片。

按：佚存及戩均失錄背拓，茲據總集補錄並今譯其辭如右。又考釋於面拓各辭，僅釋第二辭及巛貞二文，餘均未釋；且於第二辭漏釋至字。或緣拓本惡劣所致歟？

：待考。

八九〇、二加總集二三〇七六　骨　第二期

1.庚[甲卜即]貞：[王宓]南[庚叔亡尤]　三

2.貞：亡尤　二

3.甲子卜即貞：王宓唐甲叔亡尤　一

4.甲子卜[即]貞：王宓叔亡尤

5.[貞]：亡尤

本綴合版他書未著錄。首片又著錄爲續一、五一、一片，通纂二一七片，總集二三〇八八片。

按：考釋僅釋第二、三兩辭，餘均未釋。茲據書契續編所錄拓本，並綴合後之契辭今譯如右。

八九一　骨　第三期

1.☐于烈☐則父甲☐爨

2.乙酉卜：其則父甲爨在丝　往成

3.丁酉卜：其求年于岳

本拓本又著錄爲總集二七四六五片。

[卢火]：字从卢从火，當即今字烈之初文。說文：「烈、火猛也」。字與列通；說文通訓定聲：「

拾、二　商承祚藏拓

烈、叚借爲列」。字於本辭，就其用「于」之辭例及辭義推察，疑當訓列、行列也。亦或爲地名。然地名之列典籍無徵。且辭殘有間，其字僅此一見，無由推勘其確義也。

⿱婎示：按：此字在契文之構形至爲繁夥，其究當今字何字何義，亦迄無定論。雖衆說繽紛，而其義則皆認定爲祭祀。通考云：「象以手獻禽於神，用爲獻祭專字。字从短尾禽之隹，宜讀爲進。高唐賦李善註：進，謂祭也。⿱𦥑王鼎：⿱婎示于周廟，即進于周廟」（一六〇頁）。丁龍驤先生云：「武丁之世首見⿱婎示，字又隸⿰礻蒦，爲祭祀方式之一。字从倒隹，从示从又；說文所無。由字之構造，此祭乃倒持禽鳥。讀貞辭，知此祭物須狩而取之，當是野禽，非雞鴨也。武丁時此⿰礻蒦祭行于唐及且乙，後即無限制矣」（中國文字新十一期一〇九頁）。按：就字之構形及其在卜辭中爲用，疑即今隸之濩。集韵八十九：「湯樂名」。周禮春官大司樂：「以樂舞教國子，舞大濩」。註：「大濩，湯樂也。湯以寬治民而除其邪，言其德能使天下得其所也」。疏：「大濩，湯樂也。亦祭法文。邪即虐」。又淮南子卷十一齊俗訓云：「殷人之禮，其社用石。祀門。葬、樹松。其樂，大濩，晨露」。高注：「大濩，湯所作樂」。據典籍之紀載，濩爲湯樂，當即祭湯之樂也；非湯所作之樂。就丁先生之研究言，濩之祭，武丁之前爲祭湯即唐〔大乙〕之專樂，武丁時擴及且乙；蓋見於契辭者，且乙稱中宗，則其功業與湯即唐相埒，遂以祭唐之樂用於且乙，初亦或賓於湯。就字形之構造審量，非倒持禽類爲祭。乃係主祭者兩手恭奉犧禽於受祀之神主，奉祀此禽，其頭必向受祀之神主，與今祀神鬼之禽其尾向受祀者異。

往成：考釋隸定爲「先成」，非是。此成，宜非大乙之稱，似爲地名。

八九二　骨　第三期

1.弜以

2.壬寅卜：其求年于示壬爽眔酒　丝用

3.既日

本拓本又著錄爲總集二八二六九片。

示壬爽：見於卜辭者，示壬之爽曰「庚」，若佚九九片之辭是其例；亦稱高妣庚，若佚一六九片之辭是其例。

八九三　骨　第二期

1.乙卯卜即貞：王宾毓且乙，父丁，歲，亡尤？

2.☐宾☐亡尤

本拓本又著錄爲戩三、八片，續一、三、三片，通纂四〇片，總集二三一四三片。

按：本拓本之下端未絜字辭處，爲商氏翦棄，故佚存所錄拓本，不若戩與通之完整，故總集採錄戩拓。

毓且乙：考釋無說。戩考謂：「此帝乙時卜祭其祖武乙，父文丁之辭。」通釋謂：「此說不確。」

蓋武乙亦稱武且乙也。后且乙乃小乙。辭乃祖庚若祖甲時所卜」十七。按：戩考非是。辭乃祖甲時所卜者。

父丁：當即祖甲稱武丁之語。戩考非是。

八九四　骨　第二期

己未卜王貞：乞㞢求于且乙，王吉？茲卜用。

本拓本又著錄爲總集二三九一三片。

乞：栔文作三，從于省吾之釋駢枝五五 釋林七九。通考隸定爲汔，無說六二。未必爲當。「乞㞢求」之辭，他書未見。

茲卜用：考釋失釋用字。蓋緣未能詳審拓本所致者，通考從之六二。則出於鈔襲也。

八九五　甲　第一期

本拓本又著錄爲總集一八五六六片。

[illegible]：考釋隸定爲䰞，無說。綜類逕寫爲[illegible]三八八頁。

八九六　骨　第三期

1. 乙亥卜：□㱿□
2. 乙亥卜：先㱿𠭯又且辛

本拓本又著錄爲戩四四、一七片，續一、一八、一片，總集三二八一二乙片。

八九七　骨　第四期

1. 甲子夕卜：又且乙一羌歲三宰
2. 戊寅卜：又妣庚五[illegible]十牢　不雨　三
3. 丁亥卜：于來庚子酒
4. 己亥卜：不雨　庚子夕雨
5. 己亥卜：其雨　庚子允雨　夕
6. 癸卯卜：不雨　甲辰允不雨
7. 癸卯卜：其雨

本拓本又著錄爲總集三二一七一片。

按：佚存所錄拓本上段較優，總集下段較優；右辭，即擷取二者之優今譯者。胡雜分割第五辭爲

拾、二　商承祚藏拓

二辭，其第二辭作「庚子卜允夕雨」，並以「夕」字爲添刻例（四〇一頁）。非是。今正如右。

且乙：此爲四期武乙時之辭，疑爲武乙稱小乙之辭，非中宗且乙、或高且大乙之稱。蓋即晚期卜辭中所稱之小且乙或毓且乙者。據世系，小乙爲武乙之高且，然前世已稱大乙爲高且，武乙自不得再以高且稱之，故至第五期時直稱爲小乙。緣其已越五世矣。

妣庚：據前辭稱小乙爲且乙之例推勘，此妣庚，疑爲小乙之爽。

[illegible]：考釋隸定爲巴，無說。詳察拓本，其構形宜如上錄。字从人从女，疑即今字妃之初文。妃，从女从巳，从巳，或即後世之書誤。蓋巳形與己形大同小異，形似而實異。然否，有俟詳考。

八九八　甲　第一期

1.貞：勿乎☐[illegible]人

2.☐勿☐[illegible]人　二

本拓本又著錄爲總集九一一四片。

[illegible]：校編釋笨（卷六二頁）。或釋莫，均未必爲當。

人：考釋均隸定爲夷，未當。

[illegible]：考釋疑爲啚字。綜類未列部從，亦未列專欄，僅於第四頁鈔錄其辭而已。校編列爲待考字附上十六。

八九九　甲　第一期

斵

本拓本又著錄爲總集一八七一五片。

斵：栔文作[glyph]形。續編列於斤部之後，定爲說文所無之字十四。茲姑隸作斵，以俟考定。

九〇〇　骨　第五期

1.甲午卜在𦣻貞：[王步]从東，叀今日弗每[亡災]？在十月。丝卬王正[人方]。隹十祀。

2.叀乙弗每，亡災？

本拓本又著錄爲簠地二八片，續三、二九、六片，總集三七八五六片。

按：殷曆譜下編卷五頁二十一，以本片與明後二七七一（南朋八二八）片，遙綴爲肩胛骨之右骨（如附圖）。彥堂先生並據之製爲帝辛十祀之閏譜及日譜見殷曆譜下編卷五頁十五及卷九頁四十八；請參閱。右辭即據各該譜所迻錄者。

𦣻：栔文作[glyph]形。通考謂：[glyph]爲地名，左桓十八年傳有首止，方輿紀要云：首鄉在歸德府睢州東南。疑即此一九六頁。字見於卜辭者多屬地名，至其地望，通考所論未必爲當，其究當今之何地？何字？則有俟考定。茲姑隸作𦣻，藉便說解也。

拾、二　商承祚藏拓

九百片附圖

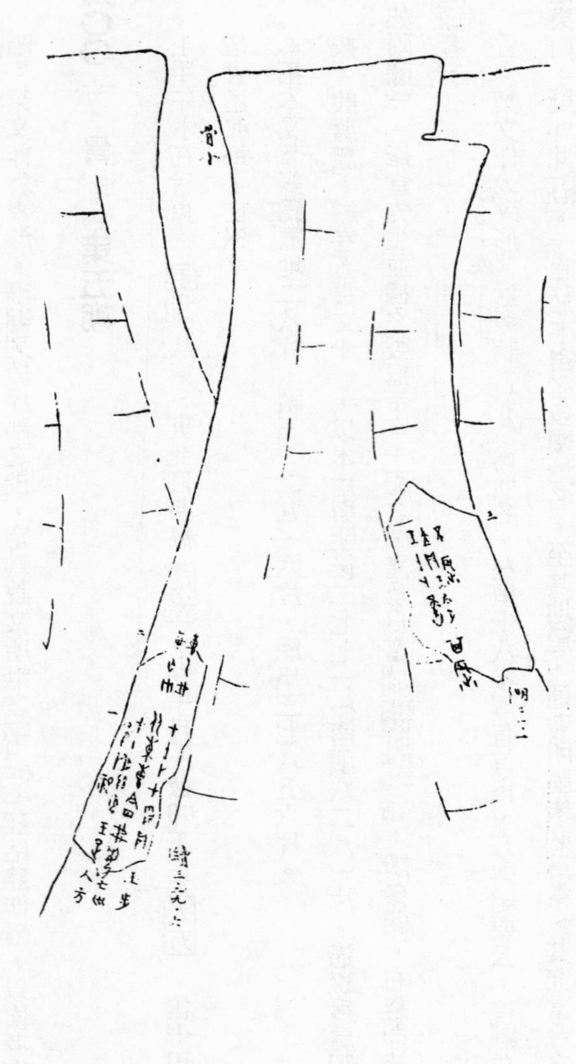

九〇一 骨 第三期

1. 翌日壬王☒省桑☒藝不遘大雨

2. □⿱莫鳥□遘大雨

本拓本又著錄爲總集二八九七三片。

考釋定第一辭爲「王其省噩帆不大雨」。詳察拓本之情形，省上之契文或爲其字，但據辭例，王、桑、不三文之下仍當有契文，惟皆殘佚於他片，不知其所之矣。茲正其辭如右，以俟綴合。

藝：考釋隸定爲帆，旁注爲𡙕。非是。字蓋从木，非从屮。釋藝，已是定論。

[illegible]：考釋隸定爲暮，無說。按：釋暮雖是，然於字之構形無說。頗失之簡陋。就其構形推勘，準於六書，宜爲形聲字。蓋从隹莫聲。當爲後世書體中所謂鳥蟲書之藍本，亦爲契文之鳥書，猶亥之作隻，雉等是。

九〇二 甲 第一期

☒卜㞢☒子漁☒商☒ 三 六

本拓本又著錄爲戩四三、七片，續三、四七、四片，總集三〇〇四三片。

考釋未釋序辭。

拾、二 商承祚藏拓

九〇三　甲　第五期

1.戊午卜[貞]：王迖于□往來[亡災]

2.[辛]酉卜貞：[王]迖于□往[來]亡災

3.☐宮壬☐每兹☐

本拓本又著錄爲總集三六五七〇片。

按：第三辭「兹」下尚有栔文一似作[glyph]形，惟以拓印不清，未敢肯定。考釋將二文併一作[glyph]形，校編從之，列於附錄下，定爲待考字八二。茲以□示之，以俟清晰之拓本，或同辭例之他辭。

九〇四　骨　第三期

1.辛卯卜：王叀盧麓逐亡災

2.禽

本拓本又著錄爲戩四一、一〇片，續三、四四、四片，總集二八三四九片。

考釋未釋第二辭，蓋緣拓本被翦裁所致也。茲據戩片補錄並今譯其辭。戩考則以之濫入第一辭。

九〇五加鐵二二四、一　甲　第一期

1. 勿乎☐稠于☐自[甲骨字形]

2. ☐ 三月

3. 稠

4. 商

本綴合版他書未著錄。首片又著錄爲戩四四、一〇片，續六。一九、二片，總集四七三九片。

考釋未釋第二辭，亦緣拓本被翦裁之故也。茲據戩片補錄並今譯其辭。戩考未釋第一辭第一字。

[甲骨字形]：續編列於附錄二十，校編從之附錄下二。按：此字僅此一見，究當今之何字何義？有俟考定。

九〇六 骨 第二期

1. 癸卯[卜王]貞：旬[亡𡆥]，甲辰[工典其翊][在]四月

2. 癸丑卜王貞：旬亡𡆥，在四月 甲寅酒翊自上甲

3. 癸亥卜王貞：旬亡𡆥，乙丑翊于大乙 在五月

4. [癸酉]卜王[貞]：[旬]亡𡆥，[甲戌翊]大甲

本拓本又著錄爲總集三三六六九片。

考釋未釋第四辭。據彥堂先生考定，本殘骨爲祖甲二年之物，並以之譜入祖甲二年之祀譜，請參閱。

九〇七　甲　第四期

1.甲申卜衍：又虘甲　二

2.叀羊妣己

3.叀牛妣己

本拓本又著錄爲簠帝二三五片，簠人二片，續一、三八、七片，總集二一〇九片。

按：佚存所錄拓本，左半被商氏翦棄，茲據合集所錄拓本並今譯其辭如右。

虘甲：考釋云：「卜辭有[illegible]甲，又或增口作[illegible]、[illegible]、[illegible]、[illegible]，與此當是一字。董釋爲虎甲謂即沃甲。郭釋象、像，謂象甲即陽甲。卜辭自有虎象字，與此略近而實別；二氏之說未確信也」。案：字當即虘甲合文。虘甲，爲殷王之陽甲，彥堂先生已在所著之殷曆譜中詳予考證。於今已是定論。

九〇八　骨　第三期

1.其卸受☑

2.弜已卸

本拓本又著錄爲戩三三、一七片，續六、二四、二片，總集三〇七五九片。

按：戩考定本片之序號爲十五。核與拓本所錄之次序異；考釋之序數當誤。茲據拓本之序訂正如右。又戩考未釋「受」字。

九〇九　骨　第一期

1.貞：[glyph]于且乙
2.翌辛卯不雨
3.[glyph]于且乙
4.翌辛卯其雨

本拓本又著錄爲總集一二四五〇片。

按：胡雜定本片各辭爲：「獸骨相間刻辭例」四三六頁。

[glyph]：考釋隸定爲屰，無說。

九一〇　骨　第一期

面：酉弜芻于⿰面吏

背：牛

本面背兩拓本著錄爲總集一一四〇八號。

拾、二　商承祚藏拓

按：佚存未錄背拓，茲據總集補錄並今譯其辭如右。又總集所錄拓本，其實物已碎裂爲二且已流失若干實物之小碎片。

⿰自叀：契文作形，校編隸定爲自叀，說之曰：「从自从叀，說文所無」卷四頁四。續編列於自部之末，定爲說文所無之字卷四頁五。或釋牽，未當。字僅此一見，無辭例可資比勘，字書亦未見其字，頗不易索解。茲姑隸作⿰自叀，以俟考定。

九一一　骨　第四期

1.甲子卜王

2.自大乙祝

3.至且乙☐

本拓本又著錄爲戩二、七片，總集一九八二〇片。

按：本片爲胛骨之背拓，面拓不悉何之矣。佚存所錄拓本已被商氏翦棄其左半及上端，拓製失之潦草。第二辭「乙祝」，校編定爲「兄乙」合文二十三頁。

考釋定爲一辭：「甲子卜王自大乙祝至自祖☐」。戩考亦定爲一辭，作「甲子卜王　自大乙至祖乙兄」。綜類逕寫爲「甲子卜王自大乙祝至且乙」四二五頁。就其書體、行款、及其他徵候綜合推察，宜爲文武丁時習契者就其所習之範本，信手鈔錄，故皆斷斷續續不成章法，無辭義可尋。

□：釋兄誤，絜文之兄皆作□。

九一二　甲　第二期

庚寅卜旅貞：翌辛卯其□于丁

本拓本又著錄爲總集二三〇七〇片。

□：考釋隸定爲淮，旁注濩，無說。商氏類編十一、四、王氏類纂正編五十一頁，孫氏文編十一、三，校編十一、四。

續編十一、五，集釋三三四五皆從書絜考釋增考中六八頁之說釋濩。集釋又鈔錄前編集釋葉氏一、三四之說以增益之。察絜辭用此字之辭，率皆爲祭祀之事，受祀者爲殷之先祖，其字則見於新派之絜辭中。然則：𩰫爲舊派所用之字，故多見於武丁及祖庚等之辭中。其爲濩祭之字則一也。

九一三　骨　第四期

1. 丁未貞：王其令望乘帚其告于且乙[一牛父丁一牛]
2. 丁未貞：王令卯□方
3. [乙卯貞]：又升[伊伐]卯一牛

本拓本又著錄爲總集三二八九七片。

按：通考認定本片與粹一九六片爲重複七五。非是。本片實與佚存三八七片爲同文。又第一辭與

拾、二　商承祚藏拓

總集三二八九六片之丁未辭爲同文。本片缺文即據彼等同文之片補錄。

又按：佚存所錄拓本，失拓下半，即第一辭，茲據總集補錄並今譯其辭如右。

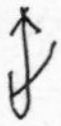：或釋途，未必爲當。

：或即武丁時之方國下危之危。惟緣字之構形及稱語稍異，未敢必，有俟詳考。

九一四　甲　第一期

1.告于丁　四月

2.夢〼集〼鳥

本拓本又著錄爲簠帝三〇片，簠文二〇片，續一、四五、三片，總集一七四五五片。

按：第二辭之集，簠文釋雞，當否，有俟論定。

九一五　已見馮汝玠氏藏拓本，此不贅錄。

九一六　甲　第一期

1.貞：其大雨　一

2.貞：夢　三月

3. ☒氏☒衣

本拓本又著錄爲簠帝三八片，簠文六〇片，續四、一四、七片，總集一二七一五片。

九一七　甲　第四期

□亥卜貞：☒三示卬大乙大甲且乙五宰

本拓本又著錄爲總集一四八六七片。

三示：此爲文武丁時之辭，大乙大甲間尙有大丁，大甲且乙間尙有大庚、大戊、中丁三世，則三示之義非直系無間之三代。考大乙爲商王朝之一世祖，且乙在絜辭中稱中宗，當爲英明而有功業之商王；大甲之功業雖絜辭及史籍皆乏紀錄，然據本辭三示之稱，當亦爲功業彪炳之商王。故與大乙、且乙併稱三示。

九一八　甲　第五期

乙卯卜貞：王宾且乙濩☒

本拓本又著錄爲總集三五六八一片。

九一九　骨　第四期

拾、二一　商承祚藏拓

☒[illegible]：㞢妣癸不☒

本拓本又著錄爲戩八、七片，總集一九七〇四片。

按：佚存所錄拓本，其左半爲商氏翦棄；總集所錄拓本，其右緣已殘佚。又戩考未釋貞人之署名。

妣癸：考釋無說。按：中丁、祖丁、武丁、文武丁之奭均曰癸。此爲文武丁時之辭，於其奭不得稱妣，餘三王之奭均得稱妣。此妣癸，究係何王之奭，有俟考定。

不☒：通考定爲「不于」六六七頁。詳察二拓本之情形，不下之殘文呈[illegible]形，宜爲□字殘存之左半，釋于，未當；故本校釋用□號示之，以存疑也。

九二〇　骨　第四期

1.貞：其☒[illegible]☒

2.□寅卜貞：其□于大室

本拓本又著錄爲總集三〇三七一片；寫本見於卜辭綜述附圖（簡作綜圖）二四、五片。

按：考釋定第二辭爲「癸□卜」。詳察拓本並比勘寫本。其契痕類似五期之癸字。然就拓本整體之情形及行款佈局，序辭程式等推勘，隸定爲癸，似屬未當。茲姑作寅並以□框之，以俟清晰之拓本，或同文之他版。

九二 骨 第二期

1.辛亥卜出貞：今日王其水寢 三月

2.癸亥卜出貞：子弖弗疾

丁卯㞢疾

3.丁卯卜大貞：今日敀

4.其

本拓本又著錄爲簠天九三片，簠游三〇、六九等片，續三、三四、五片，總集三三五三二片。

考釋定第二辭爲「丁卯言㞢疾」，「癸亥卜出貞子弗疾」。綜類作「癸亥卜出貞丁卯子弖弗疾㞢疾」五〇九頁。通考作「癸亥卜，出貞：子弖弗疒， 㞢疾」八四五頁。又作「癸亥卜，出貞：子弗疒。丁卯、弖㞢疒」七三六頁，說之曰。「子與弖並列，知子當屬武丁時代。又由卜人出，知子之年代可下及祖庚祖甲之時」。按：本片與總集三三五三三爲同文，惟三三五三三之片上下均已殘佚，獨存本辭，故得以互爲比勘。得知考釋；通考所定諸辭，均未必爲當。就栔辭之行款、字之大小、位置等比較推勘，綜類所錄或爲可能，而「㞢疾」爲事後補栔之驗辭。茲姑如右列，以俟高明。

水寢：考釋無說。通考云：「水寢，疑指建造寢宮，以水平度地」八七〇頁，所釋未必爲當。按：辭云「王其水寢」。其，將也。寢，爲房舍之義，前已有說。水寢，疑如舊唐書卷一七〇裴度傳所云：

「草木叢萃，有風亭水榭」之水榭之比。水榭，爲臨水或水上所建築之臺閣之類。左成十七年傳：「三郤將深謀於榭」。注：「榭，講武堂」。國語楚語上：「榭，不過講軍實」。韋注：「講，習也。軍實，戎事也」。又漢書五行傳上：「榭者，講武之坐屋也」。然則，辭義宜爲：「王將於水上之臺榭，糾集將帥、講習用兵之韜略耶」。猶如今語之：將於某一特定之地點，作紙上或沙盤、預習戰略或戰術之義；藉以增進將帥用兵之智能，克敵致勝之謀略。抑或如今之最高軍事會議之類。古者，農隙講武。辭紀「三月」，殷之三月，約略與太陽曆之三月仿彿，時當冬末春初之際，正值農隙之時。且講武，爲軍事行爲，軍行，爲國家最高機密；講武水上之臺榭，爲最佳之保密手段。殷都於洹水南岸，於沿岸或水上建築臺榭爲講武之處所，未始爲非。史記殷本紀謂：辛紂時築有鹿臺、矩橋、沙丘苑臺等臺苑，姑不論用途爲何？或建於何處，其爲建築物則一。以武丁在位之久，武功之盛，歷世殷王莫之與京。建造講武專用之處所以保軍密，殆爲必然之事。至祖庚之世，承襲武丁之遺烈，仍舊貫之，乃事之必然，理之當然也。

九三一　骨　第一期

1. ☐受不雉王衆
2. 其雉衆

按：本片拓製惡劣，契辭辨認艱澀，亦未校出重複之拓本。茲據考釋所定，鈔錄如右。

九三　骨　第一期

面：1.癸未卜殸貞：旬亡囚？王固曰：㞢祟。三日乙酉、酉㞢[illegible]。　二

2.癸卯卜殸貞：旬亡[囚]？　二

3.癸丑卜殸貞：旬亡囚？　二

4.貞

背：1.癸丑卜貞：旬亡囚？

2.癸[口][卜貞：旬]亡囚？

本面背兩拓本著錄爲總集一六九三五號。面拓又著錄爲續四、四六、六片。

按：佚存及續編皆未錄背拓，茲據總集補錄並今譯其辭如右。考釋定第一辭爲：「癸未卜殸貞旬亡囚三日乙酉王固日㞢求酉㞢㞋」。通考从之（八十八頁），惟將「㞢求」改釋爲「㞢殺」而已。茲詳察拓本，並參酌同時期之同辭例，訂正如右。審其所以如此者，蓋緣序辭、命辭，㓞刻於上端，分列爲四行。占辭及驗辭㓞爲二行；而驗辭之首字「三」恰位於命辭「囚」之下，驗辭之「酉」、位居於占辭「祟」之下。遂成如通考鈔錄之怪辭。再緣商氏作此考釋時，未能深入比勘同辭例之他辭，僅據拓本逐行今釋，固已失之粗率，但通考之作者不僅不願翻檢殷㓞佚存之拓本，而於同辭例之他辭，認其不値一顧。且浪費時間，不若鈔襲現成材料方便。

□：隸作㞋，未當。字蓋从□从□。待攷。

九一四　骨　第二期

丙午卜即貞：翌丁未丁□歲其又□

本拓本又著錄爲續二、一、四片，總集二三六一〇片。

按：通考隸定本辭爲：「羽丁未日，□歲，其又伐」九九一頁。並釋之日：「□歲」，即歲亩年；「羽丁未日」，應即羽日丁未。卜辭每作倒裝語同上。

□：考釋及通考隸定爲伐，未必爲是。茲移錄原文如右，以俟考定。

九一五　骨　第四期

□卜：□□　王弗宔

本拓本又著錄爲總集三〇九四九片。

□：考釋無說。校編列爲待考字附上二七。于省吾釋鷹駢三。然所作釋林未收錄，是于省吾氏作釋林時，已認其釋鷹之未是。茲姑存其說，以俟考定。

九一六　骨　第三期

1.貞：☐王其□自漁于[glyph]多若

2.☐犬罘[glyph]

3.☐[glyph]弗[glyph][glyph]

4.[glyph]

本拓本又著錄爲總集三三一六二片。

考釋定第一辭爲：「王其出自漁于多若，」無說。所定出字，殘佚太甚，茲以□號示之，以俟綴合。或謂：漁爲地名。未當。就辭義推察，漁宜爲動詞字，于下之[glyph]應爲地名。爲謀釋漁爲地名之便，遂將[glyph]字逐出本辭，成「自漁于多若」。如此釋辭，多字應爲地名。證知釋漁爲地名殊非。

[glyph]：考釋未釋第一辭之此字，餘三字皆隸字爲畢，無說。就其構形察之，與畢之構形殊異，且在絜辭之爲用亦殊，似爲二字。茲以原文出之，以俟考定。

九一七　骨　第四期

1.辛巳貞：☐宗隹☐

2.辛巳貞：☐𩫏☐隹[glyph]

本拓本又著錄爲總集三三一二三片。

[glyph]：考釋隸爲若，無說。校編十一、續編十二等皆从之。察其構形，似若而實歧；釋若，似有

未當。至其究宜何釋，有俟考定。

九一八　骨　第三期

1.☐求☐叀☐

2.叀羊王受年

3.其又賁亳社又雨

本拓本又著錄爲總集二八一〇八片，實物攝影之寫本見於綜圖二四、二片。

九一九　甲　第一期

庚申卜㱿貞：令凡[illegible]多宁入于☐

本拓本又著錄爲總集四八一八片。

[illegible]：通考隸定爲爾，無說三三一頁。

九二〇　甲　第一期

1.[illegible]躲爨

2.爨

本拓本又著錄爲總集一〇三六〇片。

[甲骨文]：通考釋⿹勹貝云：「卜辭⿹勹貝爲人名，其言卜⿹勹貝貞者僅一見。蓋武丁時人」六四頁。丁龍驤先生謂：「此字恆與骨字連用，武丁時有單用者。前人釋⿰貝句，有賄賂之義。此種刻辭絕非此義，必是同音叚借。⿰貝句字从貝从句，如字从貝从包，音讀當可爲寶。此字或如前人所言：有珍貴之義。但如稱肩胛骨爲『寶骨』，當是古髆字；乃借音也中國文字新十二期二三〇頁。其字究當今之何字，有俟考定。字於本辭，疑爲人名，見於同期之他辭者亦爲人名。至第三期時，貞人有名此字者」。

九三一　骨　第三期

1.丁酉

2.叀典[甲骨文]

本拓本又著錄爲總集三〇六五九片。

按：考釋定爲一辭，作「叀㲹丁酉[甲骨文]」。未當。茲析爲二辭，並今譯如右。

[甲骨文]：校編釋況云：「从兄从夲，說文所無」八、一四。續編列於兄部之後，定爲說文所無之字八、二二。

九三二　骨　第三期

☒于監狡☒　大吉

拾、二　商承祚藏拓

本拓本又著錄爲總集三〇七九二片。

考釋將卜兆術語「大吉」，濫爲卜辭，非是。

九三三 骨 第一期

貞：其[illegible]☐

本拓本又著錄爲總集二六八六〇片。

[illegible]：校編定爲待考字，列於附錄上三五。綜類逕寫爲[illegible]三八八頁，非是。考釋釋虋曰：「虋，當與虋爲一字」。金文有[illegible]木工鼎、[illegible]乃孫作且己鼎、[illegible]引鼎、[illegible]虋輿簋四文，與契文形近，吳大徵釋鼎，金文編列於附錄下八三。究當今之何字，有俟考定。

九三四 骨 第一期

1.☐貞：勿狩☐禽二百六十九☐

2.☐ 二告

本拓本又著錄爲簠游一二五片，續三、四一、一片，總集一〇七六一片。

按：佚存所錄拓本，僅爲契刻文字部份。總集著錄者雖較完整，而有利於施行綴合，但文字部份拓製差池。又狩字所从之犬，緣其漏契犬腹，致其書體近似四期，由是，或有定其爲四期者，應爲非是。

九三五　骨　第四期

1.☐翌甲子伐[illegible]☐

2.☐餗卣伐[illegible]帝☐

本拓本又著錄爲總集三三〇八六片。

九三六　甲　第一期

1.貞：烄☐[illegible]☐

2.☐从雨

[illegible]：或釋爲弘京合文，未當。

本拓本又著錄爲總集一一三四片。

九三七　甲　第五期

1.乙卯卜在☐貞：王迖于義往來亡巛

2.乙未卜在視貞：王迖于☐往來亡巛

拾、二　商承祚藏拓

3. 甲子卜在□貞：王迖于高膚往來亡巛

4. □□卜在□貞：王迖于□往來亡巛

本拓本又著錄爲簠游〇一六片，續三、二七、三片，總集三六七五四片。

按：考釋定第一辭爲：「乙卯卜貞在羲」，非是。

視：續編逐錄作[illegible]，列於見部之後，定爲說文所無之字卷十一頁二四，校編逐作[illegible]，隸定爲祝曰：「从永从兄，說文所無。地名」十一卷十一頁。綜類逐錄爲[illegible]五十八頁。字蓋从永从見，隸定之當作視，說文所無。

九三八　骨　第一期

1. 貞

2. 〼示〼伐〼　七月　三

3. 貞：王于生八月入于商　三

4. 商

本拓本又著錄爲戩九、一一片，續三、一四、四片，總集七七九三片。

按：戩考未釋第一辭。

九三九　甲　第一期

1.甲☐日☐

2.☐卜王☐〓☐

按：考釋定爲一辭。

〓：字不識。

九四〇　骨　第三期

1.貞：☐不☐

2.☐大〓☐衣其〓☐

本拓本又著錄爲總集三一七九二片。

〓：考釋隸定爲史、亡說。

〓：考釋隸定爲達、亡說。

九四一　骨　第一期

☐其☐〓☐

拾、二一　商承祚藏拓

本拓本又著錄爲總集四八五一片。

[甲骨字形]：字不識。察其在契辭中之爲用，或爲地名，若前二、八、七之辭是其例。或爲帚名，若前五、三二、二及粹一四九〇等片之辭是其例；惟皆爲骨臼之紀事辭。據二例，本片雖非骨臼之辭，然則，其爲地名歟？

九四二加續四、四二、五加總集二六六二八　骨　第一期

1. □　二
2. □　二
3. □　二
4. 癸巳卜兄貞：旬亡囚？　二
5. 癸卯卜兄貞：旬亡囚？　二　二告
6. 癸丑卜兄貞：旬亡囚？　十月　二　二告
7. 癸亥卜兄貞：旬亡囚？　十一月　二　二告
8. 癸酉卜兄貞：旬亡囚？　十一月　二　二告
9. 癸巳卜貞：旬亡囚？　二
10. 癸卯卜貞：旬亡囚？　二

11. 癸丑卜貞：旬亡囚？

12. 癸亥卜兄貞：□司龔□？

13. 癸酉卜兄貞：旬亡囚？　十三月　二

14. 癸巳卜兄貞：旬亡囚？　二

本綴合版首二片之綴合，已著錄爲總集二六六三〇片，與第三片之綴合他書尙未著錄，首片又著錄爲續六、二五、四片。

按：佚存原錄拓本，僅爲第十二辭，且僅爲栔刻文字部份。而續四所錄拓本亦不完正。茲予綴合，知其乃一頗爲碩大之左胛骨。惟雖經綴合，栔辭仍不完正，共得十一辭，其中一辭不完正，一辭或亦爲卜旬辭。就此殘存之卜旬辭觀察，得癸巳三辭，癸卯一辭，無癸未，除丑亥酉各二辭，殘一辭。其系月序者得四辭，爲癸丑十月、癸亥、癸酉皆爲十一月，又癸酉爲十三月。據此月序推察，必爲武丁或祖庚時所卜用者；且月序上未系在字，其爲第一期之遺物當無疑義。惟貞人兄（栔文之書體爲[illegible]，非[illegible]）學者多認屬二期祖甲時之貞人，得本綴合版之辭，知其於武丁時已服務王朝爲貞人，歷武丁、祖庚、祖甲三朝，誠爲三朝元老矣。又各辭之兆序紀數皆爲二，知其爲成組卜旬骨之第二骨。至少當有兆序一及三兩骨。檢總集二六六二七片，其癸示辭之兆序似爲一，總集二六六二九片之兆序爲三，此二片或與之同組歟？乃其殘碎太甚，未敢必，以俟賢者。

據所紀月序之干支，持與彥堂先生之年曆譜比勘，於祖庚在位之七年中與元四七三年之十三月中，均不能容納本綴合版各辭，但武丁五十八年之十三月卻正適合，且其前後各月亦不牴牾，則本版實爲武丁五十八年之遺物矣。茲據之製爲旬譜。

武丁五十八年（西元前一二八二年）

九月小己未朔

癸亥

癸酉

癸未　癸未卜兄貞：旬亡𡆥？

十月大戊子朔

癸巳　癸巳卜兄貞：旬亡𡆥？

癸卯

癸丑　癸丑卜兄貞：旬亡𡆥？　十月

十一月小戊午朔

癸亥　癸亥卜兄貞：旬亡𡆥？　十一月

癸酉　癸酉卜兄貞：旬亡𡆥？　十一月

癸未

十二月大丁亥朔

癸巳　癸巳卜兄貞：旬亡囚？

癸卯　癸卯卜貞：旬亡囚？

癸丑　癸丑卜貞：旬亡囚？

十三月大丁巳朔

癸亥　癸亥卜兄貞：☐司龔☐

癸酉　癸酉卜兄貞：旬亡囚？　十三月

癸未

武丁五十九年（（西元前）一二八一年）

一月小丁亥朔

癸巳　癸巳卜兄貞：旬亡囚？

癸卯

癸丑

九四三　骨　第四期

面：☐卜王貞：勿ㄓ在玫虎隻。

背：庚寅卜王貞：用豕母庚？今日。

拾、二　商承祚藏拓

右面背兩拓本著錄爲總集二〇七〇六號。

佚存未錄背拓，茲據總集補錄背拓並今譯其辭如右。

按：佚存原錄正面拓本，僅拓印絜刻文字之一縱條，且拓製惡劣，總集所錄者最爲完正，有助於綴合。

：字不識。待考。

玟：考釋云：「从女从王，乃地名」。校編釋爲「王母」合文（十二、六及合十五）。甲考謂：「从女王聲，當是婦女之姓」（一三八頁）。校編合文之說固非，甲考謂女姓之說，亦乏根據。就其字之構形言，从女王聲，然猶有待考者。茲姑從考釋所定，以俟考定。

母庚：此爲文武丁時之辭，曰母庚，當即稱武乙之爽廟號曰庚者。一萍師於七十年作「甲骨斷代問題」時，未暇舉證佚存所著錄之兩片（本片及五七三片），並予證明武乙之爽確有廟號曰庚者。

九四四　甲　第一期

貞：〼泉〼

本拓本又著錄爲總集八三六九片。

泉：綜類迻寫爲（一八二頁）。非是。

九四五加前五、六、六　骨　第一期

1. □卜爭貞：升伐衣于□餗王　十一月
2. 〼虎方　十一月
3. 卜 貞：令望乘眔輿途虎方　十一月
4. 〼與其途虎方告于大甲　十一月
5. 〼與其途虎方告于且乙　十一月
6. 〼與其途虎方告于丁　十一月

右綴合版已著錄爲新綴四六四版，總集六六六七版；首片又著錄爲簠典二七片，簠帝三七、六三、二〇三等片，續一、一三、二片，續三、一二、六片，文集二八、二片。

按：佚存所錄拓本，已將其兩邊末契文字者翦棄，且拓製亦差。茲據綴合版今譯其辭如右。

與：考釋云：「字从舁从東，乃國名」。今釋輿，已是定論。就綴合版之四輿字在辭中之句法推勘，不得謂爲國名，尤以第三辭「令望乘眔輿」，辭義明確肯定。其爲人名當無疑義。

途：考釋云：「字雖不識，意近征伐」。通考云：「余止，集韻訓止，卜辭多用爲祓除之除。又爲誅、卜辭言余止某方，余止字並讀爲誅」一七七頁。就其辭中用法推察，字固爲動詞，但非祓除或誅除之義；與征伐亦無關涉。疑其當爲路途、途程之義。途虎方，蓋即去虎方之路途。惟其或冊告虎方，故須告

拾、二　商承祚藏拓

祭于大甲等先祖。抑或往某方途經虎方，卜問其安全與否。

九四六　甲　第一期

☒一𢦏

本拓本又著錄爲總集一一三〇八片。

按：考釋漏釋𢦏上之紀數字「一」。

九四七　甲　第一期

1.貞：☒[illegible]☒

2.貞：勿☒

本拓本又著錄爲總集四五四一片。

[illegible]：待考。

九四八加戩三七、七加戩三七、八　骨　第三期

1.叀小乙美奏　因吉

2.叀[illegible][illegible][illegible]奏

3.叀商奏

本綴合版已著錄爲新綴四五六版，總集三三一二八版。首片又著錄爲戩三七、一一片。

九四九　甲　第四期

1.壬辰卜：五月癸巳雨？乙巳亦雨？

2.己亥卜：☐[glyph]☐　五月

3.庚戌

4.不

本拓本又著錄爲戩一五、七片，續四、一四、一片，總集二〇九四三片。

按：佚存所錄拓本，上下兩端皆被商氏翦棄，拓製亦差。茲據總集今譯如右。

考釋未釋第三辭，戩考僅釋庚字。考釋將第四辭濫入第二辭。

[glyph]：考釋云：「疑亦雹字。或爲霝字之省」。戩考隸定爲霝，無說。

再按：辭云：「壬辰卜，五月癸巳」，則壬辰當爲四月之末，癸巳則爲五月之朔。本片爲文武丁時之遺物，持與文武丁年曆譜比勘，其在位之十三年中，僅十三年之五月爲壬辰朔，與癸巳僅一日之差。若改定三四兩月爲連大月，五月爲小月，則癸巳爲五月之朔矣。又第二辭卜日之天干字殘佚，據前辭及殘存之亥推察，並據腹甲卜法通例評量，其卜日宜爲己亥，補錄如右，並譜其辭於後，藉便觀覽。

文武丁十三年（西元前一二一〇年）：

三月大癸巳朔

四月大癸亥朔

丁丑望

壬辰三十　壬辰卜：五月癸巳雨？乙巳亦雨？

五月小癸巳朔　（癸巳雨？）

己亥初七　己亥卜：☐[illegible]☐　五月

乙巳十三　（乙巳亦雨？）

庚戌十八　庚戌☐？

六月大壬戌朔

九五〇　甲　第一期

于☐[illegible]　二

本拓本又著錄爲總集一八〇一五片。

[illegible]：校編隸定爲骼云：「从骨省」八、一六。綜類逐寫爲[illegible]、[illegible]二文五〇九頁。

九五一　骨　第三期

1.叀𠔁☐弗每亡𢦏咏王

2.叀宮[illegible]省弗每亡𢦏咏王　大吉

本拓本又著錄爲總集二九一八五片。

按：佚存所錄拓本，其上端已被商氏翦棄。

𠔁：考釋隸定爲介，無說。

咏：考釋隸定爲㖷，無說。未必爲是。茲姑作咏，以俟考定。

九五二　甲　第一期

斳矦

本拓本又著錄爲戬四四、一一片，總集三三三二五片。

按：戬考未釋斳字。

九五三　甲　第一期

[illegible]卜　㱿貞：☐家☐

拾、二　商承祚藏拓

本拓本又著錄爲總集一三五九二片。

九五四　甲　第四期

1.壬⧄

2.丙申卜□貞：余⧄妣庚⧄

本拓本又著錄爲總集二〇三一八片。

妣庚：考釋隸定爲「妣[illegible]」，無說。綜類兩錄，均作「[illegible]」五及四〇。詳察拓本，似宜釋爲妣庚。蓋緣拓本適於此處拓製惡劣，辨識惟艱，至所定然否，未敢必。謹俟較清晰之拓本，或綴合後之比勘。

九五五　骨　第四期

1.丙子卜：福莫一牢

2.弜秦宗于妣庚

3.宗

本拓本又著錄爲戩三七、九片，續六、二三、五片，總集三四〇六四片。

按：前二辭與甲編五七一片同文，缺文即據彼補錄。考釋併爲一辭，作「秦宗弜丙」。戩考亦併爲一辭，作「弜丙𢦏秝宗」，析秦爲𢦏秝二字。考釋及戩考均未釋第三辭。蓋皆緣不明辭例所致也。

秦宗：考釋隸定爲秦泉，無說。通考云：「秦，當讀爲臻，臻即薦。秦宗，猶言薦宗」二九四頁。按：通考所釋非是。就本辭推勘，秦宗似爲奉祀妣庚之所，否則，亦當爲奉祀先祖之所，故有「秦宗力妣庚」之辭。

妣庚：此爲武乙時之辭，自祖甲以上先祖之爽均得稱妣。或稱小乙之爽歟？

九五六　骨　第四期

1. ☐不受禾
2. 癸卯貞：東受禾

北方受禾

西方受禾

〔南〕方〔受〕禾

本拓本又著錄爲戩二六、四片，續二、二九、七片，通纂四五三片，總集三三二四四片。

考釋及戩考均未釋「南方受禾」之辭。

九五七　甲　第一期

拾、二　商承祚藏拓

于[illegible]

本拓本又著錄爲總集八三六〇片。

[illegible]：考釋云：「爲地名或水名」。校編釋況十三、。

九五八　甲　第一期

1. ☐不☐[illegible]☐
2. [illegible]

本拓本又著錄爲總集四四九〇片。

按：考釋定第一辭爲「[illegible]☐不」。茲從綜類五十六頁所定，然否，未敢必。

[illegible]：或釋缶，爲陶或匋之初文。

九五九　骨　第一期

1. 乙酉
2. 叀用眔。
3. 丁酉卜
4. 丙午卜：其用龜

本拓本又著錄為簠雜四二片，續六、七、三片，總集一七六六六片。

考釋併二、三兩辭為一，作「丁酉卜叀井眔」。通考則併三、四兩辭為一，成「丙午卜，其用龜，丁酉卜」（三十五頁）。均非，茲訂正如右。

按：存一、一二一七片與二、三兩辭為同文，前四、五四、七片與第四辭為同文；均為肩胛骨之左邊沿。本片則為右邊沿，或為同組之卜骨歟？

用龜：周禮龜人有釁龜之紀。辭曰用龜，或即周禮之釁龜。前賢已多論之。惟謂為殺龜以祭，則未必然。

九六〇　甲　第一期

1.豕　三　四

2.弗 [illegible]　一二

本拓本初著錄為鐵一九六、四（新鐵八七一）片；又著錄為戩三三、八片，續六、一九、六片，總集一八四〇〇片。

按：考釋不知本片為鐵雲之故物，亦不知已著錄於戩壽堂及續編，故僅就其所錄殘餘之拓本作釋文。茲據藏龜初錄之拓本今譯其辭如右。又據「戩壽堂所藏殷虛文字補正」謂：本片目前不知其下落。

豕：戩考隸定為大，無說。

九六一　甲　第一期

雀其戋塞

本拓本又著錄爲總集六九八〇片。

：續編釋巫（五卷五頁），無說。集釋從唐蘭說釋弄（七九〇頁）。字蓋即今字塞之初文。字从，象山中之洞穴，亦即今字穴之初文。从，蓋以工阻塞之義。工，非今字之工，乃概括一切可以阻隔之物之義。準之六書，字爲會意。其在本辭，或爲方國地名。

九六二　骨　第一期

丁卯卜　貞：平☐鄘白☐

本拓本又著錄爲粹一五七九片，總集三三九六片。

：粹考釋佣云：「从土从用省，蓋亦古墉字」。所釋似是未當，隸定之固當作坍。然以聲類求之，與今字庸从用同。就本辭辭義推察，宜爲方國名。疑即鄘字之本字。說文：「鄘，南夷國」。段注：「尙書庸地在漢水之南。今字庸行而鄘廢。南夷國，當作漢南國」。後世庸、鄘行而本字坍廢。

九六三　骨　第三期

1.庚子

2.又囗日⿺辶壽囗受又

本拓本又著錄爲戩三九、一四片，續六、二〇、三片，總集三〇六四〇片。

九六四　甲　第一期

貞：囗[illegible]三牢箙一牛　十月

本拓本又著錄爲總集一五八二三片。

按：本片與庫方一八四九片爲同文。

九六五　骨　第四期

1.年卜

2.疾卜

3.⿰口亏

本拓本又著錄爲戩三四、五片，續六、二六、八片，總集三一六八一片。

年卜：考釋隸定爲「禾卜」，無說。

九六六　甲　第一期

□亥卜：王白[glyph]乍□耤循其受㞢又　四

本拓本又著錄為續五、六、四片，總集三四一五片。

九六七　骨　第四期

1.甲子卜　二

2.□亥帚井毓☒

本拓本又著錄為戩三五、五片，續四、二六、六片，總集三二七六三片。

戩考定為一辭。詳審書體及各辭所處位置，決非一辭，戩考誤定。

帚井：此與武丁時之帚妌應為異代同稱。

九六八　甲　第一期

舟[glyph]　二

本拓本又著錄為總集四九三〇片。

[glyph]：考釋隸定為䖒，綜類從之二四一頁 四六二頁。

九六九　甲　第一期

壬寅卜：兄[glyph]☐

本拓本又著錄爲總集二九三五片。

[glyph]：考釋定爲賁它合文云：「賁它二字合文，此當讀爲：壬寅卜賁兄它」。校編迻寫爲[glyph]，列於附錄，定爲待考字（上一二〇），續編未錄，綜類迻寫作[glyph]（八十五頁）[glyph]（五一〇頁）[glyph]（五五五頁），通考釋「㞢、賁」合文，並謂兄、㞢皆爲貞人，爲合貞例（五十四、七五七、八八〇頁）。

九七〇　骨　第三期

1. 叀媽眔馮用亡巛
2. 叀駟眔大馮亡巛　弘吉

本拓本又著錄爲簠典六三片，續二、二五、一一片，總集三六九八五片。

九七一　骨　第五期

1. 丁丑王卜貞：其振旅徙戔于盂往來亡巛　王𠧞曰吉在七月
2. ☐卜☐于☐巛

拾、二　商承祚藏拓

本拓本又著錄爲簠游五一片，續三、二三、七片，總集三六四二六片。

按：總集所錄拓本最爲清晰完正。

考釋於序辭漏釋「王」字。

九七二　骨　第一期

1. 貞：[glyph]岳
2. 貞：[glyph]河
3. [貞]：[glyph]岳

本拓本又著錄爲戩三四、八片，續六、一八、九片，總集一四四七八片。

河：戩考隸定爲「妣乙」。無說。

[glyph]：或釋祝，未必爲當。

九七三　骨　第一期

面：1. ☐若丝不雨隹☐㞢醜于☐

2. ☐☐　三

背：☐龍㞢醜

右面背兩拓本著錄爲總集一二八七號；背拓又著錄爲總集四六五四片。

按：佚存未錄面拓，茲據總集補錄並今譯其辭如右。又佚存所錄背拓僅及契辭部份，餘皆爲商氏翦棄。

又按：續四、二、九片爲本片之面拓；惜其左半亦爲羅氏翦棄，無由認其爲一骨之正背，亦不知其竟分錄於兩書。惟可證續編所錄，並非羅氏所藏之實物。

九七四　骨　第一期

1. 囗王固曰：叀既
2. 囗王固曰：㞢祟兹[illegible]囗

本拓本又著錄爲續五、四、一片，總集一七七〇三片。

九七五　甲　第一期

[illegible]

本拓本又著錄爲總集一八一〇五片。

九七六　甲　第一期

二

塞

九七七 甲 第一期

甲寅卜貞：王☐逐☐

本拓本又著錄爲總集一〇六三九片。

九七八 甲 第一期

王勿☐䜌

本拓本又著錄爲總集一八三八〇片。

九七九 骨 第一期

1. 辛巳卜爭貞：今春王从望乘伐下危受㞢又 十一月
2. 辛巳卜爭貞：今春王勿从望乘伐下危弗其受㞢又 二告

本拓本又著錄爲簠征二六片，續三、一一、五片，總集六四八七片。

按：胡文定第二辭與續三、八、九片之辭爲「正反同文例」一八四頁。佚存所錄拓本之左右兩邊，已被商氏翦棄，故於本片情形，不能觀其全體。彥堂已將本片各辭列於武丁二十八年（西元前一三一一）十一月征伐下危之役之月譜。此不贅錄，請參閱。

九八〇加續四、三三、一加續五、一〇、一面　骨　第一期

1. 癸亥卜殼貞：旬亡𡆥？王固曰㞢祟☐[illegible]八月
2. 癸亥卜殼貞：旬亡𡆥？王固曰㞢祟五日丁卯王狩𢼄𨍭車馬☐在車𨊠馬☐亦㞢☐
3. 癸未卜殼貞：旬亡𡆥？王固曰㞢祟其㞢來嬉乞至七日己丑允㞢來嬉自西𠂤戈化告曰[illegible]方圍我

奠☐

九八〇加續五、五、一加續五、一二、一背

1. 㞢
2. 王固曰其㞢☐
3. 王固曰㞢祟㞢見☐嬉其隹丙不☐
4. 王固曰㞢祟八日庚子戈[illegible]☐人洀㞢執二人
5. ☐壬辰亦㞢來自西☐乎☐
6. ☐圍我奠戋四☐
7. ☐亦焚啚三

拾、二　商承祚藏拓

右面背兩綴合版已著錄爲新綴三二七及三二八版，總集五四八號。面拓首片又著錄爲簠游一二三片，續三、四〇、二片。背拓首片又著錄爲簠雜六八片，續五、三、一片。

按：面拓各辭與前七、五、三，前七、一八、三，遺珠一三六八，新鐵八二三等片爲同文；惟各該片皆爲殘片，且新鐵爲腹甲。本片各辭缺文，雖據各該片補錄，然仍不能窺其全貌，胡文例四四定爲五卜同文（一五八頁）。

又背拓雖列七辭，抑未必爲是。就其情形審量，或爲四辭，或爲五辭頗有可能。惟以缺少同文他片之辭之比勘，未敢肯定。茲姑錄如右，以俟同文。

右面背各辭，彥堂先生皆以之譜入武丁二十九年之日譜，請參閱。

九八一　甲　第五期

1.叀羊

2.叀羊

3.甲申卜貞：武乙祊其牢　兹用

4.叀羊

5.叀羊　兹用

6.丙戌卜貞：武丁祊其牢　兹用

7. [叀]羊[兹]用

8. □卜貞：□祊其牢

9. □卜貞：□祊[其]牢

本拓本又著錄爲總集三五八二九片。

九八二　骨　第一期

1. 癸酉卜㱿貞：翌乙亥不其易日

2. 丁亥卜㝔貞：羌舟攸王

3. 庚寅卜品貞：爯三千人伐☐

本拓本又著錄爲簠典九片，簠征四六片，簠雜五四片，續五、一一、一片，總集七三四五片。

按：總集所錄拓本，其上端各辭之卜日，皆已殘佚；惟左及下則未經翦裁，而仍爲全貌。

：通考釋諧．云：「諧，疑讀爲詣，說文：詣，候至也。集韵訓詣爲往也，到也」三〇頁。

九八三

按：本片爲九八〇片之背拓，釋文見前。

九八四　甲　第五期

1.丙子卜貞：文武丁宗其牢

2.丙子卜貞：文武丁宗其牢　丝用

3.叀羊

4.甲辰卜貞：武且乙宗其牢　丝用

本拓本又著錄爲總集三六〇八九片。

九八五加燕一　骨　第一期

面：戊子卜王貞：來競芻　十一月　二告

背：戊子卜王貞：來競芻　十一月

右面背兩綴合版已著錄爲新綴五三一面，五三一背，總集一〇六號。

九八六　重見二五六片　刪

按：佚存僅著錄背拓之下半。

九八七至九九四，已見柯昌泗氏藏拓本

九九五　甲　第五期

1.戊戌卜貞：在[illegible][illegible]告⿰鹿虎鹿王其从豕往來亡𡿧王佔

2.丁巳卜貞：[illegible][illegible][illegible]往來亡𡿧王佔

3.貞：丝⿰矢卩☒狼十☒鹿☒

4.癸☒王☒于[illegible]☒

本拓本又著錄爲書譜四九、四片，京津五二八三片，總集三七四三九片。

按：各資料書所錄拓本，拓印惡劣，字辭殊爲不易辨認；尤以佚存所錄者比較最差。茲參酌三拓本及商氏與前賢之引錄今譯如右，然否，未敢必。正誤，有俟達者或清晰之拓本、或驗證實物。

⿰鹿虎：校編迻寫作[illegible]，列於附錄上一〇頁。茲比勘各拓本之情形，似作[illegible]。其左从鹿，宜無疑問，其右所从，似爲虎形。茲姑隸寫如右，以俟訂正。

[illegible]：考釋定爲雞之異文。

[illegible]：此字各家之迻寫差異最大，如校編則迻寫爲[illegible]形附上七二。綜類則迻寫爲[illegible]形一八六頁，又析列爲二文，作[illegible]形四一九頁。茲姑从析二之寫，以俟訂正。

[illegible]：拓本僅殘存[illegible]形，是否如上，未敢必。

九九六　骨　第一期

面：1.貞：在庚酒
　　2.癸酉卜㱿貞：王出亡囚
臼：癸酉亩示一骨　永
本面臼兩拓本又著錄爲總集五〇五六號
庚酒：檢陳四八片有辭曰：「于庚宗」，本辭曰在庚酒，疑爲「在庚宗酒」之漏契「宗」字者。
骨：契文作（，丁山氏釋夕（甲骨所見氏族及其制度七頁），未當。請詳本校釋三七九片之校釋。

九九七　骨　第一期

面：壬辰卜亘貞：王往出于𦎫
臼：庚寅帚柯示三屯　小㱿
本面臼兩拓本又著錄爲天七三號，總集七九四一號。
柯：或隸定爲妸。

九九八　骨　第一期

面：乙亥其雨

臼：辛卯帚□示二屯　㝐

本面臼兩拓本又著錄爲天十七號，總集一七五五一號。

九九九　骨　第一期

面：1.乙巳卜亘貞：使人于☐　一

2.乙巳卜亘貞：㞢去　一

臼：甲辰帚相示二屯　岳

本面臼兩拓本又著錄爲總集五五四五號。

一〇〇〇　骨　第一期

面：1.貞：烄姘㞢雨　二

2.勿烄姃亡其雨　二

3.勿☐

臼：帚良示七[illegible]

本面臼兩拓本又著錄爲總集一一二一號。

拾、二　商承祚藏拓

[illegible]：高笏之先生云：「象風箱留實之器，穀之輕惡者隨風吹去，重而良好者墜入此器」中國字例。風箱、北語謂之風車，搖動車葉而生風故謂之風車。風車，爲收割糧食之重要農器，北農迄今用之。推想在上古時代，風車之發明，無疑使農業進入機械時代，謂之農業革命，未嘗爲非。由此字之認定，或證知殷商在武丁時代之農業，已發展至利用機械生產。既已利用機械生產，則其農業已發展至高峰，武丁時期武功之盛，其導因或在此。字在契文之爲用，就現時流傳之資料考察，率多爲名詞，一爲人名，即「帚良」，例見本片。一爲地名，見於前二、二一、三，辭云：「丙辰……王其步于良」。又曰：「丁己……王其田在良」是也。

帚良：據例，宜爲武丁時期諸帚之一。

[illegible]：三文編及集釋均未錄本字。據骨臼刻辭例，字當作[illegible]，或爲誤契者歟？然類此結體之文，他辭未之見。究竟如何，有俟研討。

民國七十七年中秋節後三日教師節二十三時

清繕於楓林風雨滿懷龕

國家圖書館出版品預行編目資料

殷契佚存校釋 / 白玉峥撰. -- 初版. -- 臺北市
: 文史哲, 民 88
冊 : 公分
附圖版
ISBN 957-549-247-1(一套 ; 精裝)

1.甲骨 - 文字 - 研究與考訂

792.7 88015353

殷契佚存校釋（上下冊）

撰者：白玉峥
出版者：文史哲出版社
登記證字號：行政院新聞局版臺業字五三三七號
發行人：彭正雄
發行所：文史哲出版社
印刷者：文史哲出版社
臺北市羅斯福路一段七十二巷四號
郵政劃撥帳號：一六一八〇一七五
電話 886-2-23511028 · 傳眞 886-2-23965656
精裝二冊實價新臺幣二〇〇〇元
中華民國八十八年十月初版

ISBN 957-549-247-1